Perdas Necessárias

JUDITH VIORST

Perdas Necessárias

Prefácio de
ALEXANDRE COIMBRA AMARAL

Tradução de
AULYDE SOARES RODRIGUES

Editora Melhoramentos

Dados Internacionais de Catalogação na Publicação (CIP)
(Câmara Brasileira do Livro, SP, Brasil)

Viorst, Judith
　　Perdas necessárias / Judith Viorst; tradução Aulyde Soares Rodrigues. – 6. ed. – São Paulo: Editora Melhoramentos, 2021.

　　Título original: Necessary Losses
　　ISBN: 978-65-5539-317-0

　　1. Autoajuda 2. Autoatualização (Psicologia) 3. Desenvolvimento pessoal 4. Perda (Psicologia) I. Título.

21-63395　　　　　　　　　　　　　　　　　　　　　　CDD-155.93

Índice para catálogo sistemático:
1. Perdas : Psicologia 155.93

Maria Alice Ferreira - Bibliotecária - CRB-8/7964

Título original: *Necessary Losses*

© 1986 Judith Viorst. Simon and Schuster, Nova York
Direitos desta edição negociados por Casanovas & Lynch Literary Agency S.L.
© 1988, 1991 Cia. Melhoramentos de São Paulo
© 2002, 2005, 2011, 2021 Editora Melhoramentos Ltda.
Todos os direitos reservados.

Tradução de © Aulyde Soares Rodrigues
Prefácio de © Alexandre Coimbra Amaral
Projeto gráfico e diagramação: Carla Almeida Freire
Imagens da capa: © 2017 Tanya Syrytsyna/Shutterstock
　　　　　　　　© NO NAME/Pexels.

Direitos de publicação:
© 2021 Editora Melhoramentos Ltda.
Todos os direitos reservados.

6.ª edição, 3.ª impressão, setembro de 2023
ISBN: 978-65-5539-317-0

Atendimento ao consumidor:
Caixa Postal 169 – CEP 01031-970
São Paulo – SP – Brasil
Tel.: (11) 3874-0880
sac@melhoramentos.com.br
www.editoramelhoramentos.com.br

Impresso no Brasil

*A meus três filhos,
Anthony Jacob Viorst,
Nicholas Nathan Viorst e
Alexander Noah Viorst*

Sumário

Prefácio 9

Introdução 13

PARTE I – O eu separado

1. O alto preço da separação.....................................19
2. A conexão final 31
3. De pé sem ajuda..40
4. O "eu" particular..48
5. Lições de amor 62

PARTE II – O proibido e o impossível

6. Quando você vai levar o novo bebê de volta para o hospital? 79
7. Triângulos apaixonados 95
8. Anatomia e destino 109
9. Tão bom quanto a culpa 124
10. O fim da infância 135

PARTE III – Conexões imperfeitas

11. Sonhos e realidade 155
12. Amigos de conveniência e históricos, de encruzilhada, de gerações diferentes e de aparecer quando os chamamos às duas da manhã 164
13. Amor e ódio no casamento 178
14. Salvando os filhos..197
15. Sentimentos de família 214

PARTE IV – Amar, perder, abandonar, desistir

16. Amor e luto 227
17. Mudanças de imagem 255
18. Envelheço... envelheço 274
19. O ABC da morte 294
20. Reconexões 313

Agradecimentos 317

Prefácio

As mãos de um leitor povoam, ávidas, as páginas de um novo livro. Afinal, a vida é um fenômeno deveras complexo para se restringir ao que vivemos. Os acontecimentos, que deixam em nós as marcas que a memória nunca se cansará de lembrar, são apenas o início de uma narrativa daquilo que não se conhece. O autor é o dono da caneta, escreveu o texto que acompanha os incômodos, as belezas, as texturas e as cores, os dissabores e as esperanças de todos os tempos vividos.

Em meio a tudo isso, há o diálogo, uma das formas mais belas para que novas palavras possam surgir, porque aquilo que existia somente como sensação tem, enfim, a oportunidade de virar nome. E não há modo melhor de conseguir nomear o que sentimos senão na companhia de interlocutores capazes de compreender o que está em nós, antes mesmo das palavras que dizem o nome das coisas.

Perdas Necessárias é um livro que dialoga com essa necessidade humana de nomear aquilo que nos é desalento. É um livro poderoso, porque tem a capacidade de ancorar, ao longo de toda a sua extensão, muitas das perguntas que nem sequer sabemos que teríamos que fazer. É um livro que conversa com os silêncios da alma. Por isso, talvez, sua longevidade. Por isso, certamente, sua imensa capacidade de se espalhar pelo mundo como uma referência num tema que assusta, ao mesmo tempo que atrai, pela impossibilidade de negá-lo como central.

Nossa cultura ocidental tem uma maneira muito conhecida de falar do desenvolvimento humano: a partir das aquisições. Assim, o bebê nasce, abre os olhos, começa a mamar, estabelece ritmos de sono e vigília, passa a brincar com as mãos e os pés, depois começa a engatinhar, andar, correr.

A criança adquire fala, escrita e pensamento abstrato. O adolescente faz uma transição para a adultez incorporando alguns elementos de sustentação da vida adulta: identidade, profissão, provisão financeira, independência emocional. É assim que construímos a narrativa sobre a travessia pela linha do tempo da biografia humana. Mas isso é só uma parte da história.

Judith Viorst vem nos mostrar que também somos aquilo que perdemos. Há espaços vazios a cada novo fechamento de ciclo, por mais primário que seja, ainda que em tenra idade. Enquanto ganhamos tudo o que vamos adquirindo enquanto crescemos, vamos deixando de *ser* e *ter* um monte de coisas. O bebê perde o conforto da amamentação para ganhar mais autonomia, a mãe se despede do peito como lugar de conexão inequivocamente forte com seu filho para ganhar maior grau de liberdade como mulher, para ir além da função materna. Perdemos enquanto ganhamos; ganhamos, porque assimilamos perdas e construímos a resiliência necessária à vida.

As perdas não são um sinal negativo, são curvas no caminho que alguém inventou que pudesse ser linear. Elas nos fazem recordar que não estamos no controle, que estamos sempre na condição de aprendizes, menores – e, às vezes, também maiores – do que imaginávamos. Definitivamente, as perdas nos ensinam sobre a natureza da vida e a natureza humana. É por meio delas que damos maior valor ao tempo, às escolhas, à angústia e ao próprio desejo.

Enquanto estiver lendo *Perdas Necessárias*, tome um tempo para pensar nas suas histórias. É assim que este livro se transforma num interlocutor do diálogo essencial. À medida que a leitura avança, você escutará sua própria voz conversando com a autora sobre a vida, sobretudo no que tange à visibilidade que talvez você não tenha conseguido dar às suas perdas. E esse é um lugar importante para se revisitar. Afinal, as perdas nos deixam muito mais vivos; viver sem elas seria talvez a maior de nossas tragédias.

ALEXANDRE COIMBRA AMARAL
Psicólogo e escritor, autor do livro *Cartas de um Terapeuta para seus Momentos de Crise* (Paidós, 2020) e colaborador do programa Encontro com Fátima Bernardes

Amores, ilusões, dependências
e expectativas impossíveis,
dos quais nós todos temos de
abrir mão para crescer

*É a imagem na mente que nos une aos tesouros perdidos,
mas é a perda que dá forma à imagem.*

COLETTE

Introdução

Depois de quase duas décadas escrevendo essencialmente sobre o mundo interior de crianças e adultos, resolvi aprender mais sobre as bases teóricas da psicologia humana. Iniciei meus estudos num instituto psicanalítico porque acredito que, apesar de todas as suas imperfeições, a perspectiva psicanalítica oferece a forma mais profunda de discernimento sobre o que somos e por que agimos desse ou daquele modo. Na melhor das hipóteses, a teoria psicanalítica simplesmente nos ensina, de modo diferente, o que já aprendemos com Sófocles, Shakespeare e Dostoiévski. Na melhor das hipóteses, a teoria psicanalítica nos oferece generalizações esclarecedoras, mantendo ao mesmo tempo um apurado respeito pela complexidade e pela singularidade de cada um de nós, como seres humanos.

Em 1981, depois de seis anos de estudo, eu me formei como pesquisadora pelo Instituto Psicanalítico de Washington, que pertence à rede internacional de institutos de ensino e de formação prática criada por Sigmund Freud. Durante esses anos, fui também submetida à análise e trabalhei em várias áreas psiquiátricas – como auxiliar na seção infantil, como professora de redação criativa para adolescentes emocionalmente perturbados e como terapeuta em duas clínicas, fazendo psicoterapia individual com adultos. Percebi então que, para onde quer que olhasse, quer dentro quer fora dos hospitais, as pessoas – todos nós – estavam lutando contra a perda. A perda tornou-se então o assunto sobre o qual me propus a escrever.

Quando pensamos em perda, pensamos na morte das pessoas que amamos. Mas a perda é muito mais abrangente em nossa vida. Perdemos não só pela morte, mas também por abandonar e ser abandonados, por mudar e deixar coisas para trás e seguir nosso caminho. E nossas perdas incluem não apenas separações e partidas dos que amamos, mas também a perda consciente ou inconsciente de sonhos românticos, expectativas impossíveis, ilusões de liberdade e poder, ilusões de segurança – e a perda do nosso eu jovem, o eu que se julgava para sempre imune às rugas, invulnerável e imortal.

Um tanto enrugada, altamente vulnerável e definitivamente mortal, examinei essas perdas. Essas perdas de uma vida inteira. Essas perdas necessárias. As perdas que enfrentamos quando nos vemos face a face com um fato do qual não podemos fugir, como o de que:

- Nossa mãe vai nos deixar e nós vamos deixá-la.
- O amor de nossa mãe jamais será só nosso.
- As dores que nos machucam nem sempre desaparecem com um beijo.
- Estamos no mundo essencialmente por nossa conta.
- Teremos de aceitar – nos outros e em nós mesmos – um misto de amor e ódio, de bem e mal.
- Por mais sábia, bela e encantadora que seja, nenhuma garota pode se casar com o pai quando crescer.
- Nossas opções são limitadas pela anatomia e pela culpa.
- Há falhas em qualquer relacionamento humano.
- Nosso status neste planeta é implacavelmente efêmero.
- Somos completamente incapazes de oferecer a nós mesmos ou aos que amamos qualquer forma de proteção – proteção contra o perigo e contra a dor, contra as marcas do tempo, contra a velhice, contra a morte, proteção contra nossas perdas necessárias.

Essas perdas são parte da vida – universais, inevitáveis, inexoráveis. E essas perdas são necessárias, porque para crescer temos de perder, abandonar e desistir.

Este livro é sobre o elo vital entre nossas perdas e ganhos. Este livro é sobre as coisas das quais desistimos para poder crescer.

Pois a estrada do desenvolvimento humano é pavimentada com renúncia. Durante toda a vida crescemos desistindo. Abrimos mão de alguns dos nossos mais profundos vínculos com outras pessoas. De certas partes muito queridas de nós mesmos. Precisamos enfrentar, nos sonhos que sonhamos, bem como nos nossos relacionamentos íntimos, tudo que jamais teremos e tudo o que jamais seremos. Investimentos emotivos nos fazem vulneráveis a perdas. E às vezes, por mais inteligentes que sejamos, temos de perder.

Pediram a um garoto de oito anos um comentário filosófico sobre a perda. Menino de poucas palavras, ele respondeu: "Perder suga a gente". Em qualquer idade, temos de concordar: perder é difícil e doloroso. Consideremos também o ponto de vista de que só por meio de nossas perdas nos tornamos seres humanos plenamente desenvolvidos.

Na verdade, gostaria de propor a ideia de que para compreender nossa vida precisamos compreender como enfrentamos nossas perdas. Gostaria de propor neste livro a ideia de que as pessoas que somos e a vida que vivemos são determinadas, para o melhor e para o pior, pelas nossas experiências de perda.

Não sou psicanalista e não pretendo escrever como se o fosse. Também não sou estritamente freudiana, se esse termo tem a intenção de descrever uma pessoa que segue à risca as doutrinas de Freud e resiste a qualquer modificação ou mudança. Mas, sem hesitar, adoto a convicção de Freud de que nosso passado, com todos os seus desejos clamorosos e terrores e paixões, habita o nosso presente, e a sua crença no poder enorme do nosso inconsciente — aquela região fora da nossa percepção — para modelar os fatos da nossa vida. Adoto também sua crença de que a conscientização ajuda, que reconhecer o que estamos fazendo ajuda, e que a autocompreensão pode ampliar o campo das nossas escolhas e possibilidades.

Na preparação deste livro não tomei como base apenas Freud e uma vasta gama de outros pensadores psicanalíticos, mas também poetas, filósofos e escritores que se preocuparam — direta ou indiretamente — com os aspectos da perda. Além disso, usei extensamente minhas experiências pessoais como menina e mulher, como mãe e filha, como esposa, irmã e amiga. Conversei com analistas sobre seus pacientes, com pacientes sobre seus analistas e com grande número de pessoas do tipo a quem este livro é dirigido: pessoas casadas e com família, que se preocupam com os pagamentos da hipoteca, os problemas peridentais, a vida sexual, o futuro dos filhos, o amor e a morte. Praticamente todos os nomes foram mudados, exceto os de umas poucas pessoas "famosas", cujas histórias servem como testemunho público da característica difusa dos problemas de perda.

Pois as nossas perdas — examinadas sucessivamente nas quatro partes deste livro — são sem dúvida difusas.

As perdas relativas ao afastamento do corpo e do ser da mãe, e da transformação gradual em um ser à parte.

As perdas relativas ao confronto com as limitações do nosso poder e potencial, e relativas ao ato de ceder ao que é proibido e ao que é impossível.

As perdas ligadas à renúncia dos sonhos ou dos relacionamentos ideais, a favor das realidades humanas das conexões imperfeitas.

E as perdas — as perdas múltiplas — da segunda metade da vida, a perda final, o abandono, a desistência.

Examinar essas perdas não significa encontrar remédios auspiciosos como "ganhar perdendo" ou a "alegria da perda". Nosso jovem filósofo disse: "Perder suga a gente". Mas olhar para as perdas é ver como estão definitivamente ligadas ao crescimento. E começar a perceber como nossas respostas às perdas moldaram nossas vidas pode ser o começo da sabedoria e de uma mudança promissora.

JUDITH VIORST
Washington, D.C.

PARTE I

O EU SEPARADO

Nenhuma dor é tão mortal quanto a da luta para sermos nós mesmos.

IEVGUÊNI VINOKUROV

CAPÍTULO 1
O alto preço da separação

Vem então o fato de eu ter sido abandonada por minha mãe. Essa também é uma experiência comum. Elas caminham na nossa frente, com muita rapidez, e nos esquecem, tão perdidas que estão nos próprios pensamentos, e mais cedo ou mais tarde desaparecem. O único mistério é o fato de esperarmos que não seja assim.

MARILYNNE ROBINSON

Começamos a vida com uma perda. Somos lançados para fora do útero sem um apartamento, cartão de crédito, um emprego ou um carro. Somos bebês que mamam, choram, se agarram indefesos. Nossa mãe se interpõe entre nós e o mundo, protegendo-nos contra a ansiedade arrasadora. Não teremos nenhuma necessidade maior do que a dos cuidados de nossa mãe.

Bebês precisam de mães. Às vezes, advogados, donas de casa, pilotos, escritores e eletricistas também precisam de sua mãe. Nos primeiros anos da nossa vida entramos num processo de desistir de tudo aquilo que devemos abandonar para nos tornarmos seres à parte. Mas até aprendermos a tolerar nossa separação física e psicológica, a necessidade da presença de nossa mãe – sua presença literal e real – é absoluta.

Pois é difícil tornar-se um ser à parte, separar-se literal e emocionalmente, ser capaz de exteriormente defender-se sozinho e interiormente sentir que se está separado. Temos de suportar perdas, embora possam ser balanceadas pelos ganhos, quando nos afastamos do corpo e do ser de nossa mãe. Mas se nossa mãe *nos deixa* – quando somos muito novos, despreparados, assustados, desamparados –, o preço desse abandono, o preço dessa perda, o preço dessa separação pode ser alto demais.

Há um tempo certo para nos separarmos de nossa mãe.

Porém, a não ser que estejamos preparados para a separação – a não ser que estejamos prontos para deixá-la e ser deixados por ela –, qualquer coisa é melhor do que a separação.

Um garotinho está numa cama de hospital. Assustado e com muita dor. Quarenta por cento do pequeno corpo está coberto de queimaduras. Alguém o encharcou com álcool e então, por incrível que pareça, acendeu um fósforo.
 Ele chora pela mãe.
 A mãe foi quem o queimou.
 Aparentemente, não importa o tipo de mãe que uma criança perde, ou o quanto pode ser perigoso continuar na presença dela. Não importa se ela machuca ou abraça. A separação da mãe é pior do que estar nos braços dela quando as bombas estão explodindo. A separação da mãe é às vezes pior do que ficar com ela quando ela é a própria bomba.
 Pois a presença da mãe – da nossa mãe – representa segurança. O primeiro terror que conhecemos é o medo de perdê-la. "Não existe nada semelhante a um bebê", escreve o pediatra e psicanalista D. W. Winnicott, observando que na verdade os bebês não podem existir sem sua mãe. A ansiedade da separação é provocada pela verdade literal de que, sem alguém para tomar conta de nós, morreremos.
 É claro que o pai pode ser esse alguém. Falaremos sobre seu papel no Capítulo 5. Mas a pessoa encarregada de cuidar do bebê, da qual falamos agora – porque geralmente é ela –, é nossa mãe, de quem podemos suportar qualquer coisa, menos o abandono.
 Contudo, somos todos abandonados pela mãe. Ela nos deixa antes de sermos capazes de entender que vai voltar. Ela nos abandona para trabalhar, para fazer compras, para sair de férias, para ter outro filho – ou simplesmente estando ausente quando precisamos dela. Ela nos abandona para ter uma vida à parte, a sua vida – e precisamos aprender a ter a nossa vida particular também. Mas, nesse ínterim, o que fazemos quando precisamos de nossa mãe – precisamos de nossa mãe! – e ela não está presente?
 O que fazemos, sem dúvida, é sobreviver. É claro que sobrevivemos às ausências temporárias. Mas essas ausências nos ensinam um temor que pode nos marcar para toda a vida. E quando nos primeiros anos, especialmente nos seis primeiros anos de vida, somos privados constantemente da mãe de que precisamos e cuja presença desejamos, podemos ser tão

prejudicados emocionalmente quanto o garoto encharcado com álcool e queimado. Na verdade, essa privação nos primeiros anos de vida tem sido comparada a uma queimadura ou a um ferimento extenso. A dor é inimaginável. A cicatrização é difícil e lenta. O prejuízo, embora não fatal, pode ser permanente.

Selena enfrenta esse dano todas as manhãs quando os filhos saem para a escola e o marido para o trabalho e, ouvindo a porta do apartamento fechar-se pela última vez, pensa: "Sinto-me sozinha, abandonada, petrificada. Preciso de horas para me refazer. O que acontecerá se eles não voltarem?".

No fim dos anos 1930, na Alemanha, quando Selena tinha seis meses, sua mãe começou a luta para sobreviver, saindo todas as manhãs para a fila de alimentos e para vencer a burocracia que cada vez mais dificultava a vida dos judeus. Por uma desesperadora necessidade, Selena ficava sozinha, com uma mamadeira, presa no berço – e, se chorava, suas lágrimas já estavam secas quando, algumas horas depois, a mãe voltava para casa.

Todos os que a conheciam concordavam em dizer que Selena era extremamente boa – uma criança tranquila, sem exigências, de bom gênio. E quem a vê agora certamente pensa estar vendo um espírito feliz e brilhante, não marcado por experiências que certamente foram de perda dolorosa.

Mas Selena foi marcada.

Selena é sujeita a crises de depressão. Tem horror ao desconhecido. "Não gosto de aventuras. Não gosto de nada novo." Diz que suas mais antigas lembranças são de angústia, imaginando o que iria acontecer em seguida. "Tenho medo", diz ela, "de tudo o que não é familiar para mim."

Tem medo também de muita responsabilidade: "Gostaria que alguém tomasse conta de mim o tempo todo". E, embora desempenhando adequadamente o papel de esposa e mãe, arranjou – no marido, forte e confiável, e em vários amigos mais velhos – um substituto do cuidado materno.

As mulheres em geral invejam Selena. Ela é espirituosa, encantadora e cheia de calor humano. Sabe fazer bolos, costurar, gosta de música, gosta de rir. É membro da Phi Beta Kappa*, tem dois diplomas de *Master*, leciona durante

---

* Nos Estados Unidos, sociedade de honra nacional, fundada em 1776, cujos membros são escolhidos, como sócios vitalícios, entre os universitários do último ano com destacado desempenho acadêmico. (N. da T.)

meio período. E, com seu corpo miúdo de menina, enormes olhos castanhos e bela estrutura facial, parece-se muito com Audrey Hepburn quando jovem.

Com a diferença de que, com quase cinquenta anos, Selena continua a ser uma *jovem* Audrey Hepburn, menos uma mulher do que uma menina. E, finalmente, identificou aquilo que descreve como "algo que me acorda todas as manhãs de minha vida com um gosto horrível na boca e dores na barriga".

"É zanga", diz ela, "muita zanga. Acho que me sinto enganada."

A ideia não é aceitável para Selena. Por que simplesmente não dá graças por estar viva? Observa que seis milhões de judeus morreram, e ela, tudo o que sofreu foi a ausência da mãe. O dano, diz ela, embora permanente, não é fatal.

Somente nas últimas quatro décadas, nos anos seguintes ao nascimento de Selena, começou a ser dada a devida atenção ao alto preço da perda da mãe, ao sofrimento imediato e às consequências futuras das separações, mesmo de curto prazo. A criança, longe da mãe, pode apresentar reações que perduram até muito tempo depois de estarem juntas novamente – problemas de alimentação e de sono, perda do controle da bexiga e dos intestinos, e até diminuição do número de palavras que usa. Além disso, aos seis meses pode se tornar não apenas tristonha e manhosa, mas gravemente deprimida. E, além disso tudo, a sensação dolorosa conhecida como ansiedade da separação inclui tanto o medo – quando a mãe se ausenta – dos perigos que terá de enfrentar sem ela, quanto o medo – quando estão novamente juntas – de perdê-la outra vez.

Conheço intimamente alguns desses sintomas e alguns desses temores, pois surgiram depois de minha internação no hospital – quando tinha quatro anos – por três meses, praticamente três meses sem mãe, porque naquele tempo os hospitais restringiam rigorosamente as visitas. Anos depois de estar curada, sofri os efeitos da hospitalização. E, entre as manifestações da minha ansiedade da separação, surgiu o hábito novo – que continuou até parte da minha adolescência – do sonambulismo.

Um exemplo: numa suave noite de outubro, quando eu tinha seis anos e meus pais – para grande tristeza minha – haviam saído, deixei a cama sem acordar. Fui até a sala, passei pela babá, que estava cochilando, abri a porta e saí de casa. E então, profundamente adormecida, caminhei até a esquina e atravessei o cruzamento movimentado, chegando finalmente ao destino da minha jornada sonâmbula – o Corpo de Bombeiros.

— O que você quer, garotinha? — perguntou um bombeiro atônito, mas extremamente carinhoso, procurando não me assustar para que não acordasse.

Contam que, sempre dormindo, eu respondi, alto e bom som, sem hesitar:
— Quero que os bombeiros encontrem minha mamãe.

Uma criança de seis anos pode desejar desesperadamente a presença da mãe.

Uma criança de seis meses também pode desejar desesperadamente a presença da mãe.

Pois, mais ou menos aos seis meses, a criança já pode formar uma imagem mental da mãe ausente. Lembra-se dela e a deseja especificamente, e a ausência provoca sofrimento. E dominada por necessidades insistentes que só a mãe pode satisfazer, sente-se profundamente desamparada e rejeitada. Quanto mais nova a criança, menor é o espaço de tempo — uma vez que esteja já ligada à mãe — em que a ausência é sentida como perda permanente. E embora os cuidados de um substituto conhecido a ajudem a tolerar as separações diárias, só aos três anos, gradualmente, começa a compreender que a mãe ausente está viva e intata em outro lugar qualquer — e que vai voltar para ela.

Acontece que a espera pode parecer interminável — pode parecer eterna.

Pois devemos lembrar que o tempo se acelera com os anos, e que houve uma fase em nossa vida em que medimos o tempo de modo diferente, que então uma hora era um dia, um dia era um mês, e um mês era sem dúvida uma eternidade. Não admira que, como crianças, lamentemos a ausência de nossa mãe do mesmo modo que, como adultos, lamentamos nossos mortos. Não admira que, quando uma criança é separada da mãe, "a frustração e a saudade podem levá-la a uma dor desesperada".

A ausência traz desespero ao coração, e não um aumento do amor.

Na verdade, a ausência produz uma sequência típica de respostas: protesto, desespero e, finalmente, alheamento. A criança afastada da mãe e levada para um lugar estranho sem dúvida achará a nova vida intolerável. Ela grita, chora, se agita. Protesta porque tem esperança, mas depois de algum tempo, vendo que a mãe não vem... e não vem... o protesto se transforma em desespero, em um estado de ansiedade muda e controlada que pode abrigar um sofrimento indizível.

Vejamos a descrição de Patrick feita por Anna Freud, três anos e dois meses, que, durante a Segunda Guerra, foi levado para uma creche em Hampstead, Inglaterra, e que garantia a si mesmo e a quem quisesse ouvir, com a maior confiança, que a mãe iria buscá-lo, que ela o vestiria com o sobretudo e o levaria para casa...

Mais tarde aumentou a lista das peças de roupa que a mãe ia vestir nele: "Ela vai pôr meu sobretudo e minha calça, ela vai fechar o zíper e pôr na minha cabeça meu chapéu de duende".

Quando a repetição dessa fórmula ficou monótona e infindável, alguém perguntou se ele não poderia parar de dizer sempre a mesma coisa... Ele parou de repetir a fórmula em voz alta, mas o movimento dos seus lábios mostrava que continuava a repeti-la.

Ao mesmo tempo, as palavras foram substituídas por gestos que mostravam a posição do chapéu de duende, o sobretudo imaginário sendo vestido, o zíper sendo fechado etc. Enquanto as outras crianças brincavam com brinquedos, jogos, faziam música etc., Patrick, completamente desinteressado, ficava num canto movendo as mãos e os lábios com uma expressão profundamente trágica.

A necessidade da mãe é tão poderosa que a maioria das crianças desiste do desespero e procura substitutos maternos. Considerando essa necessidade, seria lógico pensar que, quando a mãe perdida finalmente reaparece, a criança vai se atirar alegremente nos seus braços.

Mas não é o que acontece.

Surpreendentemente, a maioria das crianças — em especial as com menos de três anos — pode receber a mãe com frieza, tratando-a com uma atitude distante e apática que quase parece dizer: "Nunca vi esta senhora na minha vida". É o que chamamos de alheamento — o aprisionamento de todo o sentimento, enfrentando a perda de vários modos. Ele castiga a pessoa por ter partido. Serve como um disfarce para a raiva, pois o ódio intenso e violento é uma das principais respostas ao abandono. E pode também ser uma defesa — que pode durar horas, dias ou uma vida inteira —, uma defesa contra a agonia de amar outra vez e perder outra vez.

A ausência congela o coração, não aumenta o amor.

E se essa ausência for, na verdade, de qualquer papel estável do pai ou da mãe, se a infância for uma série de separações, o que vamos fazer? A psicanalista Selma Fraiberg descreve a atitude de um rapaz de dezesseis anos que entrou com um processo em Alameda County, pedindo indenização de meio milhão de dólares por ter sido colocado em dezesseis casas diferentes, durante seus dezesseis anos. Exatamente qual o dano que ele está alegando? Ele diz que "é como uma cicatriz no cérebro".

Um dos homens mais engraçados do mundo, o humorista político Art Buchwald, é especialista em lares adotivos e cicatrizes no cérebro. Conversou comigo a esse respeito no seu escritório em Washington – tão despretensioso quanto o dono –, onde, durante uma tarde inteira, senti mais vontade de chorar que de rir.

De certo modo, a história de Art é a história clássica de separação e de perda entre pessoas com pouco dinheiro e poucos recursos de ordem familiar. A mãe morreu quando Art era ainda um bebê. O pai ficou com três filhas e o garotinho. Ele fez o possível – tentou encontrar boas famílias para os filhos e os visitava regularmente uma vez por semana, tornando-se um "pai dos domingos", enquanto Art, muito cedo, resolveu que "não ia jamais se envolver com pessoa nenhuma".

Nos primeiros dezesseis anos de vida, Art morou com sete famílias, todas de Nova York, começando pela casa de adventistas do sétimo dia onde, diz ele, "havia o inferno e a danação e igreja aos sábados, e meu pai aparecia aos domingos com *kosher*. Era muito confuso".

Veio depois uma casa no Brooklyn e mais tarde um tempo no Asilo Hebreu para Órfãos, segundo Art, "as três piores palavras da língua. *Hebreu* significa que você é judeu. *Órfão* significa que não tem pais. E *asilo*...". Depois do AHO foi para a casa de uma senhora que, a princípio, ficou com os quatro irmãos Buchwald e um ano depois resolveu que quatro era demais e que Art e uma das irmãs tinham de ir para outro lugar. Outra família adotiva, e outra, e afinal um ano na casa do pai. Então, ele fugiu e entrou para o Corpo de Fuzileiros Navais, onde, diz ele, pela primeira vez sentiu que pertencia a alguma coisa e que alguém tomava conta dele.

Muito cedo Art resolveu que era "eu contra o mundo". Aprendeu também a se esconder atrás de um sorriso. Diz que logo descobriu que "com um largo sorriso nos lábios, todos me tratavam melhor. Portanto", diz ele calmamente, "eu sorria".

Anos mais tarde – muito depois dos lares adotivos e do Corpo de Fuzileiros e da luta para ter sucesso como escritor –, a raiva que se escondia atrás do sorriso não podia mais ser controlada. Procurando um objeto para ferir, atacar, destruir, Art encontrou... a si mesmo. Uma das definições de depressão é a raiva voltada contra a própria pessoa. Com trinta e poucos anos, Art, aquele cara engraçado, sofreu uma severa depressão.

A depressão surgiu logo depois de uma mudança, "uma mudança muito emocional" de Paris, onde vivia e trabalhava havia catorze anos, para Washington, D.C., com a mulher e três filhos. Em Washington, Art era famoso, bem-sucedido, admirado, querido e... sofria. "Para todos eu tinha conseguido, menos para mim", diz ele. "Estava realmente desesperado. Precisava de ajuda."

Reconhecendo o fato de que estava na hora de eliminar certas coisas, Art resolveu fazer análise e começou a examinar as experiências passadas que haviam lançado sombras em sua vida. Fazendo dele um solitário. Fazendo dele uma pessoa incapaz de confiar em alguém. Fazendo-o sentir-se culpado por tudo o que tinha conseguido – "Quem sou *eu* para ter tudo *isso*?" – e fazendo com que temesse perder tudo, mais cedo ou mais tarde. Examinou também sua raiva, chegando finalmente a compreender que "não era pecado ter raiva do meu pai" e que "também não era irracional ter raiva da mãe que nunca conheci".

Hoje, Art* diz que a análise salvou sua vida, embora numa dessas ironias que parecem história de ficção – ficção barata – seu analista tenha morrido subitamente de ataque cardíaco. "Finalmente confio em alguém", diz Art, "e ele morre!". Mas o trabalho que haviam realizado juntos continua a ecoar ao longo dos anos. ("Uma boa análise", observa Art, "é aquela em que cinco anos depois acontece alguma coisa e dizemos 'Oh, está certo, *era isso* o que ele queria dizer'.") Com cinquenta e poucos anos, Art, finalmente, está em paz consigo mesmo.

"Aprendi a confiar, não tenho medo de que as pessoas me magoem. Sinto-me mais perto da minha mulher e dos meus filhos." Tem ainda problemas de intimidade: "Um a um", diz ele, "é o mais difícil. Um em mil é muito mais fácil". E ainda tem medo da raiva: "Não a controlo muito bem. Faço qualquer coisa para não me zangar".

Mas ultimamente Art está menos zangado. Está aproveitando o sucesso. No palco, no Kennedy Center, divertindo o presidente dos Estados Unidos e poderosos corretores e *superstars*, com seu sorriso contagioso, diz para si mesmo: "Oh, se meu pai judeu pudesse me ver agora!". Diz que em parte

---

* Art faleceu em 2007. (N. da E.)

seu sucesso representa "uma vingança contra mais ou menos dez pessoas, todas mortas e enterradas".

Diz que sabe o que significam cicatrizes no cérebro.

Separações graves no começo da vida deixam cicatrizes emocionais no cérebro porque atacam a conexão humana essencial: o elo mãe-filho que nos ensina que somos dignos de ser amados. O elo mãe-filho que nos ensina a amar. Não podemos nos tornar seres humanos completos – na verdade, é difícil tornar-se um ser humano – sem o apoio dessa primeira ligação.

Contudo, alguns argumentam que a necessidade que sentimos de outras pessoas não é um instinto primário, que o amor não passa de um glorioso efeito colateral. O ponto de vista freudiano clássico diz que os bebês encontram, na experiência da alimentação, um alívio para a fome e para outras tensões orais e que, com a repetição do ato de mamar e beber aos goles e da doce saciedade, começam a equacionar satisfação com contato humano. Nos primeiros anos de vida, uma refeição é uma refeição, e gratificação é gratificação. Fontes permutáveis podem satisfazer a todas as necessidades. Com o tempo, a pessoa – a mãe – torna-se tão importante quanto a coisa – a satisfação física. Mas o amor pela mãe começa com o que Anna Freud chama de "amor estomacal". O amor pela mãe, segundo essa teoria, é um gosto adquirido.

Existe um ponto de vista alternativo, segundo o qual a necessidade de uma conexão humana é fundamental. Argumenta que somos programados para amar, desde o princípio. "O amor pelos outros aparece", escreveu o psicoterapeuta Ian Suttie há cinquenta anos, "*simultaneamente com o reconhecimento da sua existência*". Em outras palavras, amamos assim que podemos distinguir um "você" separado e um "eu". O amor é a nossa tentativa de mitigar o terror e o isolamento dessa separação.

O mais conhecido defensor da teoria de que a necessidade da mãe é inata é o psicanalista britânico John Bowlby, que diz que os bebês – como os bezerros, os filhotes de patos e de ovelhas e os jovens chimpanzés – comportam-se de modo a estar sempre perto da mãe. A isso ele chama de "comportamento de anexação" e diz que essa anexação tem como função biológica a autoconservação, a função de proteger do perigo. Permanecendo perto da mãe, o bebê chimpanzé acha-se protegido contra os predadores que podem matá-lo. Permanecendo perto da mãe, o bebê humano encontra também proteção contra os perigos.

Admite-se que, de modo geral, aos seis ou oito meses o bebê já formou uma anexação específica com a mãe. É então que nós todos, pela primeira vez, nos apaixonamos. E seja ou não esse amor ligado à necessidade fundamental de uma conexão humana, como acredito que seja, possui uma intensidade que nos torna extremamente vulneráveis à perda ou até mesmo à ameaça de perda – da pessoa amada.

E se, como estou convencida, uma conexão específica formada nos primeiros meses é vitalmente importante para um desenvolvimento saudável, o preço da quebra do elo crucial – o custo da separação – pode ser muito alto.

O custo da separação é alto quando uma criança de seis meses é deixada sozinha por muito tempo, ou levada de um lar adotivo para outro ou, ainda, deixada numa creche – até mesmo na creche de Anna Freud – por uma mãe que promete voltar (voltará?). O preço da separação é alto em situações familiares normais, quando um divórcio, uma hospitalização, uma alteração geográfica ou emocional fragmenta a conexão da criança com a mãe.

O preço da separação pode também ser muito alto quando as mães que trabalham não encontram quem tome conta dos filhos ou não podem pagar esse serviço. O movimento feminista e a simples necessidade econômica estão lançando milhares de mulheres no mercado de trabalho. Mas a pergunta "O que vou fazer com meus filhos?" exige resposta melhor do que a resposta dos centros de cuidados infantis de vinte e quatro horas.

"Nos anos em que o bebê e os pais formam os primeiros contatos humanos duráveis", escreve Selma Fraiberg, "quando amor, confiança, alegria e autoavaliação emergem por meio do amor profícuo dos companheiros humanos, milhões de crianças em nosso país podem estar aprendendo... nos nossos bancos de bebês... que todos os adultos são permutáveis, que o amor é caprichoso, que ligações humanas podem ser investimentos perigosos e que o amor deve ser reservado para a própria pessoa a serviço da sobrevivência."

O preço da separação é quase sempre muito alto.

Naturalmente, tem de haver separações nos primeiros anos de vida. E sem dúvida produzirão tristeza e dor. Mas a maioria das separações normais, dentro do contexto de um relacionamento afetuoso e estável, dificilmente deixará cicatrizes no cérebro. E é certo que mães que trabalham podem estabelecer um relacionamento amoroso, confiante e humano com seus filhos.

Mas, quando a separação põe em perigo aquela ligação primeira, torna-se difícil criar confiança, segurança, adquirir a convicção de que durante a nossa vida encontraremos — e merecemos encontrar — pessoas que satisfaçam às nossas necessidades. E quando as primeiras conexões são instáveis ou desfeitas, ou mesmo prejudicadas, podemos transferir a experiência e as respostas a ela para aquilo que esperamos dos nossos amigos, nossos filhos, nosso marido e até dos nossos sócios comerciais.

Esperando o abandono, ficamos desesperados: "Não me deixe. Sem você não sou nada, sem você eu morro!".

Esperando a traição, procuramos cada falha, cada lapso: "Está vendo? Eu devia saber que não podia confiar em você".

Esperando uma recusa, fazemos exigências excessivas e agressivas, com fúria antecipada por saber que não serão atendidas.

Esperando o desapontamento, procuramos garantir que, mais cedo ou mais tarde, seremos desapontados.

Temendo a separação, estabelecemos o que Bowlby chama de conexões iradas e ansiosas. E frequentemente provocamos aquilo que tememos. Afastando os que amamos com nossa dependência incômoda. Afastando os que amamos com nossas exigências excessivas. Com medo da separação, repetimos sem lembrar nossa história, impondo novos cenários, novos atores e uma nova produção para nosso passado esquecido, mas ainda tão poderoso.

Pois não estamos sugerindo que podemos lembrar conscientemente experiências da primeira infância, se, por lembrar, queremos dizer refazer a imagem da mãe nos deixando, ou de estar sozinhos num berço. Quarenta anos depois, uma porta se fecha com violência, e a mulher é envolvida por ondas de terror primitivo. Essa ansiedade é a sua "lembrança" da perda.

A perda dá origem à ansiedade quando é iminente ou considerada temporária. A ansiedade contém as sementes da esperança. Mas quando a perda parece permanente, a ansiedade — protesto — transforma-se em depressão — desespero — e não só nos sentimos sozinhos, mas tristes e responsáveis (ela se foi por minha causa); sem esperanças (nada posso fazer para trazê-la de volta); desamados ("alguma coisa em mim me faz indigno de ser amado") e desesperados ("de agora em diante vou me sentir assim para sempre").

Estudos demonstram que as perdas na primeira infância nos tornam mais sensíveis às perdas que sofreremos mais tarde. Assim, no meio da vida, nossa resposta à perda de uma pessoa da família, a um divórcio, à perda de um emprego, pode ser causa de depressão grave – a resposta daquela criança desamparada, desesperançada e zangada.

A ansiedade é dolorosa. A depressão é dolorosa. Talvez seja mais seguro não sofrer a perda. E, enquanto na verdade não podemos evitar uma morte ou um divórcio – ou evitar que nossa mãe nos abandone –, podemos criar estratégias de defesa contra a dor da separação.

A indiferença emotiva é uma dessas defesas. Não podemos perder uma pessoa amada se não amarmos. A criança que quer a mãe e cuja mãe nunca está presente pode aprender que amar e precisar é por demais doloroso. E ela poderá, nos seus relacionamentos futuros, pedir e dar muito pouco, investir praticamente nada e tornar-se indiferente – como uma rocha –, porque "uma rocha", como nos diz a canção dos anos 1960, "não sente dor. E uma ilha jamais chora".

Outra defesa contra a perda pode ser a necessidade compulsiva de tomar conta de outras pessoas. Ao invés de sofrer, ajudamos os que sofrem. E, por meio das nossas bondosas ministrações, aliviamos nossa antiga sensação de desamparo e nos identificamos com aqueles de quem cuidamos tão bem.

A terceira forma de defesa é nossa autonomia prematura. Proclamamos nossa independência cedo demais. Aprendemos muito cedo a não permitir que nossa sobrevivência dependa da ajuda ou do amor de pessoa alguma. Vestimos a criança desamparada com a armadura rígida do adulto autoconfiante.

Essas perdas que estudamos – essas separações prematuras da primeira infância – podem desviar nossas expectativas e nossas respostas, podem desviar nosso modo de enfrentar futuras perdas necessárias da nossa vida. No extraordinário livro de Marilynne Robinson, *Housekeeping*, a heroína desolada medita sobre o poder da perda, lembrando: "Quando minha mãe me fazia esperar por ela, estabelecia em mim o hábito da espera e da expectativa, que torna cada momento presente mais significativo do que ele realmente é".

A ausência, ela nos faz lembrar, pode se tornar "gigantesca e múltipla".

A perda pode conviver conosco durante toda a nossa vida.

CAPÍTULO 2

A conexão final

Pois ele do mel das frutas se nutriu
E tomou o leite do paraíso.

Samuel Taylor Coleridge

Todas as nossas experiências de perdas relacionam-se com a Perda Original, a da conexão mãe-filho. Pois, antes de começarmos a experimentar as separações inevitáveis da vida cotidiana, vivemos num estado de identificação completa com nossa mãe. Esse estado ideal, esse estado sem fronteiras, esse sou-você-você-é-eu, essa "fusão harmoniosa interpenetrante", esse "eu estou no leite, o leite está em mim", esse isolamento à prova de frio, de solidão e das intimações de imortalidade. Uma condição conhecida por amantes, santos, psicóticos, viciados em drogas e bebês. É o que chamamos de bem-aventurança.

Nossa conexão original de bem-aventurança é a ligação umbilical, a identificação biológica no útero. Fora do útero experimentamos a ilusão gratificante de que compartilhamos com nossa mãe uma fronteira comum. Nosso desejo eterno de união, dizem alguns psicanalistas, dá origem ao nosso desejo de volta – de volta, se não ao útero, pelo menos ao seu estado de união ilusória, chamada simbiose, um estado "pelo qual, bem no fundo do inconsciente original e primitivo... todo ser humano anseia".

Não temos lembranças conscientes da nossa vida no útero – nem de como o deixamos. Mas um dia foi nosso e tivemos de abandoná-lo. E, embora o jogo cruel de desistir do que amamos, para crescer, seja repetido a cada novo estágio de desenvolvimento, essa é a nossa primeira e talvez a mais difícil renúncia.

A perda, o abandono, a desistência do paraíso.

E embora não nos lembremos, também jamais esquecemos. Reconhecemos um paraíso e um paraíso perdido. Reconhecemos um tempo de harmonia, de integração total, de segurança inviolável, de amor incondicional... e um tempo em que essa integração foi irrevogavelmente rompida. Reconhecemo-lo na religião e no mito e nos contos de fadas, nas nossas fantasias conscientes e inconscientes. Nós o reconhecemos como realidade e como sonho. E enquanto protegemos ferozmente as barreiras do eu que demarcam claramente a divisão entre você e eu, desejamos também recapturar o paraíso perdido daquela conexão perfeita.

Nossa busca dessa conexão – da restauração da integração total – pode ser um ato de doença ou de saúde, pode ser uma fuga temível do mundo ou um esforço para expandi-lo, pode ser deliberada ou inconsciente. Por meio do sexo, por meio da religião, da natureza, da arte, por meio das drogas, da meditação, até do exercício físico, tentamos obscurecer as fronteiras que nos separam. Tentamos escapar da prisão da separação. Às vezes, conseguimos.

Às vezes, em momentos fugazes – momentos de êxtase sexual, por exemplo –, voltamos àquela integração, embora só algum tempo depois. "Depois do amor", como diz o belo poema de Maxine Kumin, só depois é que podemos compreender onde estivemos:

> Depois, o compromisso.
> Os corpos retomam suas fronteiras.
>
> Essas pernas, por exemplo, minhas.
> Seus braços o trazem de volta.
>
> Nossos dedos, nossos lábios
> admitem sua propriedade.
>
> Nada mudou, exceto
> o momento em que

> o lobo, o lobo ávido
> que fica fora do eu,

> deita-se suavemente, e dorme.

Argumenta-se que essa experiência – a completa união física que o ato sexual pode nos proporcionar – leva-nos de volta à integração total da nossa infância. Na verdade, o analista Robert Bak define o orgasmo como "o compromisso perfeito entre o amor e a morte", o meio pelo qual reparamos a separação entre mãe e filho por meio da extinção momentânea do próprio eu. É verdade que bem poucos vão para a cama com a esperança de encontrar a mamãe entre os lençóis. Mas a perda sexual da nossa separação (capaz de assustar tanto algumas pessoas a ponto de impedi-las de chegar ao orgasmo) nos dá prazer, em parte, porque, inconscientemente, estamos repetindo aquela primeira conexão.

Sem dúvida, Lady Chatterley nos deixou para sempre a visão da bem-aventurança autodissolvente do orgasmo, como "ondas que rolam uma depois da outra para longe de nós mesmos", até "ser tocado o centro de todo o seu plasma, até ela se sentir tocada... e até partir". Outra mulher, descrevendo experiência semelhante da perda do próprio eu, diz: "Quando me satisfaço, tenho a impressão de ter voltado para casa".

Mas o orgasmo não é o único meio de extinção do eu, de pôr para dormir o lobo ávido. Existem estradas diferentes e variadas que nos levam para além das fronteiras pessoais.

Eu, por exemplo, frequentemente fico sentada (ou *levitando?*) na cadeira do dentista, à deriva, num atordoamento feliz de gás anestésico, sentindo – como disse outro usuário desse gás – "como se os opostos deste mundo, cuja natureza contraditória e conflitante cria todas as nossas dificuldades e problemas, estivessem derretidos numa coisa só". O homem citado acima é o filósofo-psicólogo William James, mas muitas pessoas respeitáveis – e não tão respeitáveis – já testemunharam o poder das drogas para levá-las a essa condição de... unidade derretida.

Para outros, a união harmoniosa pode ser alcançada por meio do mundo natural, por meio da demolição do muro que separa o homem da natureza, permitindo que algumas pessoas – de vez em quando – "voltem da solidão do individualismo para a conscientização da unidade com tudo o que existe...". Existem os que jamais sentiram essa união com a terra, o céu e o mar, e aqueles que – como Woody Allen – sempre afirmaram: "Eu e a natureza somos dois". Mas alguns homens e algumas mulheres encontram consolo e alegria não só em *ver*, mas também em *ser* a natureza – em ser, temporariamente, uma parte da "vasta harmonia que envolve o mundo".

A arte pode também – às vezes – apagar a linha que separa o observador da obra observada, naquilo que Annie Dillard chama de "momentos puros", momentos espantosos, diz ela, que "levarei comigo ao meu túmulo", momentos em que "fiquei plantada, boquiaberta, renascida, na frente de um determinado quadro, naquele rio, mergulhada até o pescoço, ofegante, perdida, retrocedendo para a profundeza da aquarela... encantada, abismada, e tive de ser literalmente trazida à tona".

Há certas experiências religiosas que podem criar também um estado de integração total. Na verdade, a revelação religiosa pode penetrar a alma tão inexoravelmente que – nas palavras de Santa Teresa –, "quando ela [a alma] volta a si, é completamente impossível duvidar de que esteve em Deus e que Deus esteve nela".

A união mística é possível por meio de várias experiências transcendentais. A união mística põe um fim ao eu. E seja ela entre um homem e uma mulher, seja entre o homem e o cosmos, entre o homem e uma criação artística do homem e de Deus... repete e restaura – por momentos breves e perfeitos – a sensação oceânica da conexão mãe-filho, na qual "o *eu*, o *nós* e o *tu* não podem ser encontrados, pois no Um não pode haver distinção".

Contudo, precisamos fazer algumas distinções: entre o psicótico e o santo. Entre o fanático lunático e o verdadeiro religioso. Podemos questionar a legitimidade da união cósmica inspirada em drogas ou na bebida e duvidar da veracidade dos cultistas de manto e sandália que exclamam: "Extasiado, eu me fundi com a massa e saboreei o prazer glorioso que acompanha a perda do ego".

Em outras palavras, podemos dizer que a união absoluta é boa quando não é demente, desesperada ou permanente – é ótimo desaparecer temporariamente dentro de um quadro, não é bom desaparecer para sempre dentro de um culto. Provavelmente, aceitamos com mais facilidade as experiências divinas de Santa Teresa do que a dopada união com Deus de um viciado em drogas. E vamos diferenciar a vida sexual de um adulto mais ou menos saudável do sexo que é apenas simbiose, do sexo que nada mais é do que uma fuga assustada da separação.

Pois os analistas nos dizem agora que o orgasmo vaginal, antes considerado como o marco definitivo da maturidade sexual feminina, pode ser experimentado com enlevo por mulheres gravemente perturbadas, que se integram à fantasia não com um homem, mas com a mãe. Os homens também procuram a mãe no sexo. Um paciente relata que, sempre que começa a "pensar loucamente", pode aliviar essa "loucura" pagando a uma prostituta para se deitar nua com ele e abraçá-lo até sentir que está se "fundindo no corpo dela".

Evidentemente, essa fusão pode ser às vezes apenas simbiose — a volta desesperada à infância insegura e dependente. Na verdade, ficar preso — fixar-se — na fase simbiótica ou voltar — regredir — a essa fase por meios que dominam nossa vida é indicação de perturbação emocional. A doença mental grave chamada psicose simbiótica da infância e grande parte da esquizofrenia do adulto também são consideradas fracassos na tentativa de manter as fronteiras que separam o indivíduo dos outros. O resultado é que "eu não sou eu. Você não é você, e você também não é eu; eu sou, ao mesmo tempo, eu e você, você é ao mesmo tempo você e eu. Não sei se você é eu ou eu sou você".

Na fase mais insana, essa fusão de você e eu pode ser frenética, assustadora e furiosa, mais colorida de ódio que de amor. O sentimento é: "Não posso viver com — ou sem — ela". O sentimento é: "Ela está me sufocando, mas sua presença me faz real, permite-me sobreviver". Na fase mais insana, com a intimidade intolerável e a existência individual parecendo impossível, a união completa pode não ser uma bênção, mas uma necessidade furiosa.

Estamos falando de doença séria — de psicose. Mas problemas com a simbiose podem também produzir dificuldades emocionais menos extremas.

Vejamos o caso da Sra. C., atraente e infantil aos trinta anos, que dormiu com a mãe até os vinte anos, quando encontrou um homem tolerante e feminino com quem se casou. A Sra. C. mora no apartamento acima do da mãe, a qual faz todo o serviço doméstico da filha e, de um modo geral, governa a vida dela. A Sra. C. não pode pensar em se mudar para um lugar mais conveniente sem sentir-se fisicamente mal. A Sra. C. tem uma *neurose* simbiótica, pois, ao contrário das crianças com *psicose* simbiótica, seu desenvolvimento é normal nas partes importantes. Contudo, em outros setores ela se comporta, e inconscientemente vê a si mesma, como uma metade de um par simbiótico. Inconscientemente também teme que, se esse par for separado, nem ela nem a mãe sobreviverão.

Desde o começo de sua vida, a Sra. C. compartilhou com a mãe um relacionamento simbiótico de ansiedade e dependência. Não é de admirar, observamos sabiamente, que não possa se libertar. Porém, até a mais saudável união mãe-filho pode impedir a separação subsequente, como observa o analista Harold Searles: "Provavelmente, a principal razão da nossa resistência para desenvolver uma identidade individual é o fato de sentirmos que esse desenvolvimento se interpõe, cada vez mais, entre nós e a mãe com quem compartilhamos uma união total".

Devemos contar entre as perdas necessárias a desistência dessa união total. Jamais desistiremos enquanto desejarmos recuperá-la.

Sim, temos desejos de união absoluta, mas para alguns homens e mulheres — não especialmente insanos — esses desejos podem dominar secretamente sua vida, penetrando em todos os seus relacionamentos importantes e influenciando todas as suas decisões. Uma mulher, tentando escolher entre duas atraentes propostas de casamento, fez a escolha certa noite, durante o jantar, quando seu acompanhante deu a ela — como sua mãe — uma colherada de comida na boca. A promessa tentadora e tácita de gratificações infantis imediatamente pôs um fim à sua indecisão. Casou-se com ele.

O analista Sydney Smith diz que para essas pessoas — em contraste com o resto de nós — o desejo universal de união completa não foi eliminado de modo benigno. Ele se estabelece como uma "fantasia dourada" central, tenaz, modeladora da vida, a qual, durante o tratamento psicanalítico, só pode ser revelada lenta e relutantemente.

"Sempre senti", diz um dos pacientes do dr. Smith, "que em algum lugar distante existe uma pessoa que fará tudo por mim, alguém que vai satisfazer todas as minhas necessidades de modo mágico, e como num conto de fadas providenciar para que eu tenha tudo o que desejo, sem nenhum esforço da minha parte... Durante toda a minha vida, essa ideia esteve comigo, bem no fundo da minha mente. Não sei se serei capaz de viver sem ela."

Viver com fantasias douradas de uma infância sem fim pode ser uma recusa neurótica ao crescimento. Mas o desejo momentâneo de união completa, o desejo de, uma vez ou outra, anular as diferenças entre o outro e nosso eu, a vontade de recapturar o estado mental que se parece com a união da infância com nossa mãe, não é, por si só, anormal ou indesejável.

Pois experiências de união completa podem servir como alívio para a solidão da separação.

E experiências de união completa podem nos ajudar a transcender nossos antigos limites, podem nos ajudar a crescer.

Os analistas chamam de "regressão a serviço do ego" a volta construtiva a um estágio anterior de desenvolvimento. Isso significa que, dando um passo atrás, às vezes podemos ajudar o avanço do nosso desenvolvimento. "Imergir para emergir", diz o psicanalista Gilbert Rose, "pode ser parte do processo fundamental do crescimento psicológico...".

Num livro interessante, intitulado *A Procura da Unidade*, três psicólogos fazem afirmações espantosas sobre os benefícios em potencial das experiências de união. Apresentam uma hipótese, baseada em experiências de laboratório, segundo a qual a indução das fantasias do tipo simbiótico – fantasias de união total – pode ajudar os esquizofrênicos a pensar e agir mais normalmente e, com a ajuda de técnicas de modificação do comportamento, pode melhorar o desempenho de estudantes na escola, aliviar os temores dos fóbicos, ajudar fumantes a deixar o cigarro, etilistas a se livrar da bebida e os que precisam fazer dieta a passar sem a comida!

Esses resultados, na realidade, foram produzidos, dizem os autores, em experiências controladas, nas quais os indivíduos ficaram expostos a uma mensagem subliminar (mensagem apresentada com tanta rapidez que o observador não tem consciência de tê-la visto) que dizia: "MAMÃE E EU SOMOS UM SÓ".

O que estavam fazendo os pesquisadores? E por que exatamente pensam que funcionou?

Já vimos que os desejos de união total persistem na vida adulta e que – como a Sra. C. e a senhora que recebeu comida na boca claramente demonstram – podem geralmente motivar com intensidade o comportamento. Sendo assim, os autores argumentam que, se o desejo não satisfeito de união total pode produzir comportamento psicótico e outras perturbações, talvez a satisfação – fantasiosa – desse desejo de ser alimentado, protegido, aperfeiçoado, ter segurança, pode produzir uma vasta gama de efeitos benéficos.

A solução, nesse caso, seria procurar a satisfação na fantasia. Como?

Como o sonho que esquecemos ao acordar, mas que nos deixa com uma boa ou má sensação durante o dia todo, as fantasias nos afetam fora da nossa percepção consciente. E a fantasia da união total pode ser ativada, dizem os autores, pela mensagem subliminar de "MAMÃE E EU SOMOS UM SÓ". Os autores demonstram a seguir que, com algumas exceções importantes, a mensagem produz sentimentos agradáveis e uma mudança positiva, o que, mesmo que essa sensação e essa mudança não perdurem, pode provar o valor psíquico das fantasias de união total.

Um exemplo: dois grupos de mulheres obesas iniciaram uma dieta, seguindo um programa de emagrecimento. Os dois grupos perderam peso. Mas as mulheres do grupo exposto à mensagem subliminar de união total perderam mais que as do outro.

Outro exemplo: adolescentes perturbados, em tratamento. Num centro residencial, submeteram-se a testes de leitura, e os resultados foram comparados aos obtidos no ano anterior. Todo o grupo apresentou melhora, mas os resultados dos que foram expostos à mensagem de união total foram quatro vezes melhores que os do outro grupo.

Ainda outro exemplo: um mês depois do término de um programa para ajudar a deixar de fumar, pesquisadores verificaram quantas pessoas permaneciam sem fumar. O resultado foi 67% para aqueles entre os quais haviam sido expostos à mensagem de "MAMÃE E EU SOMOS UM SÓ". Entre os que não haviam sido expostos à mensagem, o resultado foi que apenas 12,5% permaneciam sem fumar.

Não acho que devemos concluir que a mensagem subliminar de "MAMÃE E EU SOMOS UM SÓ" será a terapia do futuro. Nem, como vimos, tem como objetivo dar um pouco de união total à nossa vida. Na cama, na igreja, nos museus de arte, em momentos de inesperada queda das barreiras, gratificamos nosso desejo permanente de união total. Essa gratificação passageira, essas fusões, são experiências valiosas que aprofundam, e não ameaçam, nosso senso do eu.

"Ninguém", escreve Harold Searles, "pode ser tão completamente individualizado, tão completamente 'amadurecido' a ponto de perder a capacidade para o relacionamento simbiótico." Porém, às vezes temos a impressão de tê-la perdido. Às vezes, o lobo, o lobo ávido que fica fora do eu, recusa-se a baixar a guarda, recusa-se a dormir. Às vezes, sentimo-nos apavorados demais para permitir que ele durma.

Sem dúvida, uma união que implique o aniquilamento do eu pode gerar ansiedade de aniquilamento. Dar a nós mesmos, entregar-nos — por amor ou qualquer outra forma de paixão — pode nos parecer uma perda e não uma vantagem. Como podemos ser tão passivos, tão possuídos, tão sem controle, tão... não vamos enlouquecer? E como poderemos nos encontrar novamente? Consumido por essas ansiedades, o indivíduo pode erguer barricadas, não fronteiras. Isolando-se de qualquer ameaça à sua inflexível autonomia. Isolando-se de qualquer experiência de entrega emocional.

Contudo, o desejo de recuperar a bem-aventurança da união total mãe-filho — aquela perfeita conexão — jamais é abandonado. Nós todos vivemos, num nível subconsciente, como se nos tivéssemos tornado incompletos. Embora a ruptura da unidade primária seja uma perda necessária, permanece como "um ferimento incurável, que aflige o destino de toda a raça humana". E falando conosco por meio dos sonhos que sonhamos, das histórias que criamos, a imagem da reunião persiste e persiste e persiste — e limita nossa vida.

> A força que está por trás do movimento do tempo é um lamento que não pode ser consolado. Por isso, o primeiro evento é tido como uma expulsão, e o último, como a esperança da reconciliação e da volta. Assim a lembrança nos impulsiona, assim a profecia é apenas uma lembrança brilhante — haverá um jardim onde nós todos, como uma só criança, dormiremos na nossa mãe Eva...

CAPÍTULO 3
De pé sem ajuda

> *Esta planta gostaria de crescer*
> *E ao mesmo tempo ser embrião;*
> *Aumentar e contudo escapar*
> *Do destino de tomar forma.*
>
> RICHARD WILBUR

A união completa é uma bênção. A separação é perigosa. Contudo, esforçamo-nos para nos afastar, pois a necessidade de ser uma pessoa diferente tem a mesma urgência que o desejo de se fundir para sempre. E desde que nós, não nossa mãe, demos início à separação, desde que nossa mãe continue ali, confiável, é possível arriscar e até ter prazer em ficar de pé sozinho.

Engatinhar ao colo do paraíso e explorar.

Ficar ereto nos dois pés e caminhar até a porta.

Sair para a escola, para o trabalho, para o casamento.

Ter coragem de atravessar a rua e todos os continentes da Terra sem nossa mãe.

O poeta Richard Wilbur fala do nosso conflito de união-separação no seu pequeno poema sobre a planta, sobre os humanos, sobre o desenvolvimento. E mesmo reconhecendo claramente a urgência de permanecer primariamente ligado, "algo na raiz", escreve ele, "mais urgente do que esse impulso", nos impele para a frente.

É a luta para ser um eu separado.

Mas a separação é, em última análise, uma questão de percepção, não de geografia. Apoia-se no conhecimento de que eu sou distinto de você. Reconhece as fronteiras que restringem e contêm e nos limitam. Está ligada a um ponto central do eu que não pode ser alterado nem levado embora, como uma peça de roupa.

Tornar-se um eu separado não é uma revelação súbita, mas um desenrolar no tempo. Evolui, lenta, lentamente, durante certo tempo. E durante nossos três primeiros anos, em estágios previsíveis de separação-individualização, aventuramo-nos numa jornada mais decisiva do que qualquer outra que jamais faremos – a jornada da união completa para a separação.

Todas as partidas subsequentes do conhecido para o desconhecido podem trazer ecos daquela jornada inicial. Sozinhos num quarto estranho de hotel, longe de todos os que amamos, podemos de repente nos sentir ameaçados e incompletos. E cada vez que passamos do seguro para o arriscado, expandindo as fronteiras da nossa experiência, repetimos – no ato de desfazer uma conexão – algumas das alegrias e terrores daquela perda inicial:

- Quando descobrimos a liberdade embriagadora e a solidão cheia de pânico da separação humana.
- Quando embarcamos naquilo que a psicanalista Margaret Mahler chama de "parto psicológico".

Nosso nascimento psicológico começa mais ou menos aos cinco meses de idade, quando a criança entra no estágio chamado diferenciação, uma época em que demonstra um estado de atenção "recém-nascida". Uma época em que afasta o corpo do corpo da mãe, começando a perceber que ela e na verdade o mundo todo existem fora das suas fronteiras – para serem vistos, tocados, para dar prazer.

Segundo estágio, aos nove meses mais ou menos. É uma época de prática audaciosa, quando a criança começa a engatinhar fisicamente para longe da mãe, continuando, entretanto, a voltar para ela como para uma base generosa da qual obtém "reabastecimento emocional". Lá fora, no mundo, tudo é assustador, mas precisamos praticar o talento recém-descoberto da locomoção – além disso, lá estão todas aquelas maravilhas para explorar. E, desde que a mãe continue ali, como um corpo para ser tocado, como um colo para descansar a cabeça cansada, como um sorriso encorajador de aqui-estou-e-você-está-bem, a criança exuberantemente continua a expandir seu universo físico e seu eu.

A prática leva à perfeição. Engatinhar leva a andar, e, nesse ponto tão importante do estágio de aprendizado, a locomoção de pé permite tais vistas, tais possibilidades, tais triunfos, em que a criança pode se embriagar com a sensação de onipotência e grandeza. Transforma-se numa entusiasta narcisista. E megalomaníaca. Imperial. O dono de tudo o que pode ver. A visão do alto das duas pernas que se movem a seduziu, e ela está apaixonada pelo mundo. E o mundo e a criança são maravilhosos.

Em algum lugar de todos nós vive ainda aquele piloto, aquele explorador da África, aquele navegador de mares nunca antes navegados. Em algum lugar dentro de nós vive aquele destemido aventureiro. Em algum lugar dentro de nós, se nos foi permitido executar as explorações do estágio de aprendizado, vive um ser exultante que no passado foi capaz de encontrar maravilhas por toda parte. Hoje está disciplinado e controlado, mas, se tiver sorte, uma vez ou outra entrará em contato com aquela autoembriaguez, com aquela sensação de maravilha. Quando Whitman ruge: "Canto a mim mesmo e a mim mesmo celebro... Divino sou por dentro e por fora...", ouvimos o brado bárbaro da criança que começa a aprender.

O aprendizado é perigoso, mas a criança sente-se ávida demais para notar. Machuca-se e sangra e chora e volta para mais. E, enquanto anda, corre, sobe, salta, cai e fica de pé outra vez, sente-se tão à vontade neste mundo, tão alegremente confiante, tão indiferente ao perigo, que parece até ter se esquecido da mãe.

Mas, na verdade, a presença dela sempre acessível, em algum lugar, como fundo da paisagem, é que permite essa liberação entusiasta. E, embora haja então uma distância entre a criança e a mãe, ela é considerada possessão sua, tal como um apêndice. Entretanto, mais ou menos aos dezoito meses de idade, a criança já é capaz de entender as implicações da separação. É quando percebe o que é realmente: uma criança de um ano e meio, pequena, vulnerável e desamparada. É quando se defronta com o preço que deve pagar para viver por conta própria.

Imaginemos o seguinte: ali estamos, equilibrando-nos descuidados numa corda bamba e talvez, para maior efeito, realizando um ou dois truques ousados, quando, de repente, olhamos para baixo e descobrimos – "Oh, meu Deus, veja aquilo!" – que estamos nos equilibrando sem a rede de proteção.

Desaparece o senso de perfeição e de poder criado pela ilusão de ser o rei do mundo, a estrela do espetáculo.

Desaparece o senso de segurança derivado da ilusão de que a criança sempre tem como mãe uma rede de proteção.

Assim, o terceiro estágio do processo de separação-individualização resume-se no confronto e na solução de um grande problema: como poderá a criança arrojada, depois de conhecer o prazer de ficar de pé e andar sozinha, afastar-se da autonomia? Porém, como poderá a criança, conhecendo os riscos da autonomia, ficar sozinha? Esse estágio, chamado de reaproximação, é a primeira tentativa para reconciliar a separação com a proximidade e a segurança.

Se eu for embora, morrerei?

E será que ela me deixará voltar para casa?

Em vários momentos de nossa vida enfrentaremos novamente esse dilema da reaproximação. Em várias ocasiões, perguntaremos: devo ir? Ou devo ficar? Em várias ocasiões definitivas – com nossos pais, nossos amigos, nossos parceiros no amor, nossos parceiros no casamento – lutaremos com questões de intimidade e autonomia.

Até onde posso ir e continuar em contato?

O que posso desejar – e o que desejo para mim mesmo?

Exatamente quanto de mim está preparado para desistir por amor, ou simplesmente por proteção?

Em vários momentos da nossa vida, podemos insistir: vou fazer sozinho. Vou viver sozinho. Vou resolver sozinho. Tomarei minhas decisões sozinho. E, tendo tomado *essa* decisão, é provável que nos sintamos mortos de medo de viver por nossa conta.

Podemos também repetir uma versão adulta da reaproximação.

Pois, nas primeiras semanas da reaproximação, voltamos para nossa mãe. Exigimos sua atenção. Procuramos conquistá-la, a infernizamos, a encantamos. Estamos tentando possuí-la novamente para eliminar a ansiedade da separação. Pensamos: não deixe de me amar. Talvez eu não consiga ter sucesso lá fora, sozinho.

O que sentimos é: Ajude-me!

Mas não queremos ajuda. Ou melhor, queremos e não queremos. E assim, assediados pelas contradições, ficamos firmes e saímos, continuamos e fugimos! Insistimos na condição de todo-poderosos e da nossa raiva – raiva! – em meio ao desamparo, e a ansiedade da separação torna-se mais intensa. Desejando ardentemente aquela doce união anterior, mas temendo a absorção, desejamos ser de nossa mãe e ao mesmo tempo donos de nós mesmos; tempestuosamente passamos de um estado de espírito para outro, avançando e recuando – o modelo que é a quintessência da dupla intenção.

Mais ou menos no fim do segundo ano de vida, cada criança, a seu modo, precisa começar a resolver a crise de reaproximação. Estabelecer uma distância perfeita e confortável entre ela e a mãe. Encontrar uma distância – não muito próxima, não muito remota – na qual seja possível manter-se psicologicamente isolada.

Em cada estágio da separação-individualização, florescemos ou falhamos, crescemos ou encalhamos ou, ainda, recuamos. Em cada estágio há tarefas que devem ser realizadas. E, embora cada ato de nossa vida seja determinado por várias forças diferentes – multideterminado –, vivemos hoje, em parte, com o que aprendemos nessa fase.

Consideremos a desconfiada Alice, que mantém a uma certa distância amigos e amantes e para quem intrusão é a definição exata de intimidade, e que talvez esteja ainda se defendendo da mãe do estágio de aprendizado, aquela mãe implicante e onipresente sempre aparecendo para orientar, restringir, ajudar – e controlar.

E consideremos o passivo Ray, com medo de que qualquer afirmação de autonomia possa fazer mal, e até mesmo destruir as pessoas que ele ama, um homem cuja mãe simbiótica, toda ela beijos e abraços, tornou-se uma mulher triste e com instintos suicidas, logo que o garotinho começou a se libertar dela.

E consideremos Amanda, cuja mãe dominada e ineficiente era impotente demais para ajudá-la a viver por conta própria. Amanda, hoje uma mulher adulta, não consegue ainda sair da casa da mãe. E em sonhos sobe uma escada, com um terrível vazio atrás dela, um vazio completo, sem nada.

O que acontece quando se é empurrado para fora do ninho pela mãe, que não suporta a dependência infantil? Ou quando – com outra mãe, bem diferente – somos tratados como um bem, quando ficamos, e como o próprio mal, quando partimos? Ou quando nossas primeiras explorações são vistas, com temor, como ameaças à nossa saúde, à nossa sobrevivência? Ou quando nós resolvemos: "Para o diabo com você. Vou explorar, de qualquer modo", e depois caímos de cara no chão, e ela não nos ajuda a levantar?

O que acontece é que nos adaptamos, ou desmoronamos, ou entramos num acordo. O que acontece é que cedemos, ou conseguimos continuar, ou triunfamos. Seja qual for a solução encontrada, será reformulada e elaborada por experiências posteriores. Mas, de um modo ou de outro, continuará a nos moldar.

Não há dúvida de que pessoas com histórias extremamente semelhantes emergem delas de modos extremamente diversos. Não há dúvida também de que pessoas muito parecidas hoje chegaram a esse ponto vindas de lugares diferentes. No relacionamento humano não existem correlações definitivas e simples de a = b. Isso porque, além da educação, existe a natureza. Porque acrescentamos a todas as experiências da nossa vida as qualidades singulares e específicas com as quais nascemos.

Esse conceito de qualidades inatas ajuda a explicar por que Dave, cuja mãe é muito parecida com a de Ray, resistiu à chantagem do jamais-me-deixe-senão-morrerei, defendendo-se dela em casa e saindo o mais depressa possível, começando a trabalhar depois das aulas quando era ainda muito novo, colocando-se fora de alcance numa universidade distante – "A universidade o arruinou para mim", disse ela certa vez – e finalmente casando-se com uma jovem discreta, com uma vida própria muito intensa, que podia amá-lo a distância sem grandes exigências.

"Uma vez ou outra", admite Dave, "sinto falta do seio macio e das carícias, da proximidade reconfortante. Quando minha mãe tomava conta, ela realmente sabia como tomar conta." Ele está consciente das perdas que enfrentou para ganhar e preservar sua autonomia. Ele vive – às vezes bem, às vezes não muito bem – com essas perdas.

No fim do segundo ano de vida, a criança já realizou uma grande parte da jornada da união para a separação, partindo da diferenciação, chegando ao aprendizado e depois à reaproximação. Esses estágios superpostos de separação-individuação terminam com um quarto estágio em aberto, durante o qual ela estabiliza as imagens interiores de si mesma e dos outros.

Não é uma realização simples.

Pois, no seu estado imaturo, não pode compreender a ideia estranha de que aqueles que são bons podem também ser maus. Assim, suas imagens interiores – da mãe e de si mesma – são divididas em duas.

Existe um eu todo bom – sou uma pessoa maravilhosa.

E um eu todo mau – sou uma pessoa péssima.

Existe também a mãe toda boa – ela dá tudo de que a criança precisa.

E a mãe toda má – não dá nada do que é preciso.

Na primeira infância, aparentemente a criança acredita que esses eus e essas mães diferentes são pessoas diferentes.

Muitas mulheres e homens adultos jamais deixam de fazer isso, pessoas que vivem permanentemente sob uma forma de divisão dual, que – num grau menor – habitam um mundo rígido de categorias extremas e distintas, como a discrepância das cores branco e preto. Podem alternar entre um excessivo amor por si mesmos e um ódio excessivo pela própria pessoa. Podem idealizar os amantes e os amigos. E então, quando os amantes e os amigos comportam-se normalmente, como seres humanos imperfeitos, elas os expulsam de sua vida: "Você não é perfeito. Você falhou comigo. Você não presta".

Essa divisão é feita também pelos pais que escolhem um filho para ser Caim e outro para ser Abel. E por amantes, para quem as mulheres são madonas ou prostitutas. E por líderes que não admitem dissensão: "Você está comigo ou contra mim". E às vezes por aquelas pessoas geniais com o coração repleto de maldade – os "médicos e monstros".

Aparentemente a divisão rígida em duas partes é universal nos primeiros anos de vida. Defendemos o bem mantendo afastado o mal. Colocamos nossa raiva em quarentena, temendo que os sentimentos de ódio destruam aqueles que amamos. Porém, gradualmente aprendemos – quando há confiança e amor suficiente – a viver com a ambivalência. Gradualmente aprendemos a reparar a separação.

Evidentemente, um universo de bem-mal, certo-errado, sim-não, ligado-desligado, proporciona uma tranquilizadora simplicidade. E, certamente, até as pessoas consideradas normais permitem-se uma divisão desse tipo uma vez ou outra. Porém, abandonar nossas temerosas simplificações infantis de bom e ruim a favor das difíceis ambiguidades da vida real é outra das nossas perdas necessárias. E nesse abandono existem ganhos valiosos.

Pois a mãe odiada que nos abandona e a mãe amada e amorosa que nos abraça ternamente são vistas agora como uma só, não duas mães diferentes. A criança má e desprezível e a criança digna de ser amada unem-se numa única imagem do nosso eu. Começamos a ver o todo das pessoas, não apenas suas partes – o trivial, mas magnífico ser humano. E conhecemos então um eu no qual sentimentos de ódio podem conviver com sentimentos de amor.

A tarefa jamais é completada – durante toda a vida, cortamos e separamos essas imagens interiores. E às vezes vemos somente preto e, outras vezes, somente branco. Até o dia de nossa morte, continuamos a fazer a revisão do nosso "eu". Porém, entre dois e três anos, o mundo interno da criança começa a adquirir uma certa medida de constância.

Autoconstância: uma imagem mental integrada e duradoura de um "eu".

E a constância do objeto: a imagem interior da mãe, completa e bastante boa, uma imagem que pode sobreviver à raiva e ao ódio, uma imagem – e isto é crucial – capaz de proporcionar o senso do amor, da segurança, do conforto que nossa mãe real antes proporcionava.

Nos encontros diários da infância com a mãe amorosa e bastante boa, a criança sentia-se segura, tanto física quanto emocionalmente. E, à medida que as evocamos, as lembranças dessa atenção benigna tornam-se de tal modo parte de nós mesmos, que a necessidade que temos de nossa mãe vai diminuindo gradualmente. Só podemos ser nós mesmos quando adquirimos esse ambiente interior de sustentação, proporcionado pela mãe e por outros, depois. E, embora os grupos das lembranças que criam nosso mundo interior estejam geralmente fora do alcance da nossa consciência, podem às vezes – como nesta experiência – ser recapturados.

Durante a análise uma mulher começou a descobrir e saborear a própria força. Possuía recursos com os quais jamais sonhara. Para sua grande surpresa, viu que era capaz de literalmente visualizar essa força. Mas a imagem formada em sua mente era, por mais estranho que pareça, uma estrutura desconhecida de madeira com quatro lados, que fazia pressão dentro do seu peito.

Seguindo o sistema da psicanálise, ela aplicou a associação à imagem e descobriu que era uma prensa para raquetes de tênis, o que a deixou perplexa por algum tempo, uma vez que não jogava tênis nem gostava desse esporte. Contudo, associações continuadas a levaram da prensa de raquete... a flores prensadas... a borboletas prensadas, e uma lembrança desabrochou em sua mente: a da enfermeira que havia tratado dela quando era uma criança muito doente e apavorada. A lembrança de uma enfermeira amorosa e gentil, que todos os dias mostrava à menina a figura de uma borboleta que as sombras do sol da tarde formavam na parede do quarto.

A borboleta prensada dentro dela permaneceu como uma lembrança duradoura – a lembrança do amor consolador da enfermeira. Ajudando-a a suportar aquele tempo no hospital com dores – exatamente – no peito.

Ajudando-me agora, nos meus esforços de viver a minha vida.

CAPÍTULO 4

O "eu" particular

*Quando digo "eu", quero dizer uma coisa absolutamente única,
que não deve ser confundida com nenhuma outra.*

Ugo Betti

Quem é aquela criatura presunçosa que ousa manter-se de pé sozinha? Respondemos – com orgulho, com embaraço: "Sou eu". Esse "eu" é uma declaração da consciência do próprio ser – de alguns dos seres que somos ou que fomos, ou que poderemos ser. Nosso corpo e nossa mente, nossos objetivos e funções, nossos desejos e limites, nossos sentimentos e capacidades, todos, e mais ainda, estão contidos dentro daquelas duas letras.

Nosso "eu" – o "eu" que somos agora – pode estar fazendo um cozido de carne, fazendo amor, candidatando-se a um cargo político, disputando uma maratona, sendo sábio no tribunal e grosseiro no tintureiro e morrendo de medo na cadeira do periodontista; e sabendo que todos esses eus, e aquele rosto de 66 anos no álbum de fotografias que, mais cedo ou mais tarde, seremos, são uma entidade coerente, parte de uma única identidade, são o "eu".

Tornando-nos esse "eu", temos de renunciar ao paraíso inigualável da união total, da feliz ilusão de estar intocavelmente seguros e das simplicidades reconfortantes de um universo ordenadamente dividido em duas partes, onde o bem é só bem e o mal é só mal. Transformando-nos nesse "eu", entramos num mundo de solidão, impotência e ambivalência. Conscientes do nosso terror e da nossa glória, dizemos: "Este sou eu".

Como vocês, sem dúvida, já devem saber, existe um modelo que divide a mente em três estruturas hipotéticas: o id, a província dos desejos infantis.

O *superego*, nossa consciência, nosso juiz interior. E o *ego*, a sede da percepção, da memória, da ação, do pensamento, da emoção, da defesa e do autoconhecimento – o lugar onde vive o "eu" como imagem de nós mesmos.

Esse "eu" – essa autorrepresentação – é feito de fragmentos da experiência que nosso ego integra como um todo: experiências de harmonia e alegre confirmação. Experiências dos nossos relacionamentos humanos iniciais. A teoria, nesse caso, é de que gradualmente uma imagem do "eu psíquico" se constitui em redor de uma primeira imagem do "eu físico", de modo que, mais ou menos aos dezoito meses de idade, a criança começa a se referir a nós usando nosso nome, bem como a usar aquela inconfundível primeira pessoa do singular.

O "eu" a que nos referimos tomou para si – internalizou – uma imagem do eu, a criança sob os cuidados amorosos da mãe. Mas internalizou também – tornando-se igual, identificando-se – vários aspectos dessa mãe amorosa.

A identificação é um dos processos centrais da formação do eu.

Identificação é ser autoritário, cauteloso, amante dos livros – como minha mãe.

Identificação é ser superorganizado e teimoso – como meu pai.

Identificação é o fato de nossos filhos – uma vez que meu marido e eu estamos acostumados a tomar banho de chuveiro todos os dias –, antes mal lavados, transformarem-se em usuários do chuveiro diariamente.

Identificação é talvez o fato de a maçã não cair muito longe da árvore.

Nossas primeiras identificações tendem a ser globais, de abrangência total. Mas com o tempo identificamos parcial e seletivamente. E quando dizemos: "Serei como essa parte de você, mas não como aquela", a identificação fica cada vez mais despersonalizada. Assim, nos tornamos não clones de nossa mãe ou nosso pai, ou de outros, mas uma pessoa de fala mansa, trabalhadora, humorista, dançarina ou muito rápida. Como o Ulisses de Tennyson, podemos afirmar: "Sou parte de tudo o que conheci". Mas essas partes foram transformadas. Cada um de nós é o artista do próprio eu, criando uma colagem – uma obra de arte nova e original – com fragmentos e recortes de identificações.

As pessoas com quem nos identificamos são sempre, negativa ou positivamente, importantes para nós. Nossos sentimentos para com elas são de certo modo sempre intensos. E, embora possamos nos lembrar claramente de uma decisão consciente de emular um professor ou uma estrela do cinema, a maior parte das identificações ocorre fora do nosso consciente. (Enquanto escrevo isto, lembro-me de que uso franja até hoje porque era usada por meu ídolo absoluto – Pat Norton.)

Fazemos a identificação por motivos diferentes e variados, e geralmente por muitos de uma só vez. E geralmente nos identificamos para enfrentar a perda, preservando dentro de nós – digamos, adotando um estilo de roupa, um sotaque, maneirismos – alguém que precisamos abandonar ou que morreu.

Assim, um homem de meia-idade deixa crescer o bigode logo depois da morte do pai, que usava bigode.

E um universitário do segundo ano passa do curso de administração para o de psicologia, logo depois da morte da mãe, que era psicóloga.

E a mulher que sempre se sentia perturbada pelos modos terríveis do marido à mesa adquire essas péssimas maneiras logo depois da morte dele.

E o marido que nunca fora à igreja começa a ir regularmente, logo depois da morte da piedosa e praticante esposa.

Mas nossas perdas não precisam ser mortais; as perdas diárias do crescimento geralmente promovem importantes identificações. Pois a identificação pode servir simultaneamente como um meio de se prender e se libertar. Na verdade, o ato de identificação geralmente parece significar: "Não preciso de você para fazer isso, posso fazer sozinho". Permite a renúncia de importantes aspectos do relacionamento, adotando-os como nossos.

Nossas primeiras identificações são, na maior parte, as de maior influência, limitando e modelando tudo o que virá depois. E embora nos identifiquemos, permanente ou provisoriamente, com aqueles que amamos, invejamos ou admiramos, podemos também nos identificar com aqueles que provocam nossa zanga ou dos quais temos medo.

Essa "identificação com o agressor" pode ocorrer em situações de impotência e frustração, quando alguém maior, mais forte ou mais poderoso nos tem sob controle. Numa atitude que lembra o "se não pode derrotá-los, junte-se a eles", tentamos nos parecer com as pessoas que tememos e odiamos, na esperança de assim ganhar o mesmo poder e nos defender contra o perigo que representam.

Assim, a herdeira sequestrada Patty Hearst transformou-se na terrorista Tânia.

Assim, por meio da "identificação com o agressor", a criança maltratada pode vir a ser um molestador de crianças.

A identificação pode ser ativa e passiva, de amor e ódio, para o melhor e para o pior. Pode ser identificação com o impulso de alguém, suas emoções, consciência, realizações, habilidades, estilo, objetivo, penteado, sofrimento. E ao longo dos anos, enquanto modificamos e harmonizamos essas diferentes identificações — incluindo, é claro, as identificações de acordo com o gênero e incluindo, talvez, a importante identificação com uma religião, profissão ou classe; incluindo ainda, infelizmente, a identificação com qualidades terríveis, bem como com excelentes qualidades —, possivelmente teremos de nos descartar de outros eus.

A renúncia a esses outros possíveis eus é mais uma das nossas perdas necessárias.

"Bem que eu gostaria de ser, se pudesse", escreve William James,

> ao mesmo tempo belo e gordo e bem-vestido, um grande atleta, ganhar um milhão por ano, ter humor, ser um *bon-vivant* e um grande conquistador, bem como filósofo, filantropo, político, guerreiro e explorador da África, ou ainda um poeta lírico e um santo. Mas a coisa é simplesmente impossível... Personagens tão diferentes talvez possam parecer possíveis para um homem no começo da sua vida. Mas, para torná-los reais, o resto, mais ou menos, deverá ser suprimido. Assim, aquele que procura o eu mais verdadeiro, mais forte, mais profundo deve examinar cuidadosamente a lista e apanhar aquele no qual possa arriscar sua salvação. Todos os outros eus tornam-se então irreais...

Nosso fracasso na tarefa de harmonizar mais ou menos as diferentes identificações — a incapacidade de integrar nossos eus separados — pode levar ao extremo daquela estranha desordem mental chamada dupla personalidade, na qual (lembram-se do filme *As Três Faces de Eva*?) certo número de personalidades contraditórias habita uma única pessoa. Porém, por toda parte existem pessoas com distúrbios menos graves de personalidade — donas de casa, advogados, governantes. Por toda parte, mulheres e homens com perturbações do senso de integridade mental representam baixas emocionais no nosso mundo.

E, sem dúvida, todos nós já encontramos o tipo que D.W. Winnicott chama de personalidade com falso eu.

Ou pessoas que a psicanalista Helene Deutsch chama de personalidades "como se fossem".

Ou aquelas que residem na borda extrema da fronteira da neurose psíquica, literalmente chamadas de personalidades limítrofes.

Um tipo que é atualmente muito estudado por especialistas em experiências psíquicas e sociológicas é a personalidade narcisista faminta por um eu.

Cada um desses tipos pode ser citado quando se fala sobre distorções do eu e da autoimagem. Cada um está ligado a descrições pouco diferentes, mas sempre sobrepostas a um dano causado ao "eu" particular.

A psicanalista Leslie Farber descreve o que acontece à pessoa que edifica toda a sua existência em volta de um falso eu, acreditando que precisa "brincar com a própria imagem... para merecer a atenção e a aprovação que deseja...". Essa pessoa, além de sofrer a dor e a vergonha de "um eu secreto, desagradável e ilegítimo", sofre também o "ônus espiritual de não aparecer como a pessoa que 'é', ou de não 'ser' a pessoa que aparenta...".

Na verdade, todos nós, uma vez ou outra, brincamos com nossa imagem pública. Queremos impressionar. Agradar, apaziguar, conquistar. E certamente nós todos, às vezes, usamos uma certa dose de engano, dando a nós mesmos um B+ para aquilo a que um observador justo e imparcial daria apenas a nota C. Mas sem dúvida a maioria de nós quase sempre tenta manter uma conexão razoável entre o eu que somos e o eu que mostramos. Pois, quando essa conexão se desfaz, o eu que apresentamos ao mundo pode ser um falso eu.

Como o caso da mulher que, tendo alcançado sucesso num campo de atividade altamente competitivo, insiste em afirmar: "Na verdade, sou apenas uma moça pobre do Brooklyn".

Como o homem que se refere aos "meus dois 'eus', o verdadeiro... que morre de medo de se revelar", e "o outro 'eu'... que cumpre as exigências sociais".

E talvez como Richard Cory, um homem "que cintilava quando andava", que era invejado pela vida que levava, que era belo, rico, um cavalheiro, e que, numa noite de verão, "foi para casa e deu um tiro na cabeça".

Pessoas que levam a vida com um falso eu.

O verdadeiro eu, segundo Winnicott, tem origem no nosso mais antigo relacionamento, na sensível afinidade entre mãe e filho. Começa com respostas que, na verdade, significam: "Você é o que é. Está sentindo o que sente". Permitindo que acreditemos na nossa própria realidade. Convencendo-nos de que é seguro expor o nosso primeiro, frágil e verdadeiro eu, em processo de crescimento.

Imaginemos o seguinte: estendemos a mão para um brinquedo, mas, no processo de alcançá-lo, olhamos para nossa mãe por uma fração de segundo. Estamos procurando não uma permissão, mas algo mais. Procuramos uma confirmação de que esse desejo, esse gesto espontâneo realmente nos pertence. De que sentimos o que sentimos.

Nesse momento delicado e sutil, a presença receptiva – e também não intrusora – de nossa mãe permite que tenhamos confiança no nosso desejo: "Sim, eu quero isso. Quero-o realmente". Tendo confirmado nosso nascente senso do eu, confirmada nossa "conscientização do eu", continuamos o movimento para apanhar o brinquedo.

Mas se a mãe responde à pergunta dos olhos da criança sem entender sua necessidade, ou confundindo-a com as dela, a criança não pode confiar na verdade do que sente ou do que faz. A falta de harmonia pode fazer com que a criança se sinta repudiada, maltratada. E, então, defende seu verdadeiro eu, formando um falso eu.

Esse falso eu é complacente. Não tem planos. É como se dissesse: "Serei o que você quiser que eu seja". Como a árvore esparramada que tem seu crescimento impedido, adapta-se à forma imposta por elementos externos. Essa forma pode ser atraente, às vezes maravilhosamente atraente, mas não é real.

A personalidade "como se fosse", descrita por Helene Deutsch, é mais camaleônica do que o falso eu, pois a "facilidade para detectar sinais do mundo exterior e para moldar o comportamento de acordo com esses sinais" tem como resultado a mudança frequente – mas extremamente convincente – das imitações, primeiro de um tipo de pessoa, depois de outro. A personalidade "como se fosse" não se apercebe do vazio no seu íntimo. Vive sua vida "como se" fosse um todo. As expressões que usa, as ligações que escolhe, seus valores, suas paixões, seus prazeres, apenas imitam realidades de outras pessoas. E finalmente provoca constrangimento nas pessoas que olham e pensam: "Espere, alguma coisa está errada" – apesar do brilhante desempenho. Pois, sem que saiba, como um humanoide de filmes de ficção científica, duplica apenas as formas do ser humano. Age como se estivesse sentindo, mas não possui experiência interior correspondente.

Uma caricatura engraçada e brilhante da personalidade "como se fosse" é apresentada por Woody Allen no filme *Zelig*, no qual o herói tem tão pouca ideia de si mesmo, que se transforma na pessoa com quem está no momento. Leonard Zelig – ansioso para ser aceito, apreciado, para se encaixar – transforma-se em negro, chinês, obeso e chefe índio. Parece uma cópia dos camisas pardas de Hitler, da comitiva do papa e do time de Babe Ruth. Adotando não só suas características físicas como também mentais, Zelig transforma-se nas pessoas com quem convive. "Não sou ninguém, não sou nada", diz ele ao psiquiatra. O que ele é na verdade é Leonard Zelig – camaleão humano.

A personalidade limítrofe divide o bem e o mal em si mesma e nos outros, usando o processo de divisão em duas partes descrito no Capítulo 3. Muito cedo na vida, começa a temer que a raiva que às vezes sente da mãe (que todos nós sentimos) possa destruí-la – e então, o que será dela? Porém, se a mulher que ama e que odeia puder ser vista como duas pessoas distintas, poderá odiar impunemente. Então, ela a transformará em duas.

O indivíduo limítrofe, segundo o psicanalista Otto Kernberg, tem vida fragmentada, de momento em momento, "cortando ativamente os elos emocionais com tudo o que poderia vir a ser uma experiência caótica, contraditória, extremamente frustrante e assustadora... Embora sinta amor e ódio, não consegue jamais juntar esses dois sentimentos, temendo que o mal envenene o bem. Ameaçado pelo sentimento insuportável de culpa resultante desse temor de destruição, o indivíduo limítrofe pode nos amar às segundas e quartas-feiras e nos odiar às terças e quintas e nos sábados alternados, mas jamais amará e odiará simultaneamente. Ele separa".

Como é de esperar, o indivíduo limítrofe é instável nos seus estados de espírito e nos seus relacionamentos. Geralmente é impulsivo e fisicamente autodestruidor. Pode achar difícil ficar sozinho. Mas o seu traço mais acentuado é a separação em duas partes distintas, que lhe permite tolerar profundas contradições nos próprios pensamentos e ações, com diferentes partes do seu eu desligadas – como ilhas separadas – uma da outra.

O narcisista é geralmente visto como um adorador de si mesmo. (De que pontos de vista eu me amo? Deixem-me contá-los.) Mas, na verdade, é a ausência de um instável amor interior por si mesmo – o narcisismo saudável – o que inspira essa devoradora preocupação com a própria pessoa. Que o obriga a usar os outros apenas para sobressair. Que o obriga a usá-los como reflexos e extensões de si mesmo.

- Devo ser atraente – vejam a bela mulher ao meu lado.
- Devo ser importante – convivo com celebridades.
- Devo ser interessante – sou sempre a estrela, o centro das atenções.
- Devo ser – não devo?

Alguma coisa está errada com seu confiante amor interior por si mesmo.

Freud diz que o amor que sentimos por nós mesmos, antes de termos consciência de que outras pessoas existem, é um narcisismo original – um narcisismo primário. Diz também que mais tarde, quando desistimos de nosso amor pelos outros para amar a nós mesmos, estamos demonstrando um narcisismo secundário. Segundo ele, o amor por si mesmo e o amor pelos outros são opostos. E isso nos deixa com a impressão de que o narcisismo certamente nunca foi uma boa coisa.

Recentemente, entretanto, alguns psicanalistas – especialmente Heinz Kohut – questionaram essa visão negativa e polarizada do narcisismo. O narcisismo, diz Kohut, é normal, é saudável, é importante, é uma boa coisa. E o amor intenso por si mesmo enriquece e complementa – não esvazia – o nosso amor pelos outros.

Como adquirir um narcisismo desejável – mas não super-reverente?

Aparentemente, Kohut nos diz que começamos com um senso de ser e de possuir tudo o que é perfeito, poderoso e bom. E, para chegar a um acordo com os limites da grandeza humana, precisamos primeiro de uma injeção de narcisismo.

Pois há uma época de nossa vida em que precisamos nos pavonear do que somos e caminhar com grandeza, quando precisamos ser vistos como notáveis e raros, quando precisamos nos exibir na frente de um espelho que reflete nossa autoadmiração, quando precisamos de um pai ou uma mãe para ser esse espelho.

Isso significa o prazer simples que os pais podem sentir com um filho, o prazer que sentem, o elogio que oferecem, a habilidade de corresponder ao exibicionismo da criança quando diz: "Mamãe, veja só!", com orgulho e encorajamento. Não significa de modo algum a indulgência total nem a ausência da frustração. Todos precisam de um pouco de frustração para crescer.

Há também uma época da nossa vida em que precisamos participar da perfeição de outra pessoa, quando precisamos dizer: "Você é maravilhoso e você é meu", quando precisamos ampliar a nós mesmos por meio da nossa conexão com algum ser perfeito e onipotente, quando precisamos que um progenitor funcione como esse ideal.

Isso significa a calma e a confiança que o progenitor pode oferecer à criança, a infusão de glória, poder e força, uma proteção que diz: "Estou aqui – você não precisa fazer tudo sozinho", uma disposição para ser um aliado invencível. O que certamente não significa que o pai ou a mãe devam ser super-heróis.

Há uma época da nossa vida – na primeira infância – em que precisamos ser maiores do que a vida, ter um eu de ouro. E precisamos acreditar que nosso verdadeiro eu – o eu ávido, jubiloso, vaidoso que revelamos – é aceito, pelo menos por algum tempo, como feito de ouro.

Quando nossos pais podem fazer isso por nós – não o tempo todo, apenas uma vez ou outra, apenas... o suficiente –, estão servindo como partes de nós mesmos que podemos tornar nossas. E, providos desses ingredientes vitais para a edificação do eu, podemos então nos libertar – podemos modelar e transformar esses ingredientes em algo mais real, com dimensões mais humanas.

Uma autoimagem positiva.

Uma autoestima resistente.

E um amor por nós mesmos que nos liberta para amar os outros.

Mas, sem essa dose de narcisismo, ficamos presos ao narcisismo infantil e arcaico. Não podemos prosseguir. Não podemos deixar para trás. Outros podem então nos servir, não como parceiros humanos num relacionamento afetivo, mas como meios de nos fornecer essas peças que faltam ao nosso eu. Assim, o narcisista procura pessoas admiradas, na esperança de transferir para ele essa admiração. O narcisista procura os poderosos, esperando fazer seu esse poder. Entretanto, como observa Kohut, essas pessoas procuradas "não são amadas ou admiradas pelos atributos e pelas características reais da sua personalidade... estes mal são notados". Na verdade, não são realmente amigos, amantes, companheiros no matrimônio ou filhos, mas partes do eu narcisista – somente "objetos desse eu".

A descrição completa de uma personalidade narcisista – nós a chamaremos de Peggy – pode mostrar que ela é cheia de vida e intensa, romantizando e sexualizando todos os fatos comuns da vida, superentusiástica e superdramática. Sob toda essa pseudovitalidade, entretanto, existe uma apatia interna, um vazio, uma necessidade ávida de ser completada, um medo terrível que se define por: "O que significa tudo isso?". E, por trás dos gestos e das roupas que gritam com insistência "Olhem para mim!", existem sentimentos de falta de autenticidade e de valor.

Peggy evita a dependência. Tem pavor da intimidade. Usa as pessoas como se fossem lenços de papel. Sempre em movimento, tenta fugir do pavor da velhice e da mortalidade. E, sem elos reais com o futuro e com o passado, sem aqueles investimentos afetivos em outras pessoas, aquelas lembranças queridas, ela vive um *agora* dominado pela ansiedade.

Examina o rosto todas as manhãs, para verificar se apareceu alguma ruga.

Mantém sua agenda repleta para todas as noites da semana. Constantemente consulta médicos, com sua hipocondria crônica e impertinente.

E está sempre cheia de raiva, a raiva da criança desapontada que não encontrou empatia em lugar nenhum.

Conheci um homem – vamos chamá-lo de Don – com outro tipo de narcisismo. Compulsivamente, conquistava as mulheres e ia com elas para a cama. Seu maior orgulho era contar que, durante uma noite exaustiva, havia dormido com três mulheres diferentes em três bairros diferentes, "fazendo uso" – foi no tempo do racionamento da gasolina – "somente de transportes públicos".

No seu relacionamento com as mulheres, Don as converte, repetidamente, em idealizações. Todas eram belas, brilhantes e – sempre! – possuidoras de grande profundidade espiritual. Sua desilusão subsequente, em geral imediata, o fazia sair à procura de substitutas. Teve muitas esposas, muitas amantes e não conheceu nenhuma delas.

Meu narcisista fictício preferido não é um homem, mas um sapo. Ele pode ser encontrado em *Archy and Mehitabel*. Seu nome é Warty Bliggens e costuma ficar debaixo de um cogumelo, perfeitamente satisfeito, e

> considera-se
> o centro do...
> Universo
> a terra existe
> para cultivar cogumelos para ele
> se sentar sob eles
> o Sol para lhe dar luz
> durante o dia
> e a Lua
> e as constelações rodopiantes
> para embelezar
> a noite só para
> Warty Bliggens.

Que tal a grandiosidade?

Alguns narcisistas demonstram uma grandiosidade do tipo "Sou o maior!". Outros são grandiosos de modo mais indireto. Mas sua empáfia e seu desprezo, ou sua promiscuidade e seu comportamento antissocial, ou as mentiras sobre suas realizações, ou ainda a incapacidade de dizer "não sei" sugerem um mundo de fantasia onde pensam que sabem tudo e tudo controlam, onde *tudo* lhes é permitido e onde são muito especiais. Muito especiais.

Para uma ideia desse senso de ser especial, vejamos este sonho contado por um paciente ao seu psiquiatra: "Foi apresentada a questão de se encontrar um sucessor para mim. "Então pensei: 'Que tal Deus?'."

O problema da mania de grandeza é a sua vulnerabilidade. É implacável e inevitavelmente vulnerável. Pois, por mais triunfantes que sejamos, por mais alto que cheguemos, o curso da vida normal nos conduz a perdas. A doenças. À velhice. A limitações físicas e mentais. A separações, solidão e morte. São experiências difíceis – mesmo com família, filosofia e religião, mesmo com elos que nos unem a algo além da carne frágil. Entretanto, sem esses elos, sem algum imenso significado para além do "eu", a passagem do tempo só pode trazer horror sobre horror. Em face dessa realidade a longo prazo, é espantoso como o narcisista pode negá-la durante tanto tempo, convencido de que a juventude e a beleza, a saúde e o poder, a admiração e a afirmação vão durar para sempre.

É claro que não duram.

Quando o talento falha, quando fenece a beleza, quando a carreira brilhante declina, o mundo não reflete mais a perfeição de Narciso. E como o eu no espelho é o único que ele sempre reconheceu, perde esse eu e mergulha na depressão. A depressão – o outro lado escuro da grandeza – é a resposta adequada à autoestima ferida do narcisista, gerada por algo trivial ou por um pequeno desapontamento, bem como pelas verdadeiras e mais duras realidades da vida.

"Todos os seus espelhos substitutos estavam quebrados", escreve um analista sobre uma paciente deprimida que começava a envelhecer, "e lá estava ela, outra vez desamparada e confusa, como a garotinha que antes, na frente do rosto da mãe, não encontrou a si mesma..."

O narcisista pode também sentir-se vazio e deprimido, sempre que perde os objetos idealizados do próprio eu. Tendo feito deles a fonte de tudo o que é poderoso e feliz, sente-se agora desamparado e vazio sem eles. E pode procurar fugir desse vazio recorrendo a drogas ou ao álcool, a frenéticas conquistas sexuais, a passatempos perigosos. Ou pode procurar o refúgio narcisista comum de algum culto religioso, no qual "o envolvimento total, a rotina infindável, o canto compulsivo e a meditação ritual" ajudam a encher "vazios quase inimagináveis..."

Como parte de um todo mágico, místico, que afirma possuir o esclarecimento perfeito, ele tenta encontrar um modo de engrandecer o eu. Como parte de um todo feliz e abençoado que afasta "pensamentos negativos", tenta recapturar o encanto do narcisismo infantil.

No centro dessas falhas narcisistas existem experiências com pais indiferentes; pais que não podiam ou não queriam ser acessíveis, pais que rejeitavam, desaprovavam ou desapontavam, ou que simplesmente não se interessavam. Cynthia Macdonald, no seu impressionante poema "Realizações", registra a aflição de uma filha tentando conseguir a confirmação da mãe:

> Pintei um quadro – céu verde – e mostrei à minha mãe.
> Ela disse: bonito, eu acho.
> Então pintei outro, segurando o pincel com os dentes.
> Veja, mamãe, sem as mãos. E ela disse:
> Acho que alguém poderá admirar isso, se souber
> Como foi feito e se se interessar por pintura, o que não é o meu caso.
>
> Toquei um solo de clarineta no *Concerto para Clarineta* de Gounod
> Com a Filarmônica de Buffalo. Minha mãe foi ouvir e disse:
> – Bonito, eu acho.
> Então toquei com a Sinfônica de Boston
> Deitada de costas e usando os dedos dos pés.
> – Veja, mamãe, sem as mãos. E ela disse:
> – Acho que alguém poderá admirar isso, se souber
> Como foi feito e se estiver interessado em música, o que não é o meu caso.
>
> Fiz um suflê de amêndoas e o servi à minha mãe.
> Ela disse: acho que está bom.
> Então fiz outro, batendo com minha respiração
> E servindo-o com os cotovelos.

> Veja, mamãe, sem as mãos. E ela disse:
> Acho que alguém poderá admirar isso, se souber
> Como foi feito, e se estiver interessado em comida, o que não é o meu caso.
>
> Então esterilizei os pulsos, realizei a amputação, joguei fora
> Minhas mãos, e fui até minha mãe, mas antes que eu pudesse dizer
> Veja, mamãe, sem as mãos, ela disse:
> Tenho um presente para você, e insistiu em que eu experimentasse
> As luvas azuis, para ter certeza de que eram do tamanho certo.

Às vezes, o confuso narcisista teve pais que ofereciam amor, só que... o amor que ofereciam era do tipo errado. Não era amor pela criança por ela mesma, mas pela criança-como-enfeite, uma flor que os enfeitava, colocada na lapela.

Geralmente, narcisistas são filhos de narcisistas.

Os pais narcisistas usam e abusam inconscientemente dos filhos. Faça direito. Seja bom. Quero me orgulhar de você. Não me irrite. O trato tácito é o seguinte: se enterrar as partes que não gosto, então posso amá-lo. A escolha tácita é a seguinte: perder você ou me perder.

É importante não esquecer que, às vezes, pais bastante bons não conseguem se entrosar com o filho, e o prejuízo causado pode resultar de uma infeliz falta de combinação, e não de indiferença, incompetência ou maldade. Mas, seja qual for a causa, a ausência dessas experiências cruciais de imitação e idealização põe em perigo a coesão do eu. Defendendo-se da ameaça contra esse eu e tentando urgentemente compensar a falha, nasce o narcisista patológico.

Sem dúvida, nós todos, durante nosso desenvolvimento normal, tivemos experiências de um falso eu, de separação em duas partes, de narcisismo. Nós todos tivemos experiências de desligamento com nosso eu. Nós todos tivemos experiências do tipo: "Por que eu disse aquilo? Não é o que eu penso realmente", de abrigar eus distintamente contrários, de tentar esconder nossos eus inaceitáveis, de agir como pessoas diferentes com pessoas diferentes.

Mas as pessoas descritas nas páginas anteriores demonstram mais do que as distorções comuns, mais do que as confusões e incertezas do que é considerado normal. Sofrem de grave deterioração no seu desenvolvimento, que interfere com suas perdas necessárias – com a renúncia de necessidades, defesas, ilusões que se interpõem no caminho de um eu robusto e integrado.

Pois um crescimento saudável implica a capacidade de renunciar à nossa necessidade de aprovação, quando o preço dessa aprovação é nosso verdadeiro eu.

Significa ser capaz de renunciar à divisão defensiva e integrar nosso eu mau com o eu bom.

Significa ser capaz de renunciar à grandeza e funcionar com um eu de proporções humanas.

Significa que, embora possamos, durante a vida, ser afligidos por dificuldades emocionais, possuímos um eu confiável, um senso de identidade.

O que chamamos de senso de identidade é a certeza de que nosso eu mais profundo, mais forte e mais verdadeiro persiste ao longo do tempo, a despeito da mudança constante. É a sensação mais profunda de um eu verdadeiro do que qualquer diferença, o eu para o qual todos os nossos outros eus convergem. Essa uniformidade firme inclui tanto o que somos quanto o que não somos. Inclui nossas identificações e nossas diferenças. E inclui nossas experiências interiores e particulares do tipo: "Eu sou eu", bem como o reconhecimento pelos outros de que: "Sim, você é você".

Esse apoio e resposta dos outros é importante em qualquer época da vida, mas tem importância especial na infância. Pois nenhum de nós pode começar a ter um "eu" sem alguma ajuda de "outros". Todos nós, no começo, precisamos de uma mãe que nos ajuda a ser, a mãe que nos ajuda a estender o braço e reclamar o que nos pertence, a mãe que nos ajuda a estabelecer uma certeza central – tão certa quanto as batidas do nosso coração – de que nossos desejos e sentimentos são nossos. No começo, não conseguimos satisfazer a nossas necessidades, portanto não conseguimos reconhecê-las. A mãe ajuda a criança a satisfazê-las e a conhecê-las.

Reconhecendo nossas necessidades, reclamando nossos sentimentos como nossa propriedade, começamos a perceber o nascimento do nosso eu. Perdemos a não consciência de nós mesmos, a existência sem um eu, sem uma identidade.

Começamos a criar e a descobrir nosso "eu" particular.

CAPÍTULO 5

Lições de amor

*Pois o amor... é o sangue da vida,
o poder de reunião do que está separado.*

PAUL TILLICH

Ser um eu separado é a mais gloriosa, a mais solitária meta. Amar a si mesmo é bom, mas... incompleto. Ser separado é doce, mas a ligação com alguém fora de nós mesmos é muito mais doce. Nossa existência diária exige tanta aproximação quanto distanciamento, a inteireza do eu, a inteireza da intimidade. Reconciliamos a união com a separação por meio do amor comum e terreno.

Nossa mãe – o primeiro amor – nos dá as primeiras lições de amor. É nosso socorro e nosso abrigo. É a nossa segurança. A mãe ama sem limites, sem condições, sem interesse próprio nem expectativas. Vive para o filho. Sem dúvida, morrerá por ele.

Do que estamos falando?

Pois certamente nossa mãe de carne e osso não era esse ideal perfeito. Ela se cansava, se ressentia, se queixava. Sem dúvida, amava outras pessoas e nem sempre nos amava, e deve ter havido momentos em que nós a aborrecíamos, incomodávamos e enraivecíamos. Contudo, se a mãe for suficientemente boa, argumenta Winnicott, essa bondade é sentida como perfeição. Se ela for apenas *suficientemente boa*, nossos desejos, sonhos e fantasias se confirmam, e ela nos dá o sabor do amor incondicional.

Mas, quando a mãe da união total torna-se a mãe da separação, aprendemos a limitação do amor. Aprendemos o preço que teremos de pagar, o preço que não podemos pagar, aprendemos que às vezes o amor falha, que às vezes queremos e não conseguimos. E, reconciliando tudo isso em imagens do tamanho natural dos outros e do nosso eu, começamos a renunciar ao que devemos renunciar – começamos a aceitar as perdas necessárias, que são uma precondição para o amor humano.

Nem todos fazem isso.

E alguns continuam a exigir o incondicional amor materno, fantasiado e disfarçado em relacionamentos amorosos adultos, furiosos quando o parceiro espera dar e receber mutuamente, furiosos quando esperam que *suas* necessidades sejam atendidas. Alguns continuam a exigir o amor materno incondicional e, então, se o parceiro perguntar "O que eu ganho com isso?", não compreendem a pergunta.

Pois não devemos esquecer que o amor infantil é experimentado como harmonia, do tipo: "As necessidades dela e as minhas são uma coisa só". Quando começamos a separar, aprendemos que mães e filhos têm agendas diferentes. Quando começamos a separar, aprendemos a amar a mãe-que-não-é-eu.

Embora o amor adulto comece com a separação entre o eu e o outro, o desejo de desfazer essa separação persiste. E amar, argumentam – por mais que os amantes sejam maravilhosamente amadurecidos –, implica o desejo de voltar aos braços da mãe. Jamais nos libertaremos desse desejo, mas podemos infundir nele a capacidade de amar, e não só de ser amado, de dar – não apenas tomar. "Quanto mais te dou", diz Julieta, "mais eu tenho, pois ambos são infinitos." Não precisamos ser amantes traídos pelas estrelas, nem masoquistas, nem oprimidos por porcos chauvinistas para reconhecer a verdade da poesia de Shakespeare.

O psicanalista Erich Fromm, no seu livro *A Arte de Amar*, faz uma distinção entre amor infantil e amor adulto. E, embora a distinção seja mais simples em palavras do que na vida real, sugere um espectro dentro do qual todos podem se posicionar:

> O amor infantil segue o princípio de que "amo porque sou amado".
> O amor amadurecido segue o princípio de que "sou amado porque amo".
> O amor adulto diz: "Eu o amo porque preciso de você".
> O amor adulto diz: "Preciso de você porque o amo".

Mas não podemos chegar ao amor adulto sem passar pelo infantil. Não podemos amar se não soubermos o que é o amor. Não podemos amar outra pessoa como outra pessoa se não tivermos suficiente amor por nós mesmos, um amor que aprendemos sendo amados na infância. E não podemos falar de amor, de amor infantil ou amadurecido, a não ser que estejamos preparados para falar também de ódio.

Ódio é uma palavra que sempre provoca constrangimento. O ódio pode ser feio, excessivo, descontrolado. O ódio é uma substância que envenena a alma. O ódio não é bom.

Pior do que não ser bom é a ideia de que temos sentimentos de ódio para com as pessoas a quem amamos, a ideia de que desejamos mal a elas, ao mesmo tempo em que desejamos o bem, que até o mais puro amor vale menos do que o mais puro amor, pois foi imaculado pela ambivalência. Freud diz que, "com exceção de poucas situações, sempre há nas relações amorosas mais íntimas e mais ternas uma certa porção de hostilidade...". É duvidoso que eu ou você estejamos entre as exceções.

A presença do ódio no amor é comum, mas só reconhecida com relutância. Chega, porém, o momento em que o enfrentamos em nós mesmos. Encharcada até os ossos, esperando na chuva pelo meu marido, que está vinte minutos atrasado, posso exclamar com perfeita sinceridade: "Eu mato você". E quando no palco a atriz trágica suspira: "Ah, amei demais para não odiar agora", tenho de confessar que também me senti assim.

Mas quando Winnicott relaciona dezoito motivos pelos quais, na sua opinião, a mãe odeia o filho, eu – e a maioria das mães – recuo horrorizada. "Errado!", insistimos. "Não é verdade!", repetimos. Não, não. Winnicott pede que reconsideremos uma canção infantil, a canção que cantamos para fazer dormir nosso bebê amado. "Quando o galho quebrar, o berço vai cair. O bebê e o berço vão despencar."* Não é, diz Winnicott, o que se pode chamar de mensagem amigável. Na verdade, expressa alguns sentimentos maternos muito afastados de toda sentimentalidade. O que, para ele, está certo.

Pois o sentimentalismo, diz Winnicott, não tem nenhuma aplicação útil. É prejudicial porque "contém a negação do ódio..." E essa negação, argumenta ele, impede que a criança em desenvolvimento aprenda a

---

* "When the bough breaks, the cradle will fall. Down will, come baby cradle and all." Talvez uma tradução aproximada seja: "Bicho-papão, sai de cima do telhado. Deixa o menino dormir sossegado". (N. da E.)

tolerar o próprio ódio. ("Meus *pais* jamais tiveram esses sentimentos horríveis. Que tipo de monstro sou *eu* para sentir isso?") Precisamos aprender a tolerar nosso ódio.

Um garoto de quatro anos, cujos pais, podemos presumir, não são exageradamente sentimentais, canta na banheira sozinho, todas as noites:

> Ele não faz coisa alguma
> Só fica sentado ao sol do meio-dia
> E quando falam com ele, ele não responde
> Porque não tem vontade.
> Ele os espeta com lanças e os joga no lixo
> Quando lhe dizem para comer sua comida, só dá risada deles...
> Não fala com ninguém porque não precisa.
> E quando forem procurá-lo, não vão encontrar,
> Porque ele não vai estar lá.
> Ele enfia espetos nos olhos e os joga no lixo,
> E tampa a lata.
> Ele não sai para tomar ar nem come seus vegetais
> Nem faz xixi para eles e vai ficar magro como um espeto.
> Não vai fazer nada de nada.
> Só ficar sentado ao sol do meio-dia.

Ninguém pode dizer que essa canção não sugere uma certa... hostilidade. Espetos nos olhos não são coisas muito bonitas. Porém, o que parece aberto a debate é se a hostilidade e o ódio são expressões de um instinto básico de agressividade, ou se a agressão humana não passa de uma expressão de um amor desapontado e frustrado.

Freud adota a primeira posição e argumenta que nós todos somos alimentados por dois instintos básicos – o instinto de agressividade e o instinto sexual. Entretanto – e este é um ponto absolutamente central da sua tese –, sexo e agressão misturam-se normalmente. Assim, o ato mais cruel e violento tem um significado sexual subconsciente. E, assim, o ato mais delicado e amoroso sempre possui – "Vamos devorá-lo – nós o amamos tanto!" – um elemento de ódio.

Freud diz:

> É, sem dúvida, alheia à nossa inteligência e aos nossos sentimentos a união do amor com o ódio. A natureza, usando esse par de opostos, consegue manter o amor sempre novo e vigilante, para protegê-lo do ódio que espreita atrás dele. Possivelmente, devemos o desabrochar mais belo do nosso amor à reação contra os impulsos hostis que sentimos no íntimo.

Em outras palavras, podemos manter o ódio a distância enfatizando o amor. Mas no nosso inconsciente, diz Freud, somos ainda assassinos.

Outros afirmam que os seres humanos são intrinsecamente amorosos e bons. A agressão é uma reação, não é inata. Este mundo imperfeito no qual nascemos é a causa da nossa raiva, nossa crueldade, nossa hostilidade. Melhoremos o mundo – com Cristo, com Marx, com Freud, com Gloria Steinem – e finalmente exterminaremos o ódio.

Entretanto, enquanto isso, o ódio – na sua forma inata e/ou ambiental – está vivo, misturando-se com o amor. Na verdade, o psicanalista Rollo May argumenta que ambos são partes do que ele chama de *daimonic*, que inclui sexo *e* agressão, o criativo *e* o destrutivo, o nobre *e* o vil.

O *daimonic* de que fala May é "o impulso de todo ser para se afirmar, perpetuar-se e crescer". É uma força além do bem e do mal. Uma força que – se não for canalizada – pode nos levar a copular e matar cegamente, uma força que – se repudiada – pode nos deixar apáticos e semimortos, uma força que – quando integrada ao nosso eu – pode vitalizar todas as nossas experiências.

Assim, o amor não é ameaçado pelo *daimonic*, mas pela nossa negação dele, por nossa incapacidade de aceitá-lo – com a agressividade e tudo mais – como algo nosso. May cita o poeta Rilke, que diz: "Se meus demônios me abandonarem, temo que meus anjos desapareçam também". Rilke está certo, diz May. Devemos abraçar os dois.

A luminosa Liv Ullmann*, que já foi considerada a atriz mais carismática do mundo, sorri quando ouve falar nos demônios e anjos de Rilke, e diz-me que ela sempre ("por causa da minha aparência") foi escolhida para desempenhar os papéis de "anjo". Descreve um momento de revelação quando estava ensaiando *The Chalk Garden*, uma peça na qual interpreta uma mulher que, fugindo da destruição da revolução, encontra uma criança abandonada pela mãe.

---

* Liv Ulmann é atriz e diretora de cinema, nascida na Noruega. (N. da E.)

"Minha interpretação foi sentar-me e olhar terna e docemente para o bebê. Cantar para ele, pegá-lo no colo e levá-lo comigo". Mas o diretor, lembra ela, pediu-lhe que fosse mais fundo, que mostrasse as dúvidas da mulher, sua covardia, a ambivalência ante tão grande responsabilidade. "Não seja tão nobre", foi seu conselho. "Não precisa representar a bondade o tempo todo."

Na sua interpretação final do papel, Liv, como a mulher Grucha, apanha o bebê, "mas o repõe no chão, pensando nas inconveniências que ele representa... A mulher afasta-se. Para. Examina suas dúvidas. Volta. Relutantemente, senta-se outra vez. Olha para o pequeno embrulho. Olha para longe. Então, finalmente o apanha com um gesto de resignação e afasta-se correndo..."

"Só nesse caso", conclui Liv, "quando nenhuma situação ou personagem é obviamente boa ou má, é que se torna digna de ser representada".

Liv descreve como é fascinante para ela "mostrar as duas partes, mostrar a luta", pois sempre haviam lhe ensinado que "crianças boas não têm maus pensamentos". Liv diz que agora, na sua vida e na sua arte, sabe que "precisamos *trabalhar* para ser bons, a bondade sempre implica a *escolha* de ser bom".

Reconhecer a própria agressividade não é um argumento a favor da brutalidade ou, que Deus nos livre, a favor de deixar tudo sem definição. Também não desafia o conceito de que, apesar da nossa ambivalência, os sentimentos de amor sempre prevalecem. A questão é que simplesmente podemos também odiar nosso companheiro amado, nosso filho, nossos pais, nosso querido amigo. A questão é que dizer a nós mesmos que "essa coisa desagradável nada tem a ver comigo" nos depaupera e pode nos deixar em perigo.

Nós também já fomos crianças de quatro anos, com palavras de ódio nos lábios. Talvez nos tenham dito: "Você não sente isso de verdade". Talvez nos tenham ensinado que amar significa jamais ter vontade de enfiar espetos nos olhos do seu verdadeiro amor.

Isso é mentira.

A mãe dá ao filho as primeiras lições de amor — e do seu companheiro, o ódio. O pai — o "segundo outro" — encarrega-se de aperfeiçoá-las. Oferecendo uma alternativa para o relacionamento mãe-filho. Tirando o filho da união total e empurrando-o para o mundo. Apresentando o modelo masculino que pode complementar o feminino e fazer contraste com ele. E fornecendo outros significados talvez diferentes de *amável* e *amar* e *ser amado*.

Neste momento, devemos fazer uma pausa para acentuar o fato de que *pais* e bebês podem formar, muito cedo, uma ligação forte, e que, exceto pela capacidade de amamentar, os pais podem fazer tudo o que as mães fazem. Os pais podem ser, e muitos são, as primeiras pessoas a cuidar do bebê. No entanto, dizendo isso, estaremos afirmando que mães e pais são intercambiáveis?

A resposta parece ser um não definitivo.

Michael Yogman, da Escola de Medicina de Harvard e do Hospital Infantil de Boston, cujas pesquisas têm contribuído muitíssimo para novas informações sobre o relacionamento pai-filho, argumenta que "o papel do pai com filhos bebês é muito menos restrito biologicamente do que se pensa". Segundo ele, estudos demonstram que os pais são tão sensíveis quanto as mães às indicações emocionais dos bebês e respondem a elas com a mesma habilidade. Além disso, afirma ele, os estudos do desenvolvimento da ligação com crianças de seis a vinte e quatro meses "nos dão evidência conclusiva... de que os bebês se apegam tanto ao pai quanto à mãe".

Entretanto — e há alguns entretantos cruciais, acentua ele —, mães e pais respondem aos seus bebês, e seus bebês respondem à mãe e ao pai, de modos evidente e consistentemente diversos:

Os pais são imagens muito mais físicas e estimulantes. As mães são mais verbais e mais calmantes. Os pais despendem menos tempo cuidando do bebê — grande parte do tempo passam brincando. Os pais de um modo geral proporcionam mais novidades, mais excitação, mais acontecimentos fora da rotina cotidiana, e a criança, por sua vez, reage com mais entusiasmo. A criança (especialmente se for do sexo masculino) é mais inclinada a brincar com o pai, mas prefere a mãe quando está cansada ou tensa. E, embora tanto o pai quanto a mãe possam investir profundamente no relacionamento com o filho, a biologia talvez arme o palco para um nível de intimidade mãe-filho que os pais só atingem depois de algum tempo.

O dr. Yogman conclui dizendo que pais e mães nos dão experiências "qualitativamente diferentes" na infância e que os papéis da mãe e do pai não são intercambiáveis, não são idênticos, mas recíprocos. E, ao mesmo tempo que acentua os benefícios do relacionamento profundo dos pais com seus bebês, faz notar também que "o componente biológico provavelmente é mais fraco nos homens que nas mulheres".

Comparando seu papel de pai com o papel de sua mulher Susan, como mãe de Amanda, o jornalista Bob Greene faz uma observação semelhante:

> "Nós não estamos muito satisfeitas hoje", disse Susan para Amanda esta manhã. "Você só dormiu das onze às cinco..."
>
> Acho que Susan quer dizer exatamente isso: *"Nós não estamos muito satisfeitas hoje".* Usa a primeira pessoa do plural tantas vezes que não pode ser um lapso; quando ela pensa em Amanda, pensa em si mesma; quando pensa em si mesma, pensa em Amanda. Por mais que eu ame Amanda, o relacionamento não é o mesmo; para mim, somos ainda pessoas separadas. Nessa época de novas atitudes por parte dos homens, pergunto a mim mesmo se outros pais serão diferentes...
>
> Creio que não. Acho que existe uma distância pré-integrada que um homem jamais pode eliminar por completo. Podemos tentar, mas não o conseguiremos.

Muitas feministas não concordarão com isso.

Mas a socióloga Alice Rossi, numa análise brilhante dos papéis da mãe e do pai e dos papéis desempenhados pelos sexos, aplaude a pesquisa do dr. Yogman e as experiências de Bob Greene. Na verdade, ela afirma que "nenhuma sociedade conhecida substitui a mãe no papel da primeira pessoa a tomar conta da criança, exceto nos casos de uma pequena e especial categoria de mulheres", acrescentando que existem boas razões "biossociais" para isso. "Uma perspectiva biossocial", explica ela, "não questiona a determinação genética do que o homem pode ou não fazer, comparado à mulher; sugere, isso sim, que as contribuições biológicas modelam o que é aprendido e que existem diferenças na facilidade com que cada sexo pode aprender certas coisas."

A dra. Rossi argumenta que, no curso da longa história da humanidade, passada na caça e na formação de sociedades, as mulheres desenvolveram (e em parte possuem ainda) adaptações seletivas que as fazem melhores do que os homens para criar os filhos. Sim, é claro que há exceções; ela está falando das mulheres como um grupo. Argumenta também que o caráter cíclico hormonal da mulher, a gravidez e o parto podem estabelecer uma predisposição com base biológica para um relacionamento com os filhos, pelo menos nos primeiros meses, mais intenso que o dos pais. E ela acredita que resíduos importantes dessa ligação materna mais forte continuam muito além da infância.

O que ela conclui disso tudo? Sua conclusão é de que, por mais prematura que seja a educação para o papel de pai, e por mais que o ambiente familiar permita uma igualdade de oportunidade ao pai e à mãe, nossa herança evolutiva não pode ser eliminada, nem a ligação pai-filho pode ser igualada à ligação mãe-filho. Ela termina com a previsão de que, provavelmente, a mãe será sempre emocionalmente mais importante para o filho.

Isso não significa que o homem não seja importante para o desenvolvimento inicial da criança. É, sem sombra de dúvida, extremamente importante. Como destruidor construtivo da unidade mãe-filho. Como fomentador da autonomia e da individuação. Como modelo de masculinidade para os filhos. Como confirmação da feminilidade para as filhas. E como a figura outra-que-não-a-mãe que fornece uma segunda fonte de amor constante.

O pai representa um conjunto opcional de ritmos e respostas ao qual a criança se liga. Como uma segunda base familiar, faz que seja mais seguro sair de casa. Com ele como aliado – um amor –, é mais seguro também mostrar que estamos zangados quando nos zangamos com nossa mãe. Podemos odiar sem sermos abandonados, odiar e continuar amando.

O pai é a pessoa para quem a criança se volta, quando precisa resistir à tentação de reimergir na mãe – e quando precisa lamentar o paraíso perdido. Não se pode abandonar com sucesso a união simbiótica, a não ser que sintamos a tristeza dessa renúncia. O pai – que oferece interesse e apoio – faz com que a perda seja menos intensa e, portanto, possível.

O psicanalista Stanley Greenspan descreve a imagem do pai na praia, enquanto o filho luta para se libertar das águas simbióticas. Ele estende a mão e ajuda o filho a sair da água e continuar o caminho. Está ali como a segunda pessoa no amor da criança, como uma nova e diferente experiência, acrescentando riqueza e amplidão à compreensão do que é o amor.

E quando não temos pai, sentimos sua falta.

Na verdade, existe uma condição que podemos chamar de "fome de um pai", um desejo intenso daquele outro amor. Realizações e beleza, família e amigos, mesmo um filho adorado podem não ser suficientes para satisfazer essa fome. Num tranquilo dia de verão, Liv Ullmann falou da morte do seu pai e da sua contínua busca do amor paterno.

É com raiva na voz que ela lembra a "mãe e a avó, chorando e gritando, competindo para ver quem sofria mais". Para Liv, então com seis anos, jamais foi concedido o status de queixosa. Seu sofrimento não foi reconhecido nem consolado.

Essa dor também não foi integrada na experiência de Liv, porque, lembra ela: "Não acreditei que ele se fora. Eu me sentava ao lado da janela, pensando que ele iria voltar. Escrevia cartas para ele lá no céu. Punha seu retrato sob meu travesseiro, levava meus bichinhos de brinquedo para a cama, e partíamos todos numa viagem fantástica ao encontro dele".

Não é difícil ver a criança sonhadora no rosto sardento dessa mulher de beleza não intimidadora, com seus olhos azuis e cabelo cor de caramelo. Não é difícil imaginá-la criança, acordando em meio a pesadelos e pedindo à lua "que as pessoas que ela amava nunca a deixassem". Não é difícil imaginá-la criada numa casa só de mulheres, aceitando o mito estabelecido pela mãe de um homem que era como um deus, "bom, protetor, maravilhoso, perfeito". Liv escreveu:

> Durante muito tempo tentei me lembrar de papai... que esteve na minha vida durante seis anos e não me deixou nenhuma lembrança real de sua passagem. Apenas uma grande falta. Que me feriu profundamente, a ponto de muitas experiências de minha vida se relacionarem com ela. O vazio criado pela morte de papai deixou em mim uma espécie de cavidade, na qual experiências posteriores deveriam ser colocadas.

Aos 21 anos, Liv se casou com um psiquiatra que "era tudo o que eu pensava que meu pai tinha sido, tudo que minha mãe me contou sobre ele". Alguns anos depois, ela o deixou por outro protetor, o grande diretor sueco Ingmar Bergman. "Minhas conexões com homens", diz Liv, "baseiam-se todas na tentativa de alcançar meu pai, a tentativa de preencher um vazio da infância, com a crença de que esse homem existe e depois com a revolta contra pobres homens inocentes por não serem aquele homem."

Seus relacionamentos com homens se devem ainda à "fome de um pai". Mas Liv tem quarenta e poucos anos agora. O caso com Bergman terminou há alguns anos. A filha dos dois está quase adulta. Ela conheceu outros homens. Minha pergunta: uma vez que Liv evidentemente compreende seu relacionamento com os homens e uma vez que ela é tão completa, tão *Mensch*, não seria possível começar a fazer as coisas de outro modo? A resposta honesta e desinibida de Liv: provavelmente não.

"Posso trazer isso para a superfície e examiná-lo", explica ela, "mas acho que sempre estará comigo. Suas raízes são tão profundas, tão básicas, que isso não pode ser retirado."

Então, o que ela vai fazer? Liv responde: "Viver com isso. E tentar me perdoar".

Descobrimos com as primeiras experiências a apaixonada intensidade que o amor pode oferecer e a dor que pode causar. Repetimos e repetimos essas lições durante toda a nossa vida. E talvez, como Liv Ullmann, possamos dizer: "Lá vou eu outra vez".

Às vezes, as lições não são muito apavorantes.

Brinco com uma garotinha que sofreu a perda traumática da mãe e do pai. No meio do brinquedo ela para, fica de pé, diz "tchau". Ao que parece, seu estilo é: "Estou deixando-a antes que você vá embora e me deixe". E fico pensando se ela vai crescer com o impulso de abandonar o que ama antes que a façam sofrer, uma especialista em relacionamentos interrompidos.

Conheço um garoto que é sempre empurrado pela mãe. "Estou ocupada", diz ela. "Agora, não. Você está me atrapalhando." Eu o vi insistir e choramingar e dar chutes na porta fechada do quarto da mãe. E imagino o que ele fará com as mulheres daqui a vinte anos e o que ele vai querer, precisar, que elas façam para ele.

A repetição é compulsiva na natureza humana. Na verdade, é chamada compulsão repetitiva. Ela nos leva a fazer e repetir o que fizemos antes, tentando restaurar um estado anterior do ser. Ela nos leva a transferir o passado – nossos desejos antigos, nossas defesas contra esses desejos – para o presente.

Assim, aqueles a quem amamos e o modo como amamos são repetições – repetições inconscientes – de experiências anteriores, mesmo quando essa repetição nos causa dor. E embora possamos fazer o papel de Iago, ao invés de Otelo, de Desdêmona, ao invés de Iago, sempre representamos antigas tragédias, a não ser que haja a intervenção da percepção e da intuição.

Aquele garotinho, por exemplo, pode representar seu desamparo fazendo o papel de marido passivo, submisso. Pode representar sua fúria assassina como um marido que espanca a mulher. Pode escolher o papel de mãe e se tornar um marido frio do tipo você-tem-de-implorar. Ou, como pai ausente, pode simplesmente abandonar a mulher e o filho.

Aquele garotinho pode se casar com uma mulher que seja a imagem exata de sua mãe. Pode fazer com que ela se torne sua mãe. Pode pedir a ela o impossível e, quando ela recusar, talvez diga: "Você sempre me rejeita – igual à minha mãe".

Repetindo o passado, ele pode repetir sua fúria, sua humilhação ou seu sofrimento. Ou pode repetir as táticas para derrotar a fúria, a humilhação, a dor. Repetindo o passado, ele atualiza seu script, para incluir as ligeiras variações das experiências subsequentes. Mas quem ele ama e como ele ama serão sempre reflexos daquele garoto choramingas, furioso e que implorava atenção.

Para muitos homens, a negação da dependência da mãe é repetida nos seus relacionamentos futuros, às vezes pela ausência de qualquer interesse sexual por mulheres, às vezes por um comportamento-padrão do tipo amá-las e abandoná-las. Entretanto, para outros homens e mulheres, a dependência motiva o relacionamento amoroso, e, seja quem for que levem para a cama, será sempre (pelo menos para eles) a mãe gratificante, tão desejada.

Um relacionamento lésbico – como o que é descrito por Karen Snow em *Willo* – pode também repetir padrões amorosos da primeira infância:

> Levado pelo tédio, Pete arranja um emprego de soldador numa fábrica de aviões. Mas as longas horas de trabalho manual não a transformam num homem. Ela é ainda a que se sacrifica, continuando a cozinhar, lavar, passar e lavar o chão. Gasta grande parte do ordenado com Willo...
>
> O elo masculino-feminino é frágil, comparado com esse elo mãe-filha. Cada uma está apenas caminhando nos sulcos profundos de sua primeira infância. Willo sempre foi a princesa distante, servida e censurada por uma mulher grosseira e martirizada; na verdade, por duas mulheres martirizadas: a mãe e a irmã. Pete sempre serviu à mãe glamorosa, sempre fora de casa, procurando realizar coisas. Ela foi dona de casa e cozinheira também para o pai, que sempre desejou um filho.

Descrevendo seu gosto por mulheres, o ativista político e médico pediatra Benjamin Spock revela também uma compulsão repetitiva, pois, como ele mesmo acentua: "Sempre me sinto fascinado por mulheres severas, mulheres que posso vencer com meus encantos, apesar da severidade". O modelo para essas mulheres – como o dr. Spock sabe muito bem – foi sua mãe, exigente e extremamente crítica. E se, com seus oitenta e poucos anos, ele é ainda um homem excepcionalmente charmoso, o desejo de conquistar a mãe pode explicar essa qualidade.

"Sempre me intrigaram", diz ele, "os homens capazes de amar mulheres de temperamento um tanto suave." Essas conquistas, sugere ele, são fáceis demais para ter valor. "Sempre precisei de alguém que fosse especial e ao mesmo tempo representasse um desafio." Diz que suas duas mulheres, Jane, a primeira, e Mary Morgan, a segunda, são versões – embora diferentes – desse tipo.

Como o dr. Spock concordou em "dar permissão para que você e Mary falem de mim na minha ausência", quero anotar aqui que Mary Morgan discorda. Ela afirma que não é o tipo de mulher exageradamente crítica que Spock descreve. Mas acrescenta: "Ele está sempre tentando me transformar nesse tipo de pessoa" – o que é também, naturalmente, uma compulsão repetitiva.

Repetimos o passado reproduzindo condições anteriores, por mais desafiador que isso possa ser, como a mulher descrita por Freud que conseguiu não um, nem dois, mas três maridos, e todos contraíram uma doença fatal logo depois do casamento e foram tratados por ela no leito de morte.

Repetimos o passado sobrepondo imagens dos nossos pais às imagens do presente, em geral uma prática míope, pois não percebemos que ser delicado não significa ser fraco (meu pai, coitado, era delicado, mas era fraco), que o silêncio pode ser amigável e não uma punição (os silêncios da minha mãe eram sempre punitivos) e que pessoas bondosas e tranquilas podem estar oferecendo algo novo – se conseguirmos vê-lo.

Repetimos o passado até mesmo quando, conscientemente, tentamos não o repetir, por mais inútil que seja a tentativa, como o caso da mulher que, desdenhando do casamento convencional e patriarcal dos pais, resolveu que o dela teria uma forma completamente nova. Sua mãe era dominada pelo marido autoritário? Muito bem, então seu marido seria do tipo que se deixa dominar. Além disso, ela seria tão inconvencional, moderna e livre, que levaria abertamente os amantes para sua casa. Mas ela permitia que os amantes a maltratassem e humilhassem – creio que sua noção de moderno era a de um vale-tudo. Assim, na sua vida de mulher livre e autônoma, conseguiu repetir a submissão desprezível da mãe.

A compulsão repetitiva, escreve Freud, explica por que determinada pessoa é sempre traída pelos amigos, por que outra é sempre abandonada por seus protegidos e por que cada caso amoroso tem de passar por estágios semelhantes e terminar do mesmo modo. Pois, embora sejam pessoas que parecem "perseguidas por um destino maligno ou possuídas por uma força demoníaca", escreve Freud, "esse destino é em grande parte determinado por elas mesmas e por influências da primeira infância".

Parece razoável o desejo de transferir o passado agradável para o presente, procurar a repetição dos prazeres daqueles dias, apaixonar-se por aqueles que se parecem com os primeiros objetos da nossa afeição, repetir alguma experiência porque gostamos dela na primeira vez. Se a mãe era realmente maravilhosa, por que o filho não pode se casar com uma moça igual à que se casou com seu velho pai? Sem dúvida, todo amor normal – não precisa ser estranho, não precisa ser ostensivamente incestuoso – tende a compartilhar um amor de transferência.

Repetir o que é bom tem sentido, mas é difícil para nós entender a compulsão para repetir o que nos faz sofrer. E, embora Freud tenha tentado explicar essa compulsão como parte de um conceito duvidoso chamado "instinto de morte", pode ser também interpretada como nossos vãos esforços para desfazer – reescrever – o passado. Em outras palavras, fazemos e repetimos e repetimos, na esperança de que dessa vez o fim seja diferente. Continuamos a repetir o passado – quando éramos desamparados e conduzidos –, tentando dominar e alterar o que já aconteceu.

Repetindo a experiência dolorosa, estamos nos recusando a enterrar nossos fantasmas da infância. Continuamos a clamar por alguma coisa que não pode acontecer. Por mais que sejamos aplaudidos agora, ela jamais nos aplaudirá *naquela época*. Temos de abandonar essa esperança.

Temos de desistir.

Pois não podemos embarcar numa máquina do tempo, voltar a ser aquela criança há muito desaparecida e conseguir o que queremos quando tão desesperadamente desejávamos. Os dias para essa conquista já se foram, terminaram, desapareceram. Temos necessidades que podem ser atendidas de outros modos, modos melhores, modos que criam novas experiências. Mas, enquanto não pudermos chorar aquele passado, chorar e deixar que desapareça, estamos condenados a repeti-lo.

Tecendo o passado com o presente, podemos experimentar vários tipos e vários estágios do amor. Podemos amar, de um modo ou de outro, durante toda a nossa vida. "Relacione-se!", diz um personagem de *Howard's End*, de

E. M. Forster. E carentes, românticos, extasiados, temerosos, descuidados, esperançosos –, como tentamos fazê-lo!

Tentamos por meio do amor sexual – a cadência física da liberação orgástica; por meio de Eros – o ímpeto para a união e a criação; por meio do amor materno e do amor fraterno, do amor pelos semelhantes e da amizade; por meio de *caritas* – um amor altruísta. Tentamos com o relacionamento humano, que inclui um ou todos os citados acima. Formados como um todo ou em partes, e para o bem ou para o mal, pelos instrutores da nossa infância, tentamos amar.

Tentamos e continuamos a tentar, porque uma vida sem conexões não vale a pena ser vivida. A vida solitária não é suportável. Erich Fromm escreve, numa eloquente passagem:

> O homem tem o dom do raciocínio; ele é *a vida consciente de si mesma*... Essa percepção do próprio eu como entidade separada, a consciência da pouca duração da vida, do fato de que ele não nasce por vontade própria e não morre por vontade própria, de que morrerá antes daqueles que ama, ou eles antes dele, a consciência da sua solidão e separação, do seu desamparo perante as forças da natureza e da sociedade, tudo isso faz da sua existência separada e desunida uma prisão intolerável. Ficará insano se não puder se livrar dessa prisão e alcançar o mundo exterior, para se unir...

Assim, nossa nobre realização – a conquista da separação, do nosso eu – será também nossa perda dolorosa. Uma perda necessária – não pode haver amor humano sem ela. Mas, por meio do amor, essa perda pode ser superada.

PARTE II

O PROIBIDO E O IMPOSSÍVEL

A realidade psíquica sempre será estruturada com base nos polos da ausência e da diferença, e os seres humanos sempre precisarão se adaptar ao que é proibido e ao que é impossível.

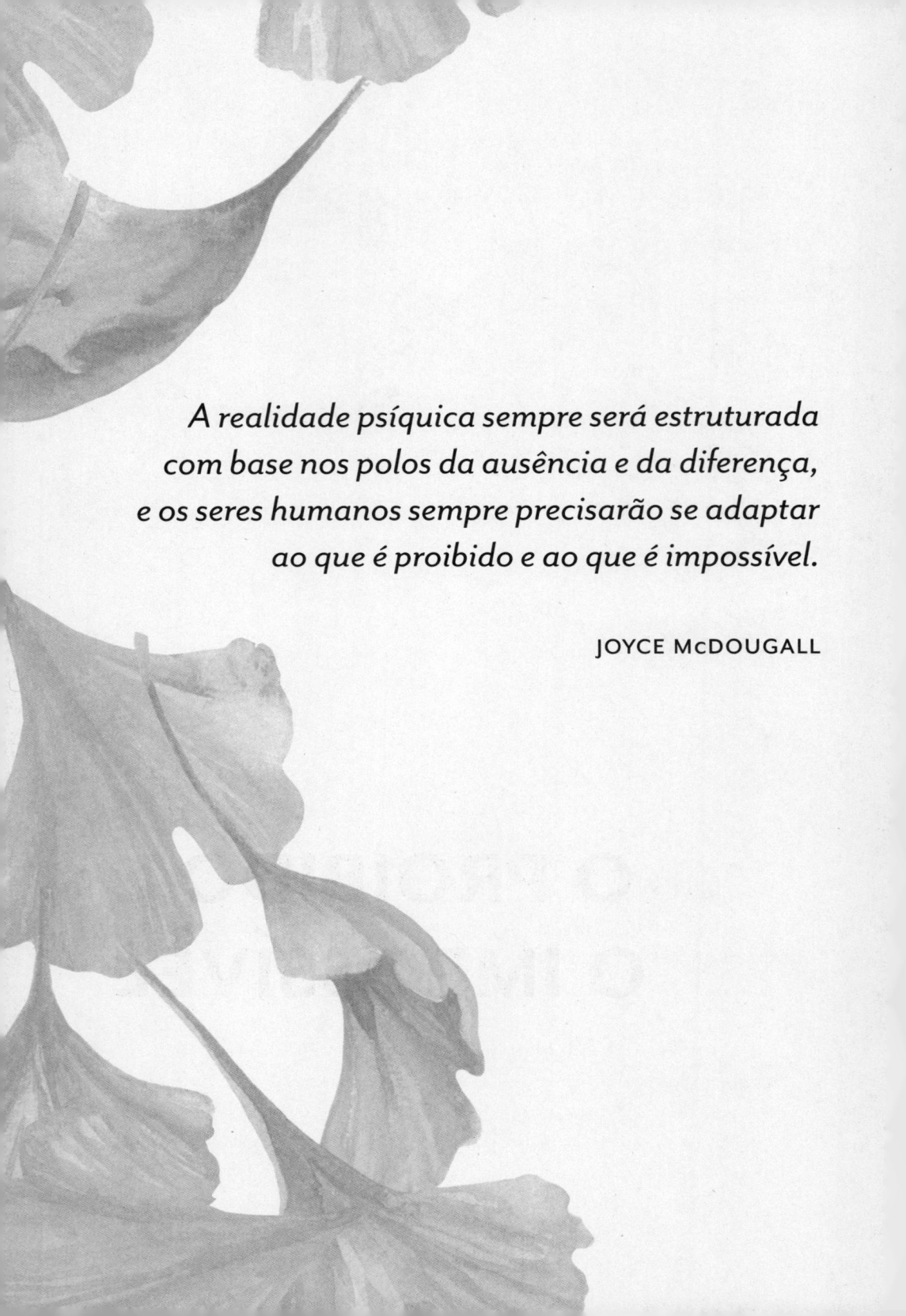

JOYCE McDOUGALL

CAPÍTULO 6

Quando você vai levar o novo bebê de volta para o hospital?

Pois o erro gerado nos ossos
De cada mulher e cada homem
Deseja o que não pode ter.
Não o amor universal,
Mas ser amado sozinho.

W. H. AUDEN

O amor pode ser a ponte entre um eu separado e outro eu separado, mas o amor que imaginamos inicialmente é algo só nosso, um amor indivisível e que tudo abrange. Entretanto, logo começamos a perceber que o amor que recebemos não é exclusivamente nosso, existem outros com direito ao amor do nosso amor verdadeiro, que desejamos e não podemos ter. Ou seja, nós almejamos o impossível.

Uma garotinha acorda na manhã de Natal e encontra o presente que queria – uma gloriosa casa de bonecas, com pequenos cômodos atapetados, papel de parede, lustres e móveis. Olha para a casa encantada, e nisso a mãe, com um leve toque no braço dela, faz-lhe uma pergunta simples e terrível: será que ela é capaz de ser generosa, agir como adulta e compartilhar o presente com a irmã mais nova, Bridget?

> Fiquei pensativa. Aquela pergunta, a simples pergunta de minha mãe... foi a coisa mais complexa que já me tinham perguntado. Pensei durante um minuto inteiro, com o coração parado, os olhos piscando, o rosto rubro de fúria. Era uma pergunta capciosa, bilateral, que saltava para a frente e para trás, agora-você-vê-agora-não-vê, o truque de um mágico supremo capaz de transformar – com um perfeito gesto de prestidigitação – alguns segundos de tranquilidade numa eternidade de caos. A verdade: não,

em nenhuma circunstância, de modo algum eu queria compartilhar a casa de bonecas com Bridget... Ou a verdade: sim, é claro que eu queria compartilhar com Bridget, não só porque isso agradaria minha mãe e demonstraria quanto eu era generosa e crescida, mas também porque eu sabia que amava Bridget profundamente e me identificava com seu desejo quando ela tocava timidamente a miniatura do relógio de carrilhão no *hall*. ("Tire essa mão horrível daí", eu tinha vontade de gritar, "até eu permitir que toque no relógio.") Bridget ignorava beatificamente minha dor, meu conflito. Antes daquela pergunta, jamais tive consciência de odiá-la ou amá-la tão completamente. Nunca mais fui capaz de sentir o mesmo que sentia por minha irmã, nunca mais consegui ignorar o que sentia por ela. E nunca consegui brincar com a casa de bonecas. Finalmente, ela foi dada a alguém.

Poucos podem lembrar com tanta clareza, como a escritora Brooke Hayward, os sentimentos de ódio angustiante da primeira infância. Além disso, nossa dignidade de adultos não permite a lembrança da força possessiva e da cobiça que alimentava aquele ódio. Mas, no começo, todos nós desejamos a possessão exclusiva dos nossos tesouros, incluindo nosso primeiro tesouro — o amor da nossa mãe. E não queremos que ninguém mais receba ou tire o que só a nós pertence.

Pois o que sobrará para nós se compartilharmos o que temos com um rival? Algo menos do que tudo é suficiente? O desejo de ser o único amado provavelmente nasce conosco. Furiosa e dolorosamente, com maior ou menor sucesso, aprendemos a renunciar a esse desejo — e deixar que desapareça.

"Uma criança pequena não ama necessariamente os irmãos", diz Sigmund Freud; "de um modo geral, obviamente não os ama... Ela os detesta como competidores, e é sabido que essa atitude pode perdurar muito tempo, até a maturidade, ou mesmo mais tarde, sem interrupção."

Negamos o sentimento de ódio em nós ou em nossos filhos devido ao desconforto que ele nos causa. É mais fácil chamá-lo de um mito freudiano. Contudo, as reações de um primogênito ao encarar o novo bebê "Quer dizer que ele vai ficar?", ou: "Quando você vai levar o novo bebê de volta para o hospital?" — ou ainda: "Enfia ele no cesto de roupa suja e fecha a tampa", e mais: "Para que precisamos dele?" — demonstram, de maneira refinada, a "intensa aversão" que meu dicionário define como ódio.

Primeiro item: há alguns anos meu amigo Harvey tomava conta do filho de três anos, enquanto a mulher e o novo bebê ainda se encontravam no hospital. Tudo parecia calmo. Mas, em certo momento, Harvey perguntou a Josh, que estava ao seu lado com papel e lápis de cera: "Que tal fazer um bonito desenho para mim?" E Josh respondeu, olhando friamente para o pai: "Não enquanto você não se livrar daquele outro garoto".

Segundo: as crianças de mães que as levavam ao colégio em sistema de rodízio estavam falando sobre "a pior coisa que já aconteceu na minha vida". Assim como quebrar o tornozelo. Ou cair da árvore. Ou uma intoxicação por planta venenosa. Quando chegou a vez de Richard, ele disse: "A coisa pior e mais horrível que já me aconteceu foi o nascimento da minha irmã".

Terceiro: "Muito bem, aqui está o novo bebê que você queria. O que tem a dizer?", perguntei ao meu filho Tony quando nasceu o irmão Nicky. "Tenho a dizer", respondeu Tony sem um momento de hesitação, "que mudei de ideia."

A rivalidade entre irmãos é normal e universal? Dez psicólogos em dez respondem que sim. E, embora possa ser mais intensa nos primogênitos, ou entre duas crianças (ou mais) do mesmo sexo, ou quando as idades são muito próximas, ou ainda quando as famílias são menores, não há dúvida de que todos nós somos tocados por esse sentimento de rivalidade do qual ninguém fica completamente isento. Pois nós todos experimentamos, nos primeiros meses de vida, a ilusão de possuir completamente nossa mãe. A simbiose ocorre estritamente entre mamãe e eu. Constatar que outros têm direitos iguais e até mesmo maiores sobre ela significa nossa iniciação ao ciúme.

Naturalmente, isso não significa a inexistência – pelo menos no futuro – de fortes elos de lealdade e afeição. Irmãos podem ser aliados e amigos íntimos. Mas é o *Gênese*, não Freud, que nos ensina: o primeiro crime de morte ocorrido na Terra foi entre irmãos. É o *Gênese*, não Freud, que atribui a esse primeiro crime motivos muito semelhantes à rivalidade entre irmãos.

> E o Senhor respeitava Abel e suas oferendas, mas não apreciava Caim e suas oferendas. Revoltou-se pois Caim, e seu rosto encheu-se de sombras... Aconteceu então que, estando os dois no campo, Caim ergueu-se contra Abel e o matou.

Matamos nossos irmãos e irmãs por terem mais, ou mesmo um pouco, do amor dos nossos pais. Mas essas mortes se realizam, em sua maior parte, dentro de nossa mente. E finalmente, aprendemos que a perda do amor indivisível é uma perda necessária, que amar vai muito além do relacionamento mãe-filho, que a maior parte do amor que recebemos neste mundo terá de ser compartilhada – e que isso começa em casa, com nossos irmãos e rivais.

Isso não nos agrada.

Realmente, Anna Freud inclui entre as características normais da primeira infância "ciúme e competitividade extremos" e "impulsos de matar os rivais". Porém, embora a ideia de matar possa nos parecer um método muito eficiente para reconquistar o amor exclusivo da nossa mãe, logo aprendemos que atos hostis não conquistam esse amor, mas, ao contrário, o afastam.

O perigo de perder o amor da mãe ou do pai – o amor dos que amamos – nos apavora e é uma promessa de imensa ansiedade. Assim, quando a criança tem um impulso ("Destrua esse bebê!") que pode provocar essa perda, procura afastá-lo. Por meio de um ou mais dos nossos mecanismos de defesa – quase todos inconscientes –, podemos manter afastada a ansiedade, opondo-nos, resistindo, transformando, livrando-nos – nos defendendo – desse impulso perigoso, e agora indesejável.

Essas defesas não se restringem aos problemas da rivalidade entre irmãos. Elas nos servem durante toda a vida, funcionando sempre que uma perda temida ou real começa a gerar ansiedade. Elas nos servem nas situações que de modo inconsciente consideramos perigosas emocionalmente. E, embora façamos uso de uma ou outra em determinados momentos, aquelas às quais recorremos com mais frequência tornam-se parte central do nosso estilo e caráter.

Aqui estão os nomes e os significados dos mecanismos diários de defesa mais comuns.

E aqui está como podemos fazer uso deles para enfrentar aquele impulso de "destrua esse bebê", quando ele ameaça fazer com que percamos o amor da nossa mãe.

Repressão significa empurrar o impulso indesejado (e qualquer lembrança, emoção ou desejo associados a ele) para longe do consciente. Assim, "não sinto conscientemente vontade de machucar esse bebê".

Formação reativa significa manter o impulso indesejado longe do consciente, superenfatizando o impulso *oposto*. Assim: "Não quero machucar esse bebê. Eu *amo* esse *bebê*".

Isolamento significa separar uma ideia do seu conteúdo emocional, de modo que, enquanto perdura o impulso indesejado, todos os sentimentos ligados a ele são empurrados para longe do consciente. Assim: "Tenho uma fantasia constante de ferver meu irmão em óleo, mas não tenho o menor sentimento de ódio contra ele".

Negação significa a eliminação de fatos indesejáveis e do impulso indesejável associado a esses fatos, reexaminando-os em nossas fantasias, palavras ou comportamentos. Assim: "Não preciso machucar o bebê, porque continuo a me considerar filho único". Um maravilhoso exemplo de negação é a história da garotinha informada de que iria ganhar um irmão ou uma irmã. Ouviu aquilo num silêncio pensativo, depois ergueu os olhos da barriga da mãe para os olhos dela e disse: "Sim, mas quem vai ser a mamãe do *novo bebê*?".

Regressão significa escapar do impulso indesejado voltando a um estágio anterior do desenvolvimento. Assim: "Em vez de machucar o bebê, que está tomando meu lugar ao lado de mamãe, *eu* serei o bebê".

Projeção significa repudiar o impulso indesejado atribuindo-o a outra pessoa. Assim: "Não quero machucar esse bebê; ele quer *me* machucar".

Identificação significa substituir o impulso indesejado por sentimentos mais bondosos e positivos, tornando-se outra pessoa — a mãe, por exemplo. Assim: "Em vez de machucar o bebê, vou servir de mãe para ele".

Voltar-se contra si mesmo significa dirigir o impulso hostil contra si mesmo, ao invés de ferir a pessoa que se quer ferir. Assim: "Em lugar de bater no bebê, vou bater em mim". Às vezes, a pessoa com essa reação identifica-se com a pessoa que odeia. Assim: "Batendo em mim mesmo estou, na verdade, batendo no bebê".

Anulação significa expressar os impulsos hostis por meio da fantasia ou de fato e então reparar o dano causado com um ato de boa vontade. Assim: "Primeiro bato no bebê (ou imagino que bato no bebê) e depois anulo o mal que fiz beijando-o".

Sublimação significa substituir o impulso indesejável por atividades socialmente aceitáveis. Assim: "Em vez de bater no bebê, vou fazer um desenho".

Ou talvez, como no meu caso (em resposta à minha irmã mais nova), a pessoa cresça para escrever um capítulo sobre a rivalidade entre irmãos.

Além dessa lista dos assim chamados "mecanismos de defesa", quase qualquer coisa pode servir para o mesmo fim. E outra tática importante usada por muitos irmãos rivais, inclusive minha irmã mais nova, Lois, e eu, consiste em fazer a distinção entre nós e o irmão ou a irmã, concedendo ao rival um conjunto de características e atribuindo a nós outro conjunto... oposto. Essa tática defensiva é chamada "desidentificação" e, em termos práticos, significa dividir os campos de luta.

A desidentificação – compreendi, afinal – foi de crucial importância no meu relacionamento com minha irmã. Pois, dividindo os campos, tornamo-nos completamente diferentes. Deixamos de ser rivais. Não mais tomávamos parte nas mesmas corridas. Definindo-nos em termos opostos (ar livre/dentro de casa, cientista/escritora, extrovertida/introvertida, lugares diferentes), minha irmã e eu conseguimos enfrentar nossa competitividade e nosso ciúme, evitando competições e comparações dolorosas.

A desidentificação começa mais ou menos aos seis anos, geralmente entre o primeiro e o segundo filho do mesmo sexo. Permite a duas irmãs ou dois irmãos – como permitiu a Lois e a mim – sentir que cada um tem o que é seu. Ambos podem se sentir superiores. Antigamente, eu acreditava que os não conformistas eram mais interessantes do que as pessoas convencionais, ao passo que minha irmã, com a mesma presunção, acreditava que pessoas iguais a ela eram confiáveis – é claro, em contraste com os levianos não conformistas. E houve um tempo em que eu acreditava que era nobre ser introvertida. E Lois acreditava que era mais saudável ser extrovertida. Todos saíram ganhando.

Uma parte daquilo que os irmãos dividem podem ser a mãe e o pai. Assim, pareço-me mais com minha mãe, e Lois, com meu pai. Separando os pais e possuindo direitos reais de identificação com um deles, cada uma de nós encontrou o próprio nicho não competitivo.

Mas essa polarização de papéis – para minha irmã e eu, para qualquer par de irmãos – tem graves limitações. Suponhamos que nós duas tivéssemos tendência para a ciência, ou para a literatura. Teríamos fechado uma parte de nossa natureza, que nos enriqueceria mais se fosse explorada. Podíamos ter sido cada uma apenas a metade de um ser humano completo. Além disso, há famílias nas quais os pais – não os irmãos – são os que insistem em dividir os campos de ação, marcando os filhos com etiquetas que vão desde atividades contrárias à natureza de cada um até a imposição da vocação, decidindo: "Você é bonita. Ela é inteligente. Você é alegre. Ela é melancólica. Você tem bom-senso. Ela tem talento". Mesmo quando a intenção é reduzir a rivalidade entre irmãos, dando a cada filho uma identidade separada, mas igual, pode decorrer um longo e custoso processo até que dois irmãos ou duas irmãs se libertem das etiquetas e comecem a procurar saber o que realmente são.

May, de 25 anos, afirma: "Minha mãe costumava dizer que Margot era a 'gêmea inteligente' e May, a 'gêmea bonita'. O resultado dessa caricatura constante foi que ainda estou tentando provar o quanto sou inteligente, e Margot tentando provar o quanto é bonita".

Entretanto, a definição de um eu específico e distinto, um eu claramente diferente daquele nosso irmão ou irmã, pode nos livrar de chegar em segundo lugar, ou de matar para vencer. Aos seis anos, ou em qualquer idade, a defesa de desidentificação oferece um alívio enorme à rivalidade entre irmãos.

Sarah, de trinta e poucos anos, diz que ainda costuma dividir os papéis sempre que se sente ameaçada por outra mulher, afirmando para si mesma que o que ela tem aquela mulher não tem, e o que ela é aquela mulher não pode ser, e depois disso pode ver e aceitar as qualidades positivas da mulher – exatamente como aceitou as da irmã, há três décadas.

"Se ela é bem-sucedida e linda, mas não tem filhos, digo para mim mesma", conta Sarah, "que eu tenho filhos."

"E se ela é bem-sucedida, linda e também tem um filho, digo para mim mesma", conta Sarah, "que tenho quatro."

"E se ela é bem-sucedida, linda e também tem quatro filhos, digo para mim mesma", conta Sarah – que as feministas a perdoem –, "que os meus são todos homens."

O modo como resolvemos, ou não resolvemos, nosso sentimento de rivalidade fraterna geralmente nos acompanha até a vida adulta. E, muito depois do fim da infância, em outras cidades, em outros relacionamentos, podemos repetir nossa reação.

Ele pode ser às vezes, como a de Sarah, basicamente construtivo. Mas muitas vezes não o é.

O psicólogo Alfred Adler observa que, quando a criança acha que pode lutar e vencer o irmão rival, "torna-se uma criança briguenta; se lutar não der resultado, pode perder a esperança, ficar deprimida e conseguir seus objetivos preocupando e assustando os pais...". Assim, problemas de dinheiro, saúde, escola, relacionamentos sociais ou com a lei podem começar na infância e continuar até muito mais tarde e podem ter como objetivo atrair a atenção dos pais, acostumados a aplaudir irmãos mais bem-sucedidos.

Existem outras táticas prejudiciais para se defender da rivalidade entre irmãos, táticas que podem moldar a vida adulta.

Calvin, por exemplo, vinte meses mais moço do que o irmão Ted, desde o começo foi sempre o filho mais brilhante e competente. Mas quando começou a se expressar, a mostrar suas capacidades, a mãe, aparentemente, teve medo de que Ted se sentisse diminuído. Sua mensagem para Calvin era: "Não vença seu irmão. Contenha-se. Vá mais devagar. Desista. Se quer minha aprovação, jamais concorra com Ted". Essa mensagem, embora em grande parte não posta em palavras, foi por demais persuasiva. Calvin obedeceu.

E agora, com quarenta anos, não consegue dar tudo o que tem: "No tênis, procuro melhorar meu jogo – não vencer. E no golfe", diz ele, "posso ficar na frente até o décimo oitavo buraco, mas quando chego ao décimo oitavo, sempre perco a partida". No trabalho, como no esporte, o maior problema de Calvin, diz ele, é evitar a competição. Sonha com o sucesso, tem planos grandiosos, começa-os, mas...

"Chego à beira da montanha e não consigo continuar", diz ele. "Não posso correr o risco de vencer." Pois ser bem-sucedido no mundo competitivo significa, como ele lentamente chegou a compreender, "matar meu irmão e perder o amor de minha mãe".

Os psicólogos Helgola Ross e Joel Milgram, que publicaram um trabalho muito interessante sobre a rivalidade entre irmãos adultos, concluíram que essa rivalidade raramente é discutida entre os irmãos, ou com pais e amigos. Permanece como um segredo, um segredo vergonhoso, um segredinho sujo. E esse sigilo, dizem Ross e Milgram, pode ajudar a perpetuação da rivalidade.

Assim, muitos irmãos e irmãs são rivais ferozes durante toda a vida. Jamais se libertam do ciúme e da competitividade. E, a despeito de tudo o que possa estar acontecendo a eles em outro lugar qualquer, continuam intensamente confundidos um com o outro. Anne, de 89 anos, sente ainda ressentimento contra a popularidade da irmã, enquanto esta, de oitenta e seis, ressente-se ainda do intelecto evidentemente superior de Anne. (Como vemos, a desidentificação nem sempre funciona.)

E Richard e Diane atualmente competem para cuidar da mãe idosa (cada um quer ser a pessoa encarregada), uma competição que parece representar uma batalha final na guerra para decidir quem vai ser coroado como o filho mais zeloso.

E duas irmãs de meia-idade disputam ainda jogos de superioridade, mas agora competem por intermédio dos filhos e dos netos.

E dois irmãos brilhantes – o escritor Henry e o filósofo William James – lutaram durante toda a vida pelo poder, uma luta que começou com o nascimento de Henry e tornou-se para eles "um modo prevalente de vida".

William costumava criticar o estilo literário de Henry, muito admirado, extremamente colorido – "Diga de *uma vez*, pelo amor de Deus, e acabe logo com isso" –, e Henry certa vez queixou-se ao irmão: "Sempre tenho pena quando ouço dizer que você leu alguns dos meus livros e sempre espero que não os leia – você me parece basicamente tão incapaz de 'apreciar' o que escrevo...". E, num gesto supremo de quem acusa as uvas de serem verdes, William declinou de uma indicação para a Academia de Artes e Letras, porque, explicou, "meu irmão mais moço, mais superficial e mais vaidoso, já está na Academia" – em outras palavras, porque Henry chegou primeiro.

Consideremos também as irmãs/atrizes Olivia de Havilland e Joan Fontaine, as quais, desde o nascimento, escreve Joan Fontaine, "foram encorajadas pelos pais e governantas à rivalidade...", uma rivalidade inevitavelmente acentuada pela escolha da mesma carreira. Na noite em que Joan Fontaine recebeu o prêmio da Academia de melhor atriz, estava sentada bem de frente para Olivia, pensando, enquanto olhava para a irmã:

> Finalmente eu tinha feito o máximo! Toda a rivalidade que havia entre nós quando crianças, os puxões de cabelo, as lutas selvagens, a vez em que Olivia quebrou minha clavícula, tudo voltava rapidamente em imagens caleidoscópicas. Fiquei completamente paralisada. Tinha a sensação de que Olivia iria saltar sobre a mesa e me agarrar pelos cabelos. Era como se eu tivesse quatro anos e estivesse enfrentando minha irmã mais velha. Diabo, mais uma vez eu estava provocando sua fúria!

Billy Carter, ao contrário, parecia não ter medo de provocar a fúria do irmão mais velho. E Jimmy Carter suavemente anunciava que "eu amo Billy, e Billy me ama", permitindo que o irmão, durante todo o tempo em que Jimmy ocupou a presidência, fizesse de si mesmo um espetáculo público. Bebendo, dizendo o que não devia, envolvendo-se em complicações financeiras, Billy competia com Jimmy pela atenção do povo. E, embora não tivesse meios para derrotar o irmão rival, virtuoso e bem-sucedido, podia – com sua conduta "de desprezo e não arrependimento" – embaraçá-lo e prejudicá-lo.

O psicólogo Robert White, falando sobre conflitos não resolvidos entre irmãos durante a infância, diz que irmãos rivais adultos competem ainda "pela atenção de pais que podem ser idosos, senis e até mesmo estar mortos". E, às vezes, esses "legados de competição no círculo familiar", diz ele, "estendem-se aos relacionamentos profissionais e sociais, e o indivíduo reage aos companheiros de trabalho, amigos, cônjuges e até aos filhos, como se fossem irmãos ou irmãs".

Um técnico de laboratório, por exemplo, queixa-se do companheiro de trabalho três anos mais velho, que "está sempre me espionando. Implica comigo e acha errado tudo o que faço. Fico tão nervoso que cometo mais erros. Exatamente o que acontecia com meu irmão mais velho".

A editora de uma revista fica tão perturbada quando Isabel, uma colega mais nova, é promovida antes dela, que precisa procurar ajuda psicológica. Por que a preferência do patrão por aquela jovem atraente e ambiciosa a deixou tão arrasada? Por que está sendo atormentada por sentimentos de ciúme, raiva e rejeição?

"Descobri mais tarde", diz ela, "que minha rival, mais moça do que eu, fazia-me lembrar vagamente minha irmã mais nova, Cynthia. O cabelo de Isabel era crespo como o de Cynthia, e ela era também muito insinuante – e eu sempre invejei isso. Compreendi também que Cynthia sempre fora a preferida de papai, e, por estranho que pareça, meu chefe lembrava meu pai com seus maneirismos. Percebi então que um drama da minha infância estava sendo novamente encenado. Ali estava o chefe, preterindo-me a favor de Isabel, exatamente como meu pai me ignorava a favor de Cynthia."

A rivalidade fraterna conjugal é algo que Pam finalmente chegou a compreender, depois de ter reencenado esse drama durante anos com o marido, John, cegamente envolvida por ele, até perceber que aquela divisão territorial entre eles – "Isto é meu, aquilo é seu, e fique longe do meu território" – era uma repetição exata do seu relacionamento hostil com a irmã mais nova. Por que sua atitude inflexível – na verdade, extremamente inflexível –, ao não permitir que John pusesse as camisas na sua mala? Por que ficava tão furiosa quando ele demonstrava o desejo de tomar parte num almoço que ela combinara com amigos – amigos especiais? E por que tinha tanta dificuldade em deixar que ele compartilhasse esses amigos? Ou uma escova? Ou um pedaço de bolo? Ou uma área do conhecimento? E por que ele não podia pendurar o paletó no lado *dela* no guarda-roupa, sem que Pam se irritasse?

Finalmente, ela descobriu que estava transferindo para o marido a raiva que tinha da irmã quando esta invadia seu espaço. E, embora tenha ainda hoje uma tendência para dizer: "Isto é meu, aquilo é seu", suas reações às invasões do marido são mais brandas do que as antigas: "Trate de ficar longe do que é meu".

Ao que parece, alguns dos padrões que repetimos mais tarde são determinados não só por nossos pais, mas também por nossos irmãos.

Freud diz:

> A natureza e a qualidade do relacionamento do ser humano com pessoas do seu sexo, ou do sexo oposto, são determinadas nos primeiros seis anos de vida. Mais tarde, podem se desenvolver e se modificar em determinadas direções, mas nunca desaparecem. Os objetos desse tipo de fixação são os pais e os irmãos. Todas as pessoas tornam-se substitutas dos primeiros objetos desses sentimentos... sendo assim obrigadas a arcar com esse legado emocional...

Esse legado emocional é às vezes imposto à geração seguinte, quando julgamos um dos nossos filhos "igualzinho a mim", enquanto outro filho é visto como o irmão que foi objeto do mais profundo ressentimento da nossa infância. Há o exemplo da mãe que foi, na infância, a irmã mais nova sempre preterida. Cresceu cheia de raiva e inveja. Inconscientemente, moldou o primeiro filho à imagem da irmã mais velha. Na entrevista com um psiquiatra, quando interrogada sobre o desejo de dar ao filho mais novo o melhor quarto da casa, ela respondeu emocionalmente que "ela era a mais nova e sempre sentiu que a irmã mais velha tinha o melhor de tudo e que ainda a odiava extremamente".

Como irmã mais velha, concordo em que os primogênitos sempre têm o melhor, mas estou certa de que recebem o pior também. Por um lado, experimentamos – durante meses, talvez anos além da união simbiótica – um relacionamento especial e exclusivo com nossa mãe. Por outro lado, nossa perda – a desse relacionamento especial e exclusivo – é maior para nós do que para os irmãos que vêm depois. O nascimento de um novo bebê pode provocar uma sensação de traição e de perplexidade:

> Mamãe diz que sou seu doce de coco.
> Mamãe diz que sou seu coelhinho.
> Mamãe diz que sou superespecial, maravilhoso, um garoto fantástico.
> Mamãe acaba de ter outro bebê.
> Por quê?

Não há dúvida de que os pais costumam dar mais atenção e mais valor ao primeiro filho do que aos outros. É também consenso que os pais são menos possessivos, ansiosos e exigentes para com os outros filhos. Assim, os mais novos podem invejar os direitos de primogênito do mais velho. E os mais velhos talvez sintam que os irmãos são tratados com mais indulgência. Em outras palavras, independentemente da posição na família, por ordem de nascimento, a criança pode provar sem nenhuma dúvida que está sendo preterida.

E às vezes isso é verdade.

Pois, embora os pais devam amar de modo mais ou menos igual todos os filhos, às vezes – porque um é mais inteligente, mais bonito, mais cordato, tem mais sucesso, é mais atlético, mais afetuoso, por ser homem – um deles recebe tratamento especial.

No livro fascinante de Max Frisch, *Stiller*, por exemplo, há o curioso intercâmbio entre dois homens, Wilfried e Anatol, que vão ao cemitério para visitar o túmulo da mãe e depois vão juntos a uma taverna para comparar suas impressões:

"Aparentemente, a mãe dele era muito rigorosa", escreve Anatol, "a minha, nem um pouco... Lembro-me de escutar pelo buraco da fechadura quando minha mãe contava a um grupo de amigos minhas palavras engraçadas e inteligentes... Nada disso jamais aconteceu com Wilfried; a mãe dele temia que o filho jamais conseguisse coisa alguma..."

Além disso, nota Anatol, a mãe de Wilfried era "uma mulher de espírito prático, que incutiu no filho, desde muito cedo, a ideia de que nunca poderia se casar com a mulher certa se não ganhasse muito dinheiro". A mãe de Anatol, ao contrário, era alegre e indulgente e "dava mais importância às minhas qualidades interiores, certa de que eu poderia me casar com quem quisesse...".

Está claro que Anatol e Wilfried tinham mães completamente diferentes. Porém... era a mesma mãe.

Os homens eram irmãos.

Às vezes, o filho favorito abusa arrogantemente da sua posição especial. E às vezes sente-se culpado. Outras vezes, é aprisionado no papel de Melhor Filho. Mas, seja qual for sua resposta, os irmãos e irmãs na certa o invejarão e ficarão ofendidos, e essa hostilidade pode ultrapassar a fase da infância. O bêbado Jamie, da peça de Eugene O'Neill, *A Longa Jornada Noite Adentro*, amargamente furioso com o irmão mais novo, admite que este foi uma "péssima influência para ele". Por quê? Porque, diz ele: "Jamais eu quis que você tivesse sucesso na vida, para não me fazer parecer pior ainda, em comparação. Queria que você falhasse. Sempre senti ciúme de você. Filhinho da mamãe, preferido do papai!".

Contudo, mesmo quando os pais não demonstram favoritismo, a presença de irmãos ou irmãs significa um logro, uma perda – perda porque transforma os braços, os olhos, o colo, o sorriso e o seio inigualável da mãe, de um domínio particular, numa propriedade compartilhada.

Como é possível que a criança não queira se livrar do irmão ou da irmã?
Como é possível não sentir um pouco de rivalidade fraterna?

Quando Josh, de três anos, viu a mãe abraçando o novo irmãozinho, disse, com a maior simplicidade: "Você não pode amar nós dois. Quero que ame só a mim".

Ao que a mãe respondeu com sinceridade: "Eu o amo muito. Mas... não amo só você".

E esse é um doloroso fato da vida que não pode ser negado. Temos de dividir o amor da nossa mãe com irmãos e irmãs. Nossos pais podem nos ajudar a enfrentar a perda do sonho do amor absoluto. Mas não podem nos fazer acreditar que não o perdemos.

Contudo, é possível aprender – se tudo correr bem – que existe amor suficiente para todos.

Pode-se aprender também que irmãos e irmãs oferecem a possibilidade de outro tipo de ligação familiar amorosa.

Pois, embora a rivalidade entre irmãos costume provocar desconforto e sofrimento, pode nos acompanhar na nossa vida adulta, pode vir a ser uma herança emocional legada a todos os outros tipos de relacionamento, pode também subordinar-se a elos contínuos de amor fraterno. Na verdade, nos últimos anos cresceu o número de estudos sobre o relacionamento de irmãos durante a vida, estudos que focalizam não apenas a rivalidade, mas que identificam nos irmãos seres consoladores, protetores, modelos, incentivos para realizações, aliados leais e grandes amigos.

Na verdade, às vezes, quando não têm mais os pais amorosos a apoiá-los, os irmãos podem se tornar o que os psicólogos Michael Kahn e Stephen Bank chamam de João e Maria, tão intensamente fiéis e mutuamente protetores quanto os irmãos do conto de fadas. Joãozinho e Maria geralmente compartilham uma linguagem especial, ficam aborrecidos quando precisam se separar e consideram a harmonia desse relacionamento mais importante do que qualquer vantagem individual. Crescem com o compromisso de permanecer juntos a todo custo, mesmo que tenham de excluir cônjuges e amigos. A lealdade ao irmão ou à irmã vem sempre em primeiro lugar.

Quatro irmãos — Eli, Larry, Jack e Nathan Jerome — tornaram-se Joões e Marias por ocasião da morte da mãe e devido ao comportamento instável e às vezes violento do pai. Homens adultos hoje, a lealdade persiste. Vejamos o que diz Nathan:

"Tenho certeza de que, se eu tiver algum problema, as primeiras pessoas que vou procurar são meus irmãos. Não vou procurar meu pai. Não procuro os parentes da minha mulher. Procuro meus irmãos."

E Larry diz:

"Se vocês, meus irmãos, vierem a mim com alguma dificuldade, vocês sabem, acadêmica, financeira, ou seja lá o que for... eu lhes darei meu último centavo. E estou falando sério, com toda a sinceridade, *apesar* da minha responsabilidade para com minha mulher e meus filhos."

Joões e Marias são casos extremos de proximidade entre irmãos, e a intensidade do relacionamento sugere que o fracasso dos pais — ou alguma tragédia — os obrigou a abrir caminho sozinhos nos bosques cheios de bruxas. Joões e Marias têm menos probabilidade de se desenvolver em círculos familiares mais benignos, capazes de dar amor e proteção aos filhos. O que se forma, então, não tem a mesma intensidade, mas representa do mesmo modo um apoio carinhoso e uma união.

Pois, com o tempo, a identificação com o progenitor carinhoso ("Vou ser como você e vou amar esta criança"), mais a formação reativa ("Talvez eu *ame* esta criança"), além do prazer de ter um companheiro para brincar, um admirador, um seguidor ou um companheiro do "nós" contra o "eles", representados pelos pais, podem finalmente moderar a rivalidade. E essa peste, esse intruso, esse competidor, esse ladrão do amor da mãe, pode vir a ser um amigo. "Somos irmãos", ouvi meu filho de oito anos dizer, com imenso desprazer, respondendo à pergunta de um estranho.

Com quinze anos, ele respondeu com orgulho e entusiasmo, com amizade e amor: "Somos irmãos".

Porém, mesmo quando a rivalidade continua na vida adulta, é possível haver uma mudança e uma reconciliação. Os antigos padrões persistem, mas não estão mais gravados em pedra. E, às vezes, os triunfos ou problemas de um irmão ou uma irmã podem alterar o equilíbrio do amor-ódio a favor do amor. Às vezes, uma crise na família pode aproximar os irmãos. O reconhecimento, em qualquer idade, das nossas dolorosas repetições pode nos libertar para modificar as coisas. Nem sempre precisamos continuar como sempre fomos.

O psicólogo Victor Cicirelli, depois de mais de uma década de pesquisas sobre o relacionamento entre irmãos, define o elo fraterno como uma união sem igual nos relacionamentos humanos, por sua duração, seu igualitarismo e pela divisão de uma mesma herança. Muitos irmãos, diz ele, mantêm contato até o fim da vida, sendo que as irmãs desempenham o papel principal na manutenção do relacionamento familiar e de apoio emocional. Num estudo sobre irmãos com mais de sessenta anos, Cicirelli descobriu que 83% deles descreviam o relacionamento com irmãos ou irmãs como "muito próximo". E, uma vez que se sabe que a rivalidade diminui com a idade avançada, talvez o aperfeiçoamento e a renovação do relacionamento entre irmãos seja uma tarefa importante dos últimos anos de vida.

Cicirelli, dando o devido valor à ambivalência de todos os relacionamentos humanos, observa também: "Podemos conceber a rivalidade como um sentimento sempre latente, que aparece com mais força em determinadas circunstâncias, ao passo que a união é provocada por outras circunstâncias". Embora a rivalidade possa reviver em qualquer época da vida, podemos supor que crescer significa fazer as pazes com a perda do amor indivisível.

A grande antropóloga Margaret Mead escreve, no seu livro autobiográfico *Blackberry Winter*:

> Irmãs, durante a fase de crescimento, quase sempre agem como rivais, e como jovens mães tendem a continuar a rivalidade, comparando seus filhos. Mas, quando

os filhos crescem, as irmãs aproximam-se e geralmente na velhice transformam-se nas mais felizes e seletas companheiras.

A dra. Mead descreve, a seguir, como é bom compartilhar as lembranças da infância. Sei o que ela quer dizer.

Pois só com minha irmã Lois eu podia relembrar o *spaniel springer* chamado Corky, a casa na Clark Street com uma gloriosa macieira no quintal, nossa mãe cantando "Os Dois Granadeiros" enquanto nos levava de carro para a praia, nosso pai treinando golfe na sala de estar e uma governanta chamada Catherine que nos ensinou a dizer, quando fazíamos nossas preces à noite: "Deus abençoe minha mãe e meu pai, todos os meus parentes e amigos e... Bing Crosby". Irmãs e irmãos compartilham aquilo que nenhum outro contemporâneo (por mais íntimo que seja) pode compartilhar: os detalhes íntimos e significativos da história da família.

Essa partilha, quando se consegue ultrapassar a rivalidade, pode lançar as bases de uma conexão para o resto da vida, uma conexão que nos sustentará depois da morte dos nossos pais, depois que os filhos saírem de casa, depois de um casamento fracassado. Pois, embora irmãos e irmãs compartilhem uma perda – a perda do amor exclusivo da mãe –, essa perda pode nos trazer ganhos imensuráveis.

CAPÍTULO 7

Triângulos apaixonados

> *Quanto ao leito nupcial de tua mãe — não o temas.*
> *No passado, em sonhos também, bem como em oráculos,*
> *Muitos homens se deitaram com a própria mãe.*
>
> SÓFOCLES

Além de compartilhar o amor dos nossos pais com irmãos e irmãs, temos de compartilhá-lo também com o outro progenitor. Novas perdas à vista. Pois, embora Édipo – o destinatário das palavras confortadoras acima – não só tivesse sonhado, como realizado o incesto, fez apenas o que dizem que nós todos fazemos mais ou menos aos três anos de idade e que desejamos apaixonadamente fazer: livrar-nos de um dos progenitores e possuir o outro sexualmente.

São desejos proibidos e persistentes. São abandonados e revividos muitas vezes em nossa vida. Mas a grande renúncia – nossa primeira e decisiva desistência – ocorre quando desistimos da competição da infância, quando damos fim ao caso de amor mais intenso do que qualquer outro que possamos ter.

Sim, Virginia, existe o complexo de Édipo.

Ele fala conosco em nossos sonhos e no divã do psiquiatra. E fala por meio dos desejos de todos os dias de todas as crianças. "Quando crescer vou me casar com..." a pessoa mais próxima e mais amada de minha vida. Certamente é compreensível que, aos três anos, a pessoa mais próxima e mais querida seja o pai ou a mãe.

Muito bem, dirá Virginia, posso aceitar o amor romântico: garotos *namoram* suas mães; garotinhas namoram os pais. É o aspecto sexual de Édipo (dirá Virginia) que me parece estranho – e ofensivo. Crianças, crianças inocentes não têm vida sexual.

Sim, dizem os psicanalistas, elas têm.

Na verdade, por mais desagradável que seja imaginar impulsos sexuais numa criança de três anos, devemos reconhecer que a vida sexual começa antes disso, com os prazeres orais (e são evidentemente prazeres) do bico da mamadeira ou do seio da mãe. É verdade que essa fase oral pouco se parece com o ato adulto do pênis-na-vagina. Mas da boca ao ânus e aos órgãos genitais, certas partes do corpo – as zonas erógenas – são sucessivamente fontes centrais do que pode ser considerado como tensão *sexual* e prazer *sexual*.

Essa visão classicamente freudiana do desenvolvimento sexual deve, entretanto, ser considerada uma parte de um quadro mais vasto, que abrange, além das zonas sexuais, o relacionamento com as pessoas do nosso meio. Esses relacionamentos produzem o que o analista Erik Erikson chama de "encontros decisivos", como o da boca do bebê com o seio da mãe, em meio a tudo aquilo que se passa entre eles para ajudar ou dificultar o recebimento por parte da criança, a dádiva por parte da mãe. Nessa procura de ação compartilhada, que inclui os prazeres eróticos de ver, ouvir, ser tocado e carregado, existe um profundo prazer libidinoso que – como observa Erikson – não cabe num termo como "fase oral".

Com uma vida sexual que começa com o nascimento, o que dá à fase de Édipo uma importância tão especial e profunda? É que os desejos e necessidades são muito profundos. Somos dominados pelos conflitos provocados por esse triângulo perigoso e cheio de paixão. Embora tenham sido esquecidas as fantasias desenfreadas que antes incendiavam a mente, somos o que somos por causa do que fizemos com elas.

Foi Sigmund Freud que descobriu e descreveu o complexo de Édipo. Afirmou que é universal e inato. E, embora, como veremos, ele implique sentimentos positivos e negativos em relação ao pai e à mãe, começaremos com uma observação sobre essa tese central e desafiadora.

O menino apaixona-se pela mãe. A menina apaixona-se pelo pai.

O outro progenitor amado/odiado é um empecilho. Desejo sexual, ciúme, competitividade e vontade de dispor do rival aparecem muito antes de a criança ser capaz de dizer o bê-á-bá. Esses sentimentos, esses impulsos inconscientes em direção ao incesto e ao parricídio, inundam-nos de culpa e de medo de uma retaliação.

Os adultos pouco ou nada lembram disso tudo. Nem naquela época o drama é representado explicitamente. O que pode haver são afagos, carinhos e beijos ("Eu te amo, papai"), explosões inexplicáveis ("Eu te odeio, mamãe"), brincadeiras nas quais a boneca-mãe se afasta por um longo, longo tempo, e pesadelos nos quais um monstro ou um tigre (tão assustador quanto alguns dos próprios desejos secretos da criança) persegue uma menina completamente apavorada.

Tudo isso é a sombra da encenação do complexo de Édipo. As emoções puras e não censuradas ficam fora do palco. Tampouco a criança imagina conscientemente que o rival, como um monstro ou um tigre, possa lhe fazer mal. Mas o medo inconsciente do mal que *ela* pode infligir (pois, lembrem-se, ela não só odeia sua rival como a ama também) e o medo de que a rival odiada (a quem ama e de quem precisa) deixe de amá-la podem provocar conflitos interiores insuportáveis.

Além disso, a criança é pequena; eles são grandes; ela não tem o que é necessário para derrotá-los ou possuí-los. Cada vez torna-se mais claro que está fadada ao desapontamento em suas ambições.

Assim, mais ou menos aos cinco anos, a maioria dos meninos e meninas enfrenta a necessidade de abandonar seus desejos proibidos de Édipo.

Que nunca são completamente abandonados.

Desejos que, em menor ou maior grau, e às vezes de modo confuso, continuam a determinar sua vida.

Um exemplo óbvio é a compulsão de uma mulher a escolher homens mais velhos, com o fim de casar, amar ou fazer sexo, uma condição para poder gratificar (nem sempre, mas muitas vezes) a fantasia, não completamente abandonada, de derrotar a mãe e conquistar o pai-amante. ("Que idade você tem?", perguntou uma jovem que conheço ao homem que ela tinha levado para a cama. Quando ele respondeu, ela exclamou: "Exatamente a idade do meu pai". O homem ficou embaraçado. "Isso é bom ou não?", perguntou. A resposta foi franca e simples: "Isso é *fantástico!*")

Minhas inclinações edipianas levaram-me a me apaixonar várias vezes por homens 20 ou 25 anos mais velhos do que eu, cuja sabedoria, realizações e dedicação a esta ou aquela causa nobre eram um eco do meu desejo infantil de ter um herói para adorar. Para casar com um homem da minha idade, como fiz afinal, tive de me libertar das fantasias edipianas – aprendendo, mais tarde do que a maioria, que ser uma sócia num relacionamento oferece certas vantagens que a filhinha do papai não tem.

Mas o pai edipiano, há tanto tempo desejado, não precisa ser um homem mais velho. Pode simplesmente ser casado ou comprometido. Quando uma jovem que já teve vários casos com homens casados se queixa, suspirando, de que "os bons já estão comprometidos", deve procurar saber de onde veio essa ideia desanimadora, para começar.

O único homem digno de ser conquistado, diz essa versão do triângulo, é o homem roubado de outra mulher. Mas, às vezes, o roubo tem mais valor do que o prêmio. Às vezes, derrotar a mãe é o mais importante na fantasia de Édipo. Se um homem abandona a mulher por você, está provando que você é melhor do que a mulher dele.

Mas há um detalhe. Quando ele abandona a mulher, é possível que você não o queira mais.

Mary Ann perdeu o pai quando tinha três anos, e até hoje o procura, passando de um homem casado a outro. Mas seu interesse diminui quando o homem fica disponível. Na verdade, no íntimo o que a motiva não é o desejo de encontrar o pai, mas a raiva que sente da mãe e o desejo de vingança. Assim, cada caso amoroso para ela é na verdade uma censura à mulher do seu amante: "Você está perdendo seu marido porque não cuida bem dele". E cada um desses casos é para ela um furioso ataque contra a mãe, que "perdeu" o marido para a morte, não tendo tomado conta dele como devia.

Freud descreve uma atitude semelhante em homens cuja condição para o amor é de que "exista sempre uma terceira pessoa prejudicada". Assim, quando um homem desse tipo se apaixona, o faz sempre por alguma mulher casada ou comprometida. Ele repete a experiência da infância de amar uma mulher já possuída por outro. E é evidente, diz Freud, "que a terceira pessoa prejudicada" nesses relacionamentos "é o próprio pai".

Os analistas dizem que as mulheres cujos amantes são, em sua fantasia, pais, podem sofrer inconscientemente de grande sentimento de culpa. Com "filhos" e "mães", esse sentimento talvez seja mais profundo. Na verdade, o homem pode ficar impotente quando sua mulher se parece muito com a mãe; a impotência evita que eles desobedeçam ao tabu do incesto. E, no caso de Arthur, que julgou ter resolvido seus problemas arranjando uma amante, assim que ela começou a cuidar dele – a ser maternal – a impotência voltou.

Outro homem, branco, de classe média, tentou compreender por meio da psicanálise sua preferência por mulheres negras ou "exóticas". Por que não se interessava por mulheres brancas de classe média? Descobriu que essa preferência baseava-se no fato de que aquelas mulheres "estranhas", que evidentemente não podiam ser suas parentes, representavam a "não mãe", e ele, portanto, podia fazer sexo com elas.

Triângulos amorosos podem situar-se a um ou muitos passos de distância da sua fonte. São também geralmente representados de modo simbólico. Assim, atitudes ou ações que parecem "sem sentido" podem ter um significado psicológico, pois são versões do complexo de Édipo.

O analista Ernest Jones, por exemplo, interpreta a famosa procrastinação de Hamlet como uma atitude edipiana. Ele jurou matar o tio, mas não consegue fazê-lo. "A vacilação de Hamlet", escreve Jones, "não é motivada por sua incapacidade para a ação, nem pela grande dificuldade da tarefa em questão...", nem por sua consciência extremamente cristã, nem por sua precaução legal para que o assassinato do tio não possa ser provado. Segundo Jones, matando o pai de Hamlet e casando-se com sua mãe, o tio fez o que Hamlet havia muito desejava fazer. Assim, "o próprio 'demônio' de Hamlet o impede de denunciar abertamente o tio... Na verdade, o tio simboliza a parte mais profunda e mais escondida da sua personalidade, e ele não pode matá-lo sem matar a si mesmo".

Não é preciso aceitar o *Hamlet* de Jones para aceitar o complexo de Édipo. Ele pode ser encarado como uma – não a única – explicação da peça. E, na verdade, é essencial lembrar que todas as ações humanas são produtos de várias causas, que raramente A leva a B e que experiências anteriores da vida – doenças ou perdas importantes, o relacionamento de um bebê com a mãe – afetarão o modo como se enfrentam esses triângulos amorosos. Ou o fato de estarmos ou não preparados para enfrentá-los.

Contudo, nossos sentimentos e escolhas sexuais provavelmente expressam, nos anos seguintes, nossas respostas aos conflitos edipianos. Bem como a qualidade da nossa vida profissional. Lou, que jamais deixou de temer o pai poderoso da sua infância, aos quarenta anos é ainda submisso a todos os representantes da autoridade, ao passo que Mike, que ainda tenta desafiadoramente destronar o pai autocrata, tornou-se ativista político, lutando contra os "grandes" que dominam os "pequenos". Quando esses homens examinam os próprios sentimentos, voltam ao mundo dos cinco anos de idade, no qual uma pessoa pequena ama/desafia/teme um homem grande. E, se a derrota irremediável ou o desafio feroz permanecem como a marca do relacionamento pai-filho, derrota ou desafio podem colorir qualquer relacionamento subsequente com a autoridade.

Outro problema edipiano, muito mais comum do que se imagina, é o medo do sucesso – a chamada "neurose do sucesso". Ela se manifesta em mulheres ou homens que afirmam desejar vencer em sua carreira, mas que de um modo ou de outro conseguem sabotar as próprias ambições – procurando evitar promoções, entrando em pânico se as conseguem. "As forças da consciência que provocam o mal-estar devido ao sucesso", escreve Sigmund Freud, "estão intimamente ligadas ao complexo de Édipo..."

Freud refere-se a pessoas cujo temor infantil de competir com o progenitor do mesmo sexo continua a persegui-las quando adultos e que – embora não se deem conta disso – equacionam sucesso com o assassinato daquele progenitor. Assim, o sucesso é perigoso porque haverá represálias. Se competir significa matar ou ser morto, e se todos os competidores representam o pai, o neurótico pode deixar de competir, pode fazer tudo para não ter sucesso.

O script revisto, então, deverá ser:

> Vou me contentar com o segundo lugar.
> Juro que jamais o ultrapassarei.
> Por favor, não me machuque.

Para certas mulheres que temem o sucesso, o uso positivo das suas qualidades eliminaria completamente a mãe, mesmo sem provocar sua ira. Algumas temem também que o uso positivo das suas qualidades possa prejudicar o pai/marido. Assim, Emily, violinista adolescente, prejudica sua técnica com o arco e perde um concurso que teria ganho facilmente. E a brilhante jovem advogada Denise quase desmaia e tem de sair da sala, porque, em conversa com seu chefe, percebe de repente que pode fazer tudo o que ele faz – e melhor.

Esses temores de prejudicar ligam-se aos temores antigos, mas tenazes, de sermos abandonados. O sucesso significa: vou perecer porque todos irão embora. Os homens também têm esses temores, mas se se fala menos sobre eles, dizem alguns analistas, é porque o que os homens mais temem é o *medo* do abandono.

Evidentemente, existem boas razões para questionar o sucesso. Há as pressões. Há o sacrifício imposto sobre a vida familiar. Mas quando pessoas capazes, que juram desejar um emprego melhor, chegam constantemente atrasadas para as entrevistas com empregadores, ou ficam doentes e não comparecem, ou conseguem parecer perfeitas idiotas quando entrevistadas, possivelmente estão evitando o sucesso, em vez de desejá-lo. E quando pessoas que lutam por uma promoção tornam-se deprimidas ou angustiadas quando a conseguem, podem estar sofrendo de uma neurose do sucesso.

O curso desses triângulos sofre nova alteração quando acontece o que os analistas chamam de complexo de Édipo *negativo*, uma condição emotiva que envolve desejos sexuais pelo progenitor do mesmo sexo e sentimentos de rivalidade para com o progenitor do sexo oposto. Na infância, luta-se com os dois complexos, o positivo e o negativo, e ambos permanecem conosco pelo resto da vida. O que significa que, enquanto para a maioria das pessoas os impulsos heterossexuais são ascendentes, todos nós somos, em certo grau, bissexuais.

Entretanto, já foi dito que o desenvolvimento sexual da mulher é inevitavelmente mais difícil que o do homem, porque seu complexo de Édipo positivo sempre é precedido pelo complexo de Édipo negativo, uma vez que a mãe é o primeiro grande amor de todo ser humano. Mais ou menos aos três anos, esse amor começa a se associar a intensas fantasias triangulares que envolvem um par feliz e um indivíduo que fica de fora. Para meninas, bem como para meninos, o par feliz é formado pela mãe e pelo filho ou filha; o rival de ambos é um intruso cabeludo chamado papai.

Assim, as meninas, quando resolvem seu complexo de Édipo, enfrentam uma perda dupla, desistindo primeiro da mãe e depois do pai. Os garotinhos podem algum dia casar com a nova edição da sua paixão original. As meninas têm que submeter seu primeiro amor a uma mudança de sexo.

A homossexualidade é uma das consequências possíveis do fracasso de resolver esses sentimentos edipianos negativos. Outra é a heterossexualidade. Um homem, por exemplo, pode escolher uma mulher (e ela não precisa parecer "masculina" nem agir como se o fosse) porque ela possui certas qualidades que a tornam, para ele, uma substituta de um amante masculino. E uma mulher pode escolher um marido cronicamente infiel, a fim de (mentalmente) compartilhar com ele suas amantes. Ou podem ser mais diretos, procurando, em papéis de homossexualidade passiva ou ativa, tomar ou dar o que desejavam do progenitor do mesmo sexo.

Devemos reconhecer que nossas intensidades e tendências sexuais têm muito que ver com nossa natureza inata. As pessoas diferem na intensidade de suas necessidades desde o nascimento. Porém, embora esses "dons" inatos possam ser responsáveis por certas tendências, nossa natureza sexual é sem dúvida inata e adquirida. Na verdade, nossas respostas variadas aos vários aspectos dos conflitos de Édipo refletem de modo significativo nosso ambiente humano, que compreende irmãos e irmãs, e talvez outros parentes próximos, bem como o tipo de pais que temos e o modo como eles se comportam um com o outro e conosco. Inclusive sexualmente.

Pois devemos lembrar que, se o rei Édipo desejava dormir com Jocasta, Jocasta também queria dormir com Édipo. A corrente da paixão fluía nas duas direções. E, durante o período edipiano, quando a criança se sente sexualmente atraída pelo pai ou pela mãe, os pais sentem-se também sexualmente atraídos pelos filhos. Sim, Virginia, pais normais – não pais pervertidos.

Mas a diferença entre os dois são as restrições – tanto conscientes quanto inconscientes – feitas a esses sentimentos. A diferença está na prática ou não desses sentimentos. Um psicanalista diz que jamais encontrou, na sua clínica, "um caso que seja apenas impulsos fortes demais. O dano ocorre", diz ele, "quando o progenitor perturbado e perturbador entra em interação com a criança edipianamente receptiva".

O comportamento de sedução dos pais pode excitar, confundir e assustar a criança. O ato de sedução, apesar de algumas afirmações recentes de que o incesto não é de todo mau, na opinião de muitos especialistas, é sempre arrasador.

O psicanalista Robert Winer caracteriza a família humana como fornecedora, durante a vida, de um "espaço transicional", um lugar de repouso entre o indivíduo e a sociedade, a fantasia e a realidade, o interior e o exterior. O incesto, diz ele, é a violação desse espaço de dois modos: o pai incestuoso assalta a individualidade da filha, como que dizendo: "Você é minha para eu fazer o que quiser", e ao mesmo tempo força uma separação prematura para ela, como se dissesse: "Você não é minha filha, é minha amante". O dr. Winer diz que o incesto "destrói a sagrada inocência que une a família". Diz também que, embora a vida em família possa sofrer outras formas de exploração, o incesto "é o atentado, logo depois do assassinato, que traz as consequências mais devastadoras".

Como isso pode acontecer?

"Depois da morte da mãe, quando minha filha era muito pequena, ela começou a ir para a minha cama todas as manhãs e às vezes acabava dormindo lá. Eu tinha pena dela. Oh, depois disso, quando saíamos juntos, no automóvel ou no trem, sempre ficávamos de mãos dadas. Ela cantava para mim. Dizíamos: 'Esta tarde não vamos dar atenção a ninguém... Seremos só nós dois... Esta manhã você é minha'. As pessoas achavam maravilhoso aquele relacionamento entre pai e filha – chegavam a chorar de emoção. Éramos como amantes – e então, de repente, passamos a ser amantes..."

Histórias semelhantes de incesto não são raras no divã do psicanalista. Esta, porém, não é do divã, mas uma ficção. A filha é a refinada Nicole de *Suave é a Noite*, de F. Scott Fitzgerald. As consequências para ela? Torna-se psicótica.

O mesmo acontece com a desamparada, feiosa, pobre criança negra Pecola, no livro de Toni Morrison *Os Olhos Mais Azuis*, cujo pai bêbado – excitado pela "rigidez do seu corpo paralisado de medo, pelo silêncio da garganta atônita... e pelo fato de fazer uma coisa terrível e proibida" – sem nenhuma ternura a estupra.

As versões na vida real da história de Pecola, quando relatadas, aparecem nos tribunais de família ou nos relatórios policiais. Mas muitos casos não são contados, porque a vítima teme o que a revelação pode causar à sua família. No livro de Suzanne Fields sobre relacionamentos pai-filha, *Tal Pai, Tal Filha*, uma jovem assistente social chamada Sybil descreve suas dolorosas experiências reais de incesto:

"Eu apaguei a maior parte daquele período de minha vida, mas estou fazendo um esforço consciente para falar sobre ele agora. Acho que começou quando eu tinha oito anos. Sempre acontecia, em casa ou em viagens, de ficarmos algum tempo sozinhos, meu pai e eu. Ele começou fazendo com que eu o tocasse por cima da calça. Depois, expôs-se para mim e me tocou com as mãos. Sempre insistia para que eu beijasse seu pênis, mas eu me negava".

Sybil diz que, quando ela estava com quinze anos, o pai tentou o ato sexual, mas, ficando com o corpo rígido, ela evitou que acontecesse. Ela então procurou um conselheiro numa organização particular, e disseram que podia fazer queixa e o pai seria preso. Mas, diz ela, "era horrível só o fato de tentar decidir. Se eu fosse aos tribunais, minha família seria destruída. Meus irmãos jamais compreenderiam. Como iríamos viver? No fim, não tive coragem de arriscar a destruição da família".

Embora atos de incesto sejam mais comuns entre pai e filha, as mães podem também desempenhar um perigoso papel de sedutora dos filhos, levando-os para sua cama. Vestindo-se na frente deles. Acariciando-os quando não deve. O dr. Winer descreve o caso de um universitário que era incapaz de sair com moças e que ainda recebia massagens nas costas feitas por sua mãe. Massagens nas costas? Quando os pais não renunciam aos seus desejos incestuosos, observa ele, "fantasias incestuosas podem se realizar de modo simbólico, deslocado ou parcial".

Outro analista descreve um exemplo mais direto de fantasias incestuosas da mãe. Sua paciente, mãe de um menino de catorze anos, preocupava-se com a educação sexual do filho. Não queria que ele apanhasse doenças das prostitutas; uma viúva ou uma divorciada também não serviam. Ela rejeitava até moças solteiras e imaginava o que aconteceria se se oferecesse ao filho como provisória parceira de sexo. O analista, usando a psicanálise, ajudou-a a se convencer de que essa não era uma boa ideia.

Sim, os pais têm sentimentos sexuais em relação aos filhos, até mesmo por filhos de três, quatro ou cinco anos. E o modo como eles reagem diante desses sentimentos tem muito que ver com o que a criança vai fazer com seu complexo de Édipo. Pois, deixando de lado os atos de sedução, uma atitude extremada dos pais pode ser o superestímulo, e outra pode ser a rejeição e a negação de qualquer contato físico. Em algum ponto entre os dois polos estão pais e mães capazes de confirmar, com amorosa discrição, o valor do prazer físico nos relacionamentos humanos.

Nada impede que exista um relacionamento especial e particular entre marido e mulher, o qual filhos e filhas não devem invadir.

Nada impede que, por mais forte que seja o desejo, a criança, no fim, não vá embora com o progenitor desejado.

Durante o jantar, uma menina de quatro anos conversa com os pais sobre o pouco espaço do apartamento onde moram. A filha tem uma solução: "Passo minha cama para o quarto de vocês, e assim o meu quarto vai ter mais lugar para os brinquedos". Quando o pai explica que o quarto do casal é um lugar só deles, que marido e mulher precisam ter um quarto só para os dois, a menina para de comer, começa a bater no pai, depois desmorona aos pés dele. O terceiro membro do triângulo, a mãe da menina, comenta essa cena tocante e comovente:

"Sinto vontade de dizer a ele, e estou certa de que ela também sente: 'Não diga isso'. Tenho vontade de adoçar a resposta para ela: 'Nosso quarto ficaria mais apertado com duas camas', ou qualquer coisa assim. Não quero que ela sofra, que se sinta rejeitada. Mas eu não digo nada. Ela precisa entender, de preferência dito pelo pai, que ele ama a nós duas, mas de modo diferente".

A cena, porém, não terminou. A mãe, lembrando o próprio desejo de ser a única diante do pai, descreve o que acontece: "O pai diz que quer dar um grande abraço na menina e que está disposto a brincar com ela depois do jantar. Ela levanta-se lentamente, recupera a dignidade e sorri, antecipando o abraço e a diversão. Eu também sorrio, pois tanto na dor quanto no gracioso consolo, vejo refletido meu próprio ciúme, uma pista de minha passagem de criança para mulher adulta".

A despeito da angústia que sentimos, o fato de não podermos afastar nosso pai de nossa mãe nos leva ao crescimento e a um lugar no vasto mundo. Haverá consolação para nossa perda dolorosa, mas necessária. Porém, conseguir uma vitória de Édipo, bem como derrotar nosso rival e obter o amor do pai ou da mãe, pode ser muito mais prejudicial para nós do que a derrota.

Uma mulher, que vivia com o homem que amava, repetidamente recusava o pedido constante de se casar com ele. Sentia-se compelida a recusar, sem saber por quê. Com a psicanálise, descobriu que estava equacionando casamento com ter filhos e equacionando ter filhos com a morte. A mãe morrera quando ela estava com quatro anos, o que para ela foi uma vitória de Édipo carregada de sentimento de culpa, por ter ganho o pai tomando o lugar da mãe. E agora temia o casamento, que queria dizer filhos, que queria dizer que ela também iria morrer, como castigo por seu maldoso e tão desejado triunfo.

Vitórias prejudiciais de Édipo podem ocorrer com a morte do pai ou da mãe: "Eu queria minha mãe só para mim, e de repente meu pai morreu do coração". Podem ocorrer também quando os pais se divorciam. Estudos recentes demonstram que os meninos são menos capazes que as meninas de enfrentar a separação dos pais, e que os efeitos neles — que incluem rendimento escolar mais baixo, depressão, raiva, diminuição da autoestima, uso de drogas e do álcool – são mais duradouros e mais intensos. Esses estudos sugerem também que problemas de Édipo explicam, em parte, os problemas maiores que os meninos vivenciam com o divórcio dos pais.

Segundo Linda Bird Francke, em *Filhos do Divórcio*, a mãe ainda fica com a custódia dos filhos – por acordo ou determinação legal – em mais de 90% dos casos. Quando se trata de um filho homem, a maior parte das mães fica com o filho –, e o filho fica com a mãe. "O conflito de Édipo supostamente é resolvido a favor da mãe, não a favor da criança", diz o psiquiatra infantil Gordon Livingston, de Columbia, Maryland, cuja clínica atende cerca de quinhentos filhos de pais divorciados por ano. "Contudo, atualmente têm se repetido os casos de resultado contrário." O fato de o filho tomar o lugar na cama da mãe (às vezes literalmente) e o aumento da tensão sexual e do sentimento de culpa podem levar à desordem interior e ao comportamento problemático.

Embora os meninos de três a cinco anos pareçam especialmente afetados pelas implicações edipianas do divórcio, a fase da adolescência traz novamente à tona esses conflitos, tornando os filhos do divórcio possessivos e ciumentos. Um garoto de dezesseis anos deliberadamente trancou a porta, deixando a mãe na rua, quando ela saiu com um amigo. "Ela teve de me acordar para entrar", explicou ele mais tarde. "O cara, quando me viu, perdeu todo o entusiasmo." Outro, de quinze anos, foi mais direto: "Quero que você esteja em casa às onze horas", disse para a mãe, "e sozinha".

Um estudo demonstrou que meninos entre nove e quinze anos têm mais dificuldade para aceitar um padrasto. Os mais jovens, contudo, confusos com suas ansiedades edipianas, podem fazer de tudo para levar outro homem para casa. "Com quem vamos nos casar agora?", perguntava para a mãe insistentemente um garotinho. "Precisamos de um pai por aqui."

Mas a vitória de Édipo não exige morte nem divórcio. Pode ser conseguida quando a mãe (ou o pai) favorece os filhos em detrimento do outro cônjuge. São vários os casos de filhos mimados e adorados pela mãe, enquanto o pai é tratado por ela com mal disfarçado desprezo. Sem um homem com quem se identificar, sentindo-se culpado, temendo o castigo por seu sucesso, o jovem amante edipiano – quando consegue definir todo o problema – deseja ter perdido a competição edipiana.

Então, qual seria, para um analista, a solução "saudável" do complexo de Édipo? Como deve ser a renúncia construtiva aos cinco anos? Como renunciar a paixões que no mundo do inconsciente são temas para Shakespeare e Sófocles? E quais as vantagens dessa perda necessária dos nossos sonhos impossíveis e proibidos?

Afirma-se que o complexo de Édipo nunca é completamente eliminado e que aparecerá muitas vezes mais. Lutaremos com o complexo de Édipo durante toda a vida. Lutaremos para libertar nosso amor sexual e nossa autoafirmação vigorosa das imagens infantis de incesto e de parricídio. Às vezes, conseguimos fazê-lo.

A capacidade para enfrentar esse amor e esse ódio, esse medo, essa culpa e essa renúncia, quando se tem sorte, crescerá com o tempo. Mas os padrões tomam forma nos primeiros anos, quando se faz o que deve ser feito para resolver o complexo de Édipo.

Isso significa a renúncia do amor sexual pelo pai (ou pela mãe), a identificação – a empatia – com a mãe (ou o pai). Na verdade, acreditando que ambos se oporão aos nossos maldosos desejos, nós os imitamos, repudiando esses desejos. Adotamos seus padrões de moral e seu sistema de prêmios e castigos. Adquirimos uma agência interior de manutenção da lei.

Há perdas e ganhos.

Identificando-se com o progenitor do mesmo sexo, a criança enfrenta a natureza e os limites da identidade a que pertence, aprendendo o que pode e o que não pode fazer, como homem ou como mulher, e abandonando os desejos de algo impossível.

Consolidando nosso mecanismo interno de manutenção da lei – nosso superego –, enfrentamos a natureza e os limites da liberdade humana, aprendendo o que podemos e o que não podemos fazer, como seres humanos civilizados, e abandonando nossos desejos do proibido.

Renunciando ao intercâmbio apaixonado com os pais, voltamos à estrada que leva da união total à separação, entrando num mundo que pode ser nosso, se renunciarmos aos nossos sonhos de Édipo.

Margaret Mead observa que o complexo de Édipo "tem esse nome derivado de um fracasso – do infeliz Édipo que não conseguiu resolver o conflito –, e não das soluções, embora quase todas um tanto comprometidas, adotadas pelas diversas civilizações". Ela cita um poema piegas, mas relevante – "A Um Usurpador" –, escrito antes da era da conscientização freudiana, no qual o pai identifica o antigo problema e diz como poderá vir a ser resolvido:

Ahá! um traidor no campo,
    Um rebelde estranhamente ousado –
Um moleque que mal sabe falar ou andar,
    Com apenas quatro anos!

Pensar que eu, que governei sozinho,
    Tão orgulhoso, no passado,
Tenha de ser expulso do meu trono
    Por meu próprio filho, finalmente!

Ele espalha sua traição por toda parte
    Como só bebês sabem fazer
E diz que vai ser o namorado da mãe
    Quando for "um grande homem"!
    ....
Renuncie à sua traição, meu filho,
    Deixe o coração da mamãe para mim;
Pois haverá outra
    Que exigirá sua lealdade.

E quando a outra chegar,
    Queira Deus que seu amor cintile
Durante toda a sua vida, tão claro e verdadeiro
    Quanto o de sua mãe por mim!

CAPÍTULO 8

Anatomia e destino

Quando conhecemos um ser humano, a primeira distinção que fazemos é: "Homem ou mulher?".

Sigmund Freud

Nossa onipotência infantil – nossa sensação inebriante, deliciosa de prazer – nos garante que podemos fazer, ter e ser qualquer coisa. Irmãos rivais e nossos pais, que jamais podemos possuir, informam que isso não é verdade. O mesmo diz a descoberta, mais ou menos aos oito meses de idade, de que as meninas são diferentes dos meninos. E, entre os resultados da descoberta das diferenças anatômicas, certamente está o aprendizado dos limites relativos ao sexo.

Pois não podemos ser dos dois sexos, embora – como muitos afirmam – o desejo de ser bissexual constitua talvez "uma das tendências mais profundas da natureza humana". Não podemos, como o herói/heroína de Virginia Woolf, o transmutável Orlando, ser mulher, depois homem e às vezes ambos. Por meio da nossa bissexualidade inata e da nossa capacidade para a empatia, podemos ter algumas experiências do sexo oposto. E, por meio de definições mais amplas do que significa ser mulher ou ser homem, podemos expandir nossas experiências com o sexo também. Mas temos de reconhecer que nenhum dos dois sexos é completo, que existem limitações ao nosso potencial e que a identidade do gênero a que pertencemos, com todas as suas possibilidades e prazeres, deve se moldar a esses limites – a essa perda.

Estou dizendo que o simples fato de nos habituarmos a um corpo masculino ou um corpo feminino define de modo decisivo – e confina – nossa experiência.

Estou dizendo que – unidos como somos – meu marido e meus filhos são psicologicamente diferentes de mim, de um modo que as mulheres – qualquer mulher – jamais poderão ser.

Estou dizendo com Freud que ninguém pode nos ver – e não podemos ver ninguém – separados da designação de "homem" ou "mulher".

Estou dizendo que os limites relativos de sexo são condicionados culturalmente. Alguns argumentam que os limites relativos ao sexo são inatos. Entretanto, o que os estudos sobre a identidade dos gêneros parecem sugerir é que – desde o nascimento – meninos e meninas são tratados como meninos ou meninas, que desde muito cedo as demonstrações de comportamento "masculino" ou "feminino" não podem ser separadas das influências ambientais.

Pois os pais fazem distinção entre filhos e filhas.

Seguram de modo diferente meninos e meninas.

Suas expectativas são diferentes para os filhos e para as filhas.

E, quando os filhos imitam suas atitudes e atividades, identificando-se com elas, são encorajados ou desencorajados, dependendo de serem meninos ou meninas.

Existem na verdade limites *reais* de sexo? Existe uma psicologia inata masculina ou feminina? E existe algum meio possível de explorar essas questões tão delicadas sem a parcialidade da cultura, da educação ou da política sexual?

Aqui estão algumas respostas que ouvi de três escritoras feministas quando perguntei se achavam que as diferenças entre homens e mulheres são inatas.

A escritora Lois Gould respondeu: "As mulheres menstruam, amamentam e procriam; os homens inseminam. Todas as outras diferenças originam-se da tentativa de construir civilizações em volta desses talentos primitivos como se fossem os únicos que possuímos".

A jornalista Gloria Steinem respondeu: "Durante 95% da nossa vida existem mais diferenças entre duas mulheres ou entre dois homens do que entre homens e mulheres, como grupos".

E a escritora e poetisa Erica Jong respondeu: "A única diferença entre homem e mulher é que as mulheres são capazes de criar pequenos seres humanos no seu corpo e simultaneamente escrever livros, dirigir tratores, trabalhar em escritórios, cultivar a terra – de um modo geral, fazer tudo o que os homens fazem".

Sigmund Freud teria respondido de modo diferente.

Na verdade, existem declarações dele segundo as quais as mulheres são mais masoquistas, mais narcisistas, mais ciumentas e mais invejosas do que os homens e também têm menos senso moral. Para ele, essas são consequências inevitáveis das diferenças anatômicas entre os sexos — resultantes do fato (fato?) de que a sexualidade original das meninas é masculina em essência, que o clitóris não passa de um pênis pouco desenvolvido e que ela se considera nada mais do que um menino defeituoso. Essa imagem que tem de si mesma, de um homem mutilado, prejudica irrevogavelmente sua autoestima, conduzindo-a a ressentimentos e tentativas de reparação, que produzem todos os subsequentes defeitos no seu caráter.

Muito bem, como dizem seus amigos, quem pode ser brilhante em tudo?

Pois nos anos que seguiram essas afirmações, a ciência chegou à conclusão de que, embora o sexo genético seja determinado no momento da fertilização por nossos cromossomos (XX para meninas; XY para meninos), todos os mamíferos, incluindo os humanos, *independentemente do seu sexo genético*, começam a vida femininos em estrutura e em natureza. Esse estado feminino persiste até a produção, um pouco mais tarde na vida fetal, dos hormônios masculinos. Só com o aparecimento desses hormônios, na hora certa e na quantidade exata, torna-se possível a masculinidade anatômica e pós-natal.

Embora isso não nos diga muita coisa sobre a psicologia feminina ou masculina, prejudica permanentemente a falocentria de Freud. Pois, em vez de as meninas começarem como meninos defeituosos ou incompletos, no começo todos os seres humanos são femininos.

Entretanto, a despeito dessa falocentria, Freud foi inteligente o bastante para notar, na época, que seus comentários sobre a natureza das mulheres eram "certamente incompletos e fragmentários".

Disse também: "Se quiserem saber mais sobre a feminilidade, examinem a própria experiência de vida, ou procurem os poetas, ou esperem até que a ciência possa fornecer informação mais profunda e mais coerente".

Duas psicólogas de Stanford tentaram fazer exatamente isso num livro muito conceituado, *A Psicologia das Diferenças entre os Sexos*. Estudando e avaliando uma ampla área de estudos psicológicos, Eleanor Maccoby e Carol Jacklin concluíram que existem várias crenças muito difundidas, mas completamente falsas, sobre as diferenças entre homens e mulheres.

Que as meninas são mais "sociais" e menos "sugestionáveis" do que os meninos. Que as meninas têm um baixo nível de autoestima. Que as meninas aprendem melhor decorando e executam melhor tarefas repetitivas e simples, ao passo que os meninos são mais "analíticos". Que as meninas são mais afetadas pela hereditariedade, e os meninos, pelo ambiente. Que as meninas são mais auditivas, e os meninos, mais visuais. E que as meninas não possuem motivação realizadora.

Não é verdade, dizem Maccoby e Jacklin. Tudo isso é mito.

Entretanto, alguns mitos – ou serão mitos? – não foram ainda derrubados. Alguns mistérios sexuais continuam insolúveis.

As meninas são mais tímidas? Sentem mais medo? Mais ansiedade?

Os meninos são mais ativos, competitivos e dominadores?

É uma qualidade feminina – em contraste com uma qualidade masculina – ser protetor, complacente e maternal?

Para as autoras, a evidência é muito ambígua ou muito tênue. Essas questões tantalizantes estão ainda em aberto.

Existem entretanto quatro diferenças, segundo elas perfeitamente estabelecidas: as meninas têm mais aptidão verbal. Os meninos têm mais aptidão matemática. Os meninos são melhores em aptidão espaço-visual. E, finalmente, verbal e fisicamente, os meninos são mais agressivos.

Serão essas diferenças inatas ou aprendidas? Maccoby e Jacklin rejeitam essa distinção. Preferem falar em termos de predisposições biológicas para aprender uma determinada habilidade ou um comportamento. E, nesses termos, elas apontam apenas duas diferenças sexuais claramente baseadas em fatores biológicos.

Uma é a maior aptidão espaço-visual dos meninos, comprovadamente originada por um gene recessivo do cromossomo sexual.

A outra é o relacionamento que existe entre os hormônios masculinos e a agressividade quase instintiva dos homens.

Entretanto, até mesmo isso tem sido contestado. A endocrinologista Estelle Ramey, professora de fisiologia e biofísica na Escola de Medicina de Georgetown, diz:

> Acho que os hormônios são coisas pequenas muito importantes que não deviam faltar em nenhum lar. Mas acho também que praticamente todas as diferenças entre o comportamento dos homens e o das mulheres são culturais e

não determinadas por hormônios. Sem dúvida, os hormônios sexuais in utero desempenham um papel vital na distinção entre bebês do sexo feminino e do sexo masculino. Mas, logo depois do nascimento, o cérebro humano toma o controle e domina *todos* os sistemas, inclusive o endócrino. Costuma-se dizer, por exemplo, que os homens são mais agressivos do que as mulheres. Mas o que os faz assim é o condicionamento, não os hormônios. Quem vê mulheres numa liquidação – onde a agressão é considerada necessária, quase interessante – vê agressões que fariam empalidecer Átila, o Huno.

Embora a pesquisa de Maccoby e Jacklin chegue à conclusão de que as meninas não são mais dependentes do que os meninos, o tema da dependência feminina persiste. Há alguns anos, o *best-seller* de Colette Dowling, *O Complexo de Cinderela*, provocou reações entre as mulheres, pois afirmava que a mulher teme a independência.

> Ali estava o Complexo de Cinderela. Costumava atingir garotas de dezesseis ou dezessete anos, geralmente impedindo-as de ir para a universidade, levando-as a casamentos prematuros e apressados. Agora, atinge as mulheres depois da universidade – depois de terem vivido algum tempo no mundo. Quando diminui o primeiro entusiasmo da liberdade, e a ansiedade cresce para tomar seu lugar, começam a ser atraídas por aquele antigo desejo de segurança: o desejo de ser salvas.

Dowling argumenta que as mulheres, ao contrário dos homens, têm um profundo desejo de ser protegidas por alguém e relutam em aceitar a realidade adulta de que são as únicas responsáveis pela própria vida. Essa tendência para a dependência, afirma Dowling, tem origem na educação da primeira infância, a qual ensina aos meninos que eles estão sozinhos neste mundo difícil e desafiador e, às meninas, que elas precisam e devem procurar proteção.

As meninas são educadas *para* a dependência, diz Dowling.

Os meninos são educados para se *livrar* dela.

Mesmo nos meados dos anos 1980, numa escola particular liberal e de elite, no Leste, onde as mães dos alunos são médicas, advogadas e funcionárias do governo, e as próprias alunas são orientadas para a retórica feminista, ouvimos ecos do Complexo de Cinderela. Um dos professores, que leciona comportamento humano para o último ano do Ensino Médio, conta que há alguns anos costuma perguntar aos alunos onde esperam estar aos trinta anos. As respostas, diz ele, são sistematicamente as mesmas. Tanto meninos quanto meninas esperam que as meninas estejam tendo e criando filhos e, ao mesmo tempo, ocupadas com algum trabalho de *meio período*. E, embora os meninos esperem ter conquistado muita liberdade aos trinta anos, as meninas sempre os imaginam bem-sucedidos em emprego de *tempo integral*, sustentando a família.

Sem dúvida, muitas mulheres vivem com a fantasia de um-dia-meu-príncipe-vai-chegar. Sem dúvida, o modo como são educadas pode explicar isso. Mas devemos considerar também que a origem da dependência feminina pode ser mais profunda do que os hábitos de educação da infância. E devemos lembrar que dependência é sempre uma palavra pejorativa.

A dependência feminina parece consistir menos no desejo de ser protegida do que no de ser parte de uma teia de relacionamento humano, o desejo não só de ter — mas de dar — amor e carinho. O desejo de precisar que outras pessoas ajudem e consolem, o desejo de compartilhar bons e maus momentos, de dizer "eu compreendo", de estar do nosso lado — e também o inverso, *a necessidade de ser necessária* — talvez existam no íntimo da própria identidade feminina. A dependência nessas conexões pode ser interpretada como "dependência amadurecida". Mas também significa que a identidade — para as mulheres — está muito mais ligada à intimidade do que à separação.

Numa série de ótimos estudos, a psicóloga Carol Gilligan concluiu que, ao passo que a autodefinição masculina enfatiza a realização individual sobre a união afetiva, as mulheres quase sempre se definem dentro de um contexto de relacionamentos afetivos responsáveis. Na verdade, ela faz notar que "as vozes masculinas e as femininas falam da importância de verdades diferentes: as primeiras, sobre o papel da separação que define e reforça o eu; as segundas, sobre o processo contínuo de união que cria e sustenta como comunidade humana". Só porque vivemos num mundo onde a maturidade é identificada como autonomia, argumenta Gilligan, a preocupação das mulheres com relacionamentos é vista como uma fraqueza e não como uma força.

Talvez ela seja as duas coisas.

Claire, uma futura médica, vê um significado especial na união. "Quando se vive sozinha, as coisas têm pouco significado", diz ela. "É como o som de uma só mão batendo palmas... Precisamos amar alguém porque, embora não gostemos dele, não podemos nos separar dele. De certo modo, é como amar nossa mão direita. *Eles são parte de nós*; aquela outra pessoa é parte da gigantesca coleção de pessoas às quais somos ligadas."

Mas Helen, falando sobre o fim de um relacionamento, revela o risco inerente à intimidade. "O que eu tive de aprender", diz ela, "não era só o fato de possuir um *eu* capaz de sobreviver, quando Tony terminou o relacionamento, mas também o fato de que eu tinha um *eu*! Francamente, não tinha certeza de que, quando nos separamos, havia sobrado alguma coisa desse *eu*!"

Freud certa vez observou que "nunca estamos tão indefesos contra o sofrimento como quando amamos, nunca tão desamparadamente infelizes como quando perdemos o objeto do nosso amor ou seu amor por nós". Palavras especialmente verdadeiras para as mulheres. Pois as mulheres, muito mais que os homens, são dominadas pelo sofrimento chamado depressão, quando tem fim um relacionamento importante. A lógica aqui parece indicar que a dependência da mulher da intimidade faz dela, se não o sexo mais fraco, pelo menos o mais vulnerável.

É importante lembrar que estamos falando de homens e mulheres em geral. Pois existem mulheres que não conseguem permitir nenhuma intimidade, e homens que se entregam com prazer e facilidade. Mas argumenta-se, e eu concordo, que a maioria das mulheres, comparada à maioria dos homens, tem mais capacidade para relacionamentos íntimos. E argumenta-se, e eu concordo, que essa capacidade é um fator importante nas diferenças entre homens e mulheres.

Se a natureza feminina é de fato mais gregária, mais interdependente, mais dada a relacionamentos pessoais, qual a razão disso? Retrocedamos um pouco, e consideremos a questão sob a luz de como meninos e meninas estabelecem sua identidade sexual.

Pois, quase todos concordam, isso ocorre de modos diferentes.

Consideremos, por exemplo, que os dois sexos – nós todos – fossem originalmente incorporados à mãe e que a primeira identificação – a primeira identificação de todos nós – fosse com ela. É certo que tanto os meninos quanto as meninas podem escapar da simbiose e erguer as fronteiras entre mãe e filho. É certo que meninos e meninas têm de se libertar. Mas uma simbiose intensa e prolongada ameaçará muito mais a masculinidade do menino do que a feminilidade das meninas, porque a intimidade ou a identificação com a primeira figura que cuidou de nós significa a intimidade ou a identificação (na maioria dos casos) com uma mulher.

Assim, meninas, para serem meninas, continuam a identificação inicial com a mãe. Meninos, para serem meninos, enfaticamente não podem continuá-la.

Meninas, para serem meninas, podem se definir sem repudiar sua primeira união com a mãe. Meninos, para serem meninos, enfaticamente devem repudiá-la. Na verdade, precisam desenvolver o que o psicanalista Robert Stoller chama "ansiedade da simbiose", um escudo protetor contra os próprios fortes desejos de ser o mesmo que a mãe, um escudo que preserva e amplia o senso de masculinidade.

No segundo e terceiro anos de vida, então, os meninos decididamente afastam-se da mãe. Eles se desidentificam com o que ela é. Mas esse afastamento, esse escudo protetor, pode implicar grande número de defesas antifemininas. Assim, pode acontecer que o preço da desidentificação seja o desdém, o desprezo, às vezes até o ódio pelas mulheres, um repúdio das partes femininas que existem neles e um medo permanente da intimidade, porque ela *solapa a separação sobre a qual foi construída sua identidade masculina.*

Esse medo da intimidade, a propósito, estende-se aos relacionamentos homem com homem também. Em um pequeno e impressionante livro intitulado O *Clube dos Homens,* alguns homens da classe média reúnem-se para contar as histórias da sua vida. Essa abertura das barreiras convencionais, esse passo "feminino" na direção da intimidade os perturba de tal modo que acabam destruindo a casa e uivando – uuuuu – como animais selvagens, "até parecer que éramos uma só pessoa uivando cada vez mais alto, ascendendo, enquanto mergulhávamos na dissolução primitiva...".

Enquanto a intimidade é uma ameaça para os meninos, as meninas temem mais a separação, pois sua identidade feminina se baseia no relacionamento com outra pessoa. Acredito que as mulheres sejam literalmente feitas para relações mais íntimas, pois o corpo feminino, afinal, se destina a acomodar outros seres humanos. Anatomicamente, a mulher pode acomodar o pênis na vagina. Pode abrigar e alimentar o feto no útero. E, psicologicamente, parece mais apta do que os homens a se identificar com as necessidades do companheiro e se adaptar a elas.

Já foi dito que as mulheres sofrem uma lavagem cerebral, que são criadas para depender de relacionamentos e que dariam a alma, todo o seu ser, para mantê-los intatos. Já argumentaram que as adaptações das mulheres são adaptações de escravas. Porém, é possível que o fato amplamente conhecido de que as mulheres se adaptam melhor que os homens aos relacionamentos privados seja devido a uma capacidade inata, uma capacidade especificamente feminina para acomodar, a capacidade que reflete a história do desenvolvimento da mulher e talvez até mesmo a sua... anatomia?

E essa acomodação, que na melhor das hipóteses simboliza a concepção de que uniões imperfeitas são melhores do que uma autonomia perfeita, na verdade será menos "evoluída" ou menos madura?

Vejamos o que diz Ella:

"Somei os prós e os contras, e os prós ganharam. Quero o relacionamento. Isso significa que devo renunciar à expectativa de algum dia deixar o emprego, porque ele jamais vai ganhar muito dinheiro. Significa não dizer a ele que está bebendo demais nas festas, porque ele sempre bebe demais nas festas. Significa também que não devo cometer a indiscrição de perguntar com quem ele dorme quando está fora da cidade."

Por que Ella se dá esse trabalho? Aqui está sua resposta:

"Estamos casados há trinta anos. Temos uma história. Temos bom sexo, bons momentos e netos. Sei que poderia viver sozinha, mas temos juntos algo valioso que vale a pena ser preservado. Assim, eu me adapto."

Um dos argumentos a favor da maior adaptabilidade das mulheres aos relacionamentos baseia-se no que acontece durante a fase edipiana. Pois, embora os meninos tenham de renunciar à forte identificação com a mãe, ela foi e pode continuar a ser seu primeiro amor. Assim, os meninos, para serem meninos heterossexuais, podem continuar a desejar uma mulher como a mãe. As meninas, para conseguir sua heterossexualidade, não podem. Devem renunciar ao original e querido objeto de suas afeições e mudar a escolha de uma mulher para a de um homem.

O analista Leon Altman sugere que a flexibilidade feminina deriva desse afastamento sexual da mãe. "Essa renúncia", escreve ele, "a prepara para as demais renúncias, no futuro, de um modo que o menino não pode imitar."

Para a menina, renunciar à mãe como objeto de seus desejos sensuais é algo muito difícil, uma perda radical. Na verdade, alguns analistas dizem que a tão falada inveja do pênis – da qual, insiste Freud, todas as mulheres sofrem – pode ser interpretada como o desejo de evitar essa perda.

Se ao menos eu tivesse o que os meninos têm — poderia fantasiar uma menina —, não precisaria renunciar ao primeiro amor da minha vida.

Se eu ao menos tivesse um pênis — poderia raciocinar a lógica inconsciente da infância —, não precisaria desistir da minha mãe.

Mas a inveja da primeira infância não se limita à inveja do pênis; nem essa ou outra inveja pertence só às meninas. Pois, quando a criança começa a aprender o que é um corpo e o que ele pode fazer, a inveja de partes do corpo e de certas capacidades pode ser mútua. Queremos — é claro que queremos! — aquele seio que alimenta, aquele pênis versátil, aquela habilidade mágica e maravilhosa de fazer bebês. Ao contrário do triângulo ciumento, a inveja começa como uma peça de dois personagens: "Você tem, eu também quero ter".

Invejar, diz o dicionário, é "sentir-se descontente pelo fato de outra pessoa possuir o que desejamos para nós". Na verdade, dizem alguns psicanalistas, as origens da inveja podem remontar à inveja do seio da mãe, uma inveja daquela "fonte de todos os confortos, tanto físicos quanto mentais", daquele reservatório de plenitude e força.

Mais tarde, quando a criança aprende as diferenças anatômicas, o menino pode dizer que gostaria de ter bebês também. Ou pode negar que não pode ter bebês, procurando acreditar que meninas têm bebês meninas e meninos têm bebês meninos. As defesas que os meninos estabelecem contra sua inveja da gravidez, ou do útero, podem levar a um desinteresse permanente por bebês. Porém, foi muitas vezes afirmado que as atividades criativas dos homens no mundo são pálidos substitutos — sua versão externalizada — do poder de criar uma nova vida.

Algumas tribos primitivas permitem que os homens expressem sua inveja do útero por meio da *couvade* — o costume de o marido ficar na cama, como se fosse ter um filho, por ocasião do trabalho de parto da mulher. E alguns rituais da puberdade, segundo a hipótese do analista Bruno Bettelheim, podem ter como objetivo ajudar meninos e meninas a enfrentar a inveja pelas potencialidades do sexo oposto. Bettelheim nota que a mulher invejosa sempre foi muito mais focalizada. Sendo assim, ele procura enfatizar a inveja comum dos homens da vagina produtiva das mulheres e dos seios que fabricam leite.

"Acredito", escreve Bettelheim, "que o desejo de possuir... as características do outro sexo é uma consequência necessária das diferenças entre os sexos." Mas possuir as características do outro sexo pode significar perder as características do nosso. Por meio dos rituais da iniciação o homem procura, diz ele, "expressar suas ansiedades sobre o próprio sexo, cobiçando experiências, órgãos e funções só acessíveis às pessoas do outro sexo e, assim, libertando-se deles".

Tem sido observado que, com a mudança das atitudes sociais, o desejo secreto do homem de ter filhos não precisa ser tão escondido. Assim, ele acompanha a mulher às aulas de parto natural e respira com ela na sala de parto. Muitos homens (não falo agora de sociedades primitivas, mas do homem moderno de classe média) podem de tal modo se identificar (embora inconscientemente) com a capacidade da mulher para ter filhos que, durante a gravidez, eles – os homens! – têm crises de enjoo, sentem-se cansados e chegam a ganhar, às vezes, quinze quilos e uma barriga.

Há mais de cinquenta anos, Felix Boehm escreveu sobre a intensa inveja masculina da capacidade de ter filhos – a "inveja do parto" – e a inveja dos seios femininos. Boehm observa "que, quando vemos alguém com algo *mais* do que possuímos, nossa inveja se acende... A qualidade de coisa 'diferente' não é muito importante".

O que importa é que as diferenças físicas – tanto para homens quanto para mulheres – são vistas como uma diminuição, uma perda.

A inveja dos órgãos sexuais pode começar como um desejo real, mas é acrescida de significados metafóricos. Assim, a inveja do pênis, por exemplo – que nos parece uma ideia tão estranha, encarada por muitos como sexista ou tola –, pode ter mais sentido quando passamos do fato de invejar um instrumento versátil e elegante ao sentido dessa possessão.

A falta do pênis pode ser, por exemplo, um símbolo em volta do qual se acumulam sentimentos antigos de privação ou de logro. Pode também ser um símbolo do temor de não sermos exatamente o que o médico, ou nossa mãe, ordenou:

> Lembrem-se de que cada filho teve a mãe
> de quem foi o filho adorado,
> e cada mulher teve a mãe
> de quem não foi a filha adorada.

Pode ser ainda símbolo de um equipamento defeituoso para fazer seja o que for na vida, porque – como disse uma mulher tentando descrever seus sentimentos de inferioridade – "não há nada lá".

As mulheres que exercem uma profissão muitas vezes falam das dúvidas sobre sua capacidade, da impressão de que não têm o que é necessário, da certeza de que falta a elas alguma coisa essencial para o sucesso, da crença – quando alcançam o sucesso – de que seu triunfo foi obtido fraudulentamente. A certeza de que os homens são "equipados para o sucesso", e elas, não, é a versão da inveja do pênis entre as mulheres que trabalham.

A inveja do pênis pode ser também o símbolo do que é necessário para adquirir os poderes e as prerrogativas dos homens. Pois, se o pênis significa homem, e homem significa ter todo tipo de vantagens especiais, então a inveja pode formar um elo inconsciente entre a vantagem masculina e a anatomia do homem.

Em estudo recente, foi feita uma pergunta simples a cerca de duas mil crianças da terceira à décima segunda série: se você acordasse amanhã e descobrisse que tinha se tornado um/a menino/menina, o que se modificaria em sua vida? E a despeito de mais de uma década de conscientização do problema do preconceito sobre os sexos, as respostas, tanto dos meninos quanto *das meninas*, revelam um lamentável desprezo pelo sexo feminino.

Os meninos do ensino fundamental, horrorizados, geralmente deram títulos às suas respostas, como "O Desastre" ou "O Sonho Fatal". A seguir, respondiam:

"Se eu fosse menina, seria burra e fraca como um fio de linha". Ou: "Se eu acordasse transformado em menina, desejaria que fosse um pesadelo e voltaria a dormir". Ou ainda: "Se eu fosse menina, todos seriam melhores do que eu, porque meninos são melhores do que meninas". Ou também: "Se eu fosse menina, eu me matava".

Os meninos acharam que, como meninas, teriam de se preocupar mais com a aparência física ("Não poderia mais andar malvestido – teria de cheirar bem"); acharam que seu trabalho seria trivial ("teria de cozinhar, ser mãe e coisas nojentas desse tipo"); que suas atividades seriam restritas ("teria de odiar cobras") e que não seriam tão bem tratados. As meninas concordaram com esses julgamentos.

"Se eu fosse menino", escreveu uma garota da terceira série, "faria as coisas de modo melhor do que faço agora." E mais: "Se eu fosse menino, toda a minha vida seria mais fácil". Ou ainda: "Se eu fosse menino, poderia me candidatar à presidência". E esta, comovente: "Se eu fosse menino, talvez meu pai me amasse".

Um ou outro garoto respondeu que via certas vantagens em ser mulher: "Ninguém caçoaria de mim por ter medo de sapos". Entretanto, nas séries mais adiantadas, nenhum menino invejava as meninas, mas as meninas continuavam a achar a vida do homem muito melhor.

Chega um tempo em que as meninas descobrem que lhes falta uma parte do corpo. Então, elas começam a desejar essa parte. Algumas finalmente abandonam esse desejo; outras, não. Essas últimas aparentemente sentem que lhes falta algo que as faria suficientemente boas, melhores, ou completas. O que desejam então não é um pênis, mas aquele "algo" que o pênis passa a representar.

A inveja do pênis pode fazer com que as mulheres desprezem a si mesmas ou às outras mulheres – defeituosas. Pode fazer com que odeiem ou supervalorizem os homens. Pode levá-las à procura de um marido que, como disse Evelyn quando se casou, "seja exatamente o que eu seria se fosse homem". Ou pode se expressar como a exigência de um tratamento especial, como compensação por ter sido maltratada e lograda pelo destino.

Embora as meninas possam se considerar "privadas de alguma coisa", não constituem o único sexo a ter inveja do pênis. No estágio de Édipo, os meninos – na competição com o pai pela conquista da mãe – querem o que o pai tem, e isso significa também o pênis. Isso não significa que os meninos muito novos compreendam o papel do pênis no ato sexual; suas ideias sobre esse ato são vagas e estranhas. Mas, como tudo mais que o papai tem, seu pênis é extremamente maior do que o *dele*. E, dentro da teoria dos garotinhos (muitas vezes a teoria dos homens adultos) de que o maior é o melhor, eles o invejam.

Assim, a descoberta das diferenças anatômicas pode criar, tanto nos meninos quanto nas meninas, sentimentos de inveja. Mas a intensidade dessa inveja, sua importância, varia de acordo com cada vida individual e única. Outro resultado desse curso pré-escolar de anatomia comparada pode ser uma dramática elevação da ansiedade, com a preocupação pelas partes do corpo que podem ser perdidas ou que já perderam.

Para os meninos, esses temores estão intimamente ligados ao fato de existir um enorme grupo de pessoas aparentemente sem pênis. As meninas certamente têm um! Não têm? Então, por que o perderam? O valor que dão a esse órgão – é gostoso, é bonito – e a descoberta de que pode desaparecer dão origem ao temor masculino (pensando bem, bastante razoável) chamado "ansiedade de castração".

Essa ansiedade é acentuada pelas ambições edipianas: o desejo presunçoso de tomar o lugar do pai. E o medo de pagar um alto preço por essa competição – como se atreve? – pode às vezes acompanhar o homem até a idade adulta. Quando um homem competente faz o possível para fracassar, ou se diminui constantemente, ou tem dificuldade de levar para a cama a mulher que ama, pode estar ainda dizendo mentalmente ao pai assustador: "Não precisa me machucar – como vê, não sou uma ameaça para você".

No fim da fase de Édipo, o indivíduo adquiriu uma ideia mais rica, mais complicada sobre o que significa masculino e feminino. A solução dos conflitos triangulares ajuda a determinar tipo de homem ou mulher ele virá a ser. As meninas reforçam a identificação feminina, esperando algum dia casar-se com um homem igual ao pai. Os meninos reforçam a identificação masculina, esperando algum dia casar-se com uma mulher igual à mãe. Nesse processo aprendem com maior ou menor clareza o que não podem ter ou ser. "Papai, eu amo você!", diz a criança de quatro anos com um olhar erótico. "Acho que quando crescer vou me casar com um homem!" Mas acontece que essa criança é um menino e vai aprender que a mamãe que ele também ama ternamente é o modelo mais conveniente para o objeto dos seus desejos sexuais.

A identidade sexual molda-se de acordo com a figura do progenitor do mesmo sexo, mas também com a do outro sexo. Na classe média americana do fim do século XX, os meios pelos quais se pode ser homem ou mulher estão amplamente abertos. Mesmo assim, temos corpos que serão para sempre diferentes. E caminhando na estrada do desenvolvimento psicossexual, tomamos atalhos diferentes – um para os meninos, outro para as meninas. Como seres humanos heterossexuais, nos identificamos e amamos de acordo com os padrões e as possibilidades de cada sexo. Mas o que determina o fato de nossa anatomia moldar ou não nosso destino é o modo como vemos nossos limites. Pois certamente existem limites ligados ao sexo. E certamente podemos vê-los como perdas. Mas o reconhecimento dos limites não se opõe – na verdade, pode ser um requisito necessário – ao desenvolvimento criativo da potencialidade.

"O ceramista que trabalha com argila reconhece as limitações do material", escreve Margaret Mead. "Precisa temperá-lo com uma certa quantidade de areia, vitrificá-lo até certo ponto, mantê-lo a uma determinada temperatura, queimá-lo com certo grau de calor. Mas reconhecer as limitações do material não significa limitar a beleza da forma que suas mãos de artista, com a experiência da tradição, informadas por sua própria visão do mundo, impõem à argila."

O que ela está dizendo é que a liberdade começa quando reconhecemos o que é possível – e o que não é.

Está dizendo que, se chegarmos a conhecer a natureza da nossa argila, podemos impor nosso destino sobre a anatomia.

CAPÍTULO 9
Tão bom quanto a culpa

> *Sem culpa*
> *O que é o homem? Um animal, não é mesmo?*
> *Um lobo perdoado em sua carne,*
> *Uma abelha inocente em sua copulação.*
>
> ARCHIBALD MACLEISH

As realidades do amor e do nosso corpo nos convencem de que nem tudo é possível. Não somos seres sem limites e jamais nos livraremos das barreiras impostas pelo proibido e pelo impossível – incluindo-se os limites impostos pela culpa.

Pois, sejamos ou não as únicas criaturas capazes de sentir culpa, sem dúvida fazemos isso melhor do que as abelhas ou os lobos. E, embora nossos sentimentos de culpa não tenham eliminado os Sete Pecados Mortais, ou nos convencido a obedecer aos Dez Mandamentos, certamente têm diminuído bastante nosso ritmo.

Entretanto, devemos reconhecer que, embora a culpa nos prive de muitas coisas gratificantes, o mundo seria monstruoso sem esse sentimento. Pois as liberdades que perdemos, nossas restrições e tabus são perdas necessárias – parte do preço que pagamos pela civilização.

Adquirimos o sentimento de culpa quando, mais ou menos aos cinco anos, começamos a desenvolver um superego, uma consciência, quando o "Não, você não pode" e o "Que vergonha", que eram externos, agrupam-se como uma voz interior e crítica. A culpa passa a ser nossa quando, em vez de pensar: "É melhor não fazer isso, eles não vão gostar", o "eles" deixa de ser a mãe e o pai para se transformar no "eu".

Pois não chegamos a este mundo comprometidos com nenhum preceito moral admirável. Não se nasce com a intenção de ser bom. Queremos, queremos e queremos, e só lentamente desistimos de estender a mão e agarrar tudo. Mas o controle não pode ser chamado de consciência, enquanto não se é capaz de levá-lo para nosso íntimo e fazer dele nossa propriedade, enquanto – a despeito do fato de que nossos erros jamais sejam conhecidos ou punidos – não sentimos aquele aperto no estômago, aquele frio na alma, aquele sofrimento autoinfligido chamado culpa.

A verdadeira culpa, podemos argumentar, não é o medo da ira dos pais, ou da perda do seu amor. A verdadeira culpa, podemos dizer, é o medo da ira da *consciência*, a perda do amor dessa consciência.

Resolvemos nossos conflitos edipianos adquirindo uma consciência que – como nossos pais – limita e restringe. A consciência é o pai e a mãe instalados em nossa mente. Identificações posteriores, com professores e pregadores, com amigos, com *superstars* e heróis, modificarão nossos valores e nossos tabus. E o aparecimento, ao longo dos anos, de habilidades cada vez mais complexas, prepara o caminho para ideias morais mais complexas. Na verdade, acredita-se hoje que os estágios do nosso raciocínio moral (o psicólogo Lawrence Kohlberg diz que são seis) desenvolvem-se paralelamente ao do nosso processo de pensamento. Porém, embora a consciência seja baseada em emoção *e* pensamento e embora sofra evolução e mudanças com o tempo, embora seja formada de sentimentos dos primeiros estágios e tenha uma expansão que ultrapassa os problemas de Édipo, envolvendo-se em todo tipo de conflitos e preocupações, esse superego, essa parte do nosso eu que contém nossas restrições morais e nossos ideais nasce das primeiras lutas contra paixões sem lei, da nossa submissão *interior* às leis humanas.

E, se violamos essas restrições morais ou abandonamos esses ideais, nossa consciência observa, censura, condena.

E, se violamos essas restrições morais ou abandonamos esses ideais, nossa consciência se encarrega de nos fazer sentir culpa.

Existem, porém, a culpa boa e a má, a culpa apropriada e a inapropriada. Existe a culpa deficiente e existe a culpa excessiva. Alguns de nós talvez conheçam pessoas incapazes do sentimento de culpa. Mas quase todos nós conhecemos pessoas (e estamos também entre elas) capazes de criar um sentimento de culpa a respeito de quase tudo.

Eu sou uma dessas pessoas.

Sinto-me culpada sempre que meus filhos estão infelizes.

Sinto-me culpada quando morre uma das minhas plantas.

Sinto-me culpada quando não uso o fio dental depois de comer.

Sinto-me culpada quando conto a mais leve mentira.

Sinto-me culpada quando piso deliberadamente num inseto – com exceção das baratas.

Sinto-me culpada quando uso, para cozinhar, uma porção de manteiga que caiu no chão.

E como, se tivesse espaço, eu poderia facilmente relacionar mais algumas centenas de itens genuínos, provocadores de sentimento de culpa, posso dizer que sofro de um sentimento de culpa excessivo e indiscriminado.

Culpa indiscriminada é também a incapacidade para distinguir pensamentos proibidos de ações proibidas. Assim, desejos maldosos são iguais a atos maldosos. E, embora nós, adultos, acreditemos que há muito tempo somos capazes de distinguir um do outro, nossa consciência pode cruelmente nos condenar, não só pelo crime que cometemos, mas também pelo desejo de crime que levamos no coração. E, mesmo sabendo que só o desejo não implica o ato, ainda assim nos sentimos culpados.

Essa falta de discriminação é um dos modos pelos quais demonstramos o excesso de culpa. A punição desproporcional é outro. Pois atos culposos que exigem nada mais do que um "desculpe-me", uma pancadinha mental no peito, podem inspirar atos surpreendentes de autoflagelação: "Eu fiz isso, como pude fazer isso? Só um monstro baixo e sem moral poderia fazer tal coisa; assim, condeno esse criminoso – eu mesmo – à morte". Essa autopunição excessiva é algo assim como despejar uma xícara cheia de sal no sanduíche de salada e ovo. Ninguém nega que o sanduíche precisa de sal, mas *não tanto*.

Outra forma de excesso pode ser chamada de culpa onipotente, que se baseia na ilusão de controle – a ilusão, por exemplo, de que se tem controle absoluto sobre o bem-estar das pessoas que amamos. Assim, se elas sofrem, fracassam ou ficam doentes física ou mentalmente, temos certeza de que é nossa culpa, de que, se tivéssemos agido de modo diferente, ou melhor, sem dúvida teríamos evitado o sofrimento.

Um rabino, por exemplo, fala a respeito de suas visitas de pêsames numa tarde de inverno a duas famílias que haviam perdido duas mulheres idosas.

Na primeira casa, o filho disse para o rabino: "Se ao menos eu tivesse mandado minha mãe para a Flórida, para longe desta neve, ela estaria viva hoje. Ela morreu por minha culpa".

Na segunda casa, o outro filho disse: "Se ao menos eu não tivesse insistido para que minha mãe fosse para a Flórida, ela estaria viva hoje. Aquela longa viagem de avião e a mudança brusca de clima foram demais para ela. Morreu por minha culpa".

A questão é a seguinte: acreditando-nos culpados, podemos acreditar nos nossos poderes de controle da vida. Estamos dizendo que preferimos o sentimento de culpa à aceitação de não estarmos com o controle.

Outros talvez sintam necessidade de acreditar que alguém lá em cima tem o controle, que coisas terríveis não acontecem sem uma causa, que, se foram atingidos pela tragédia e pela perda devastadora, é porque, de algum modo, as mereceram. São os que não aceitam a ideia de que o sofrimento é aleatório, ou de que os homens maus prosperam enquanto os bons são castigados. Assim, acrescentam ao sofrimento a convicção de que sofrem porque devem sofrer, que seu sofrimento é prova suficiente da sua culpa.

Uma mulher cuja filha fora acometida por uma doença gravíssima contou-me a espantosa conversa que teve com Deus, um Deus, inclusive, no qual ela dizia não acreditar. "Você devia sentir-se envergonhado. Devia mesmo", censurou ela. "Que opressor você se tornou! Se quer punir uma pessoa descrente, pode punir a ela, mas não à filha dela. Pare de atormentar minha filha! Atormente a mim!"

A analista Selma Fraiberg diz que a consciência saudável produz sentimentos de culpa proporcionais ao ato praticado, que servem para evitar que esses atos sejam repetidos. "Mas a consciência neurótica", diz ela, "comporta-se como um quartel da Gestapo no interior da personalidade, procurando impiedosamente ideias perigosas ou potencialmente perigosas, ou qualquer coisa remotamente ligada a elas, e acusando, ameaçando, atormentando numa inquisição interminável, procurando provar a culpa por ofensas ou crimes triviais cometidos nos sonhos. Esses sentimentos de culpa têm o efeito de condenar à prisão toda a personalidade..."

São sentimentos excessivos e neuróticos de culpa.

A culpa neurótica pode ser alimentada por ocorrências dos anos pré-edipianos – pela ansiedade e pela raiva provocadas por separações anteriores, ou pelas lutas contra os pais. Assim, por exemplo, nossa consciência pode aplicar a punição do fui-abandonada-porque-não-era-boa-portanto-mereço-ser-punida. Ou pode condenar severamente aquelas partes do indivíduo que os pais — cujo amor tanto se temia perder — condenavam. Pode, ainda, estar carregada com a raiva antes dirigida contra a mãe e o pai, agora vigorosamente dirigida contra o próprio indivíduo. Como me disse um psicanalista: "De modo geral, acredito que tudo aquilo que faz a criança lutar sozinha contra a ansiedade e a raiva a predispõe a repetir a encenação num palco interior — adotando níveis e tipos inadequados de culpa, quando adulto".

É um tipo de culpa que nos faz acreditar que, se beijarmos alguém, vai crescer cabelo nos nossos dentes. E, se respondermos mal para nossa mãe, ela terá um enfarte. E, se resolvemos fazer o que desejamos desesperadamente há tanto tempo — algo maravilhoso —, não devíamos estar fazendo aquilo.

E às vezes, infelizmente, como descobriu o paciente fictício e apavorado do dr. Spielvogel, Alexander Portnoy, não *podemos* fazer:

> Não posso fumar, mal posso beber, não peço dinheiro emprestado nem jogo cartas, não posso contar uma mentira sem começar a suar como se estivesse atravessando o Equador. Certo, eu digo "foda-se" o tempo todo, mas pode estar certo, é o máximo do meu sucesso com transgressões... Por que uma pequena turbulência está tão além das minhas possibilidades? Por que o menor desvio das convenções respeitáveis provoca em mim esse inferno interior? Quando, na verdade, eu *odeio* essas malditas convenções! Quando sei que os tabus são *tolices*! Doutor, meu médico, o que o senhor acha? VAMOS DEVOLVER O ID AO YID! Por favor, liberte a libido deste bom garoto judeu. Aumente os preços, se precisar — pago qualquer coisa! Mas acabe com essa fuga covarde dos prazeres profundos das trevas!

Nem todos são tão conscientes quanto Portnoy, ou seu criador, Philip Roth, das inibições morais com as quais vivemos. Podemos conscientemente nos sentir mais livres do que realmente somos. Pois um aspecto importante da culpa é o fato de quase sempre trabalhar em nós sem nosso conhecimento, o fato de que podemos sofrer as consequências da culpa inconsciente.

Conhecemos a sensação da culpa consciente — conhecemos a tensão e a dor —, mas a culpa inconsciente só pode ser conhecida de modo indireto. E um dos sinais que evidenciam a presença da culpa inconsciente é o forte impulso de autopunição, uma necessidade persistente de ser punido ou de se punir.

Os criminosos que deixam pistas incriminadoras (inclusive Nixon, talvez, e suas fitas de Watergate) muitas vezes são levados pela culpa inconsciente. Assim também o marido que, depois de passar a tarde com uma amiga, volta para casa com o relógio dela no bolso da camisa. Assim também Dick, que, depois de uma discussão amarga com o pai, bate o carro e se fere gravemente. Ou Rita, que, quando o chefe censurou duramente a secretária, pensou: "Ainda bem que é com ela, não comigo" – e então imediatamente paga por isso derramando chá quente no colo.

Assim também os amantes do passado, Ellie e Marvin.

> Ellie e Marvin
> Têm se encontrado secretamente duas vezes por semana
> Durante os últimos seis meses,
> Mas não consumaram sua paixão,
> Porque,
> Embora ambos concordem em
> Que a fidelidade conjugal
> Não só é pouco realista como também
> Irrelevante,
> Ela começou a sofrer de enxaquecas e
> Ele começou a ter pontadas agudas
> No peito, e
> Ela ficou com impetigem e
> Ele teve conjuntivite.
>
> Ellie e Marvin
> Viajam sessenta quilômetros até lanchonetes distantes
> Em carros separados,
> Mas até agora não fizeram nada além de
> Abraços e beijos,
> Porque,
> Embora ambos concordem em
> Que a exclusividade sexual
> É não só adolescente mas também

> Retrógrada,
> Ela começou a ter colite e
> Ele, dores atordoantes e latejantes
> Nas costas, e
> Ela começou a roer as unhas e
> Ele está fumando outra vez.
>
> Ellie e Marvin
> Desejam fazer amor durante a tarde
> Num motel,
> Mas até agora só tomaram uma grande quantidade
> De café,
> Porque
> Ele está convencido de que seu telefone tem escuta e
> Ela está convencida de que um homem com jaqueta de couro a está seguindo e
> Ele diz "e se o motel se incendiar?"
> Ela diz "e se eu falar alto em sonho?" e
> Ela acha que o marido está agindo com hostilidade suspeita e
> Ele acha que a mulher está agindo com bondade suspeita e
> Ele está sempre ferindo o rosto com a lâmina de fio duplo e
> Ela está sempre prendendo a mão na porta do carro; assim,
> Embora ambos concordem em
> Que o sentimento de culpa não é só neurótico, mas também
> Obsoleto,
> Concordaram também em
> Desistir
> Dos encontros secretos.

Entretanto, a culpa inconsciente pode cobrar preços muito mais altos do que a colite, as enxaquecas, as dores nas costas ou a paranoia. Pode insistir numa vida inteira de penitência e de dor. E essa culpa pode ter origem num ato de omissão, num pensamento que nossa consciência, com sua infinita sabedoria, considera pecaminoso. Assim, a doença da nossa mãe, o divórcio dos nossos pais, nossas invejas e nossos ódios secretos, nossas gratificações sexuais solitárias — qualquer uma dessas coisas, ou todas, podem vir a ser nossa culpa e nossa vergonha. E, se o novo irmão ou a nova irmã que não queríamos e que desejávamos que desaparecesse vem a morrer – por doença ou acidente –, podemos nos julgar responsáveis e – sem saber o que estamos pensando – dizer para nós mesmos: "Por que eu o matei? Por que não o salvei? Por quê?".

E nossa vida pode se chocar nas rochas dessa culpa inconsciente.

Freud foi o primeiro a observar que os analistas às vezes trabalham com pacientes que resistem ferozmente a qualquer alívio dos próprios sintomas, que parecem se agarrar à dor emocional, prendendo-se a ela porque ela significa a punição que eles próprios não sabem que desejam, por crimes que nem sabem que cometeram. Entretanto, Freud faz notar que uma neurose resistente a todos os esforços do analista pode desaparecer de repente se o paciente faz casamento infeliz, perde todo o dinheiro ou fica gravemente doente. "Nesses casos", escreve Freud, "uma forma de sofrimento é substituída por outra, e vemos que tudo o que importava era a possibilidade de manter uma certa quantidade de sofrimento."

Mas às vezes as pessoas são culpadas e devem sofrer, inclusive pessoas como eu e como você. Algumas vezes a culpa é apropriada e boa. Nem toda culpa é neurótica – para ser curada, para ser eliminada por meio da análise. Teríamos uma moral de monstros se isso fosse possível. Mas alguns de nós demonstram certas deficiências na capacidade de sentir culpa.

Tenho uma amiga chamada Elizabeth que não pode reconhecer a culpa porque, em sua mente, os culpados são fuzilados ao amanhecer. Ela tem de ser perfeita, sem pecado, sem erro. Assim, ela diz: "O carro foi batido", porque não consegue dizer: "Eu bati o carro". Diz também: "Os sentimentos dele foram feridos", porque não pode aceitar a ideia de ter ferido os sentimentos dele. Na melhor das hipóteses, ela dirá: "Nós esquecemos de comprar as entradas, e agora estão esgotadas", quando era a única "nós" encarregada de comprá-las. E para certos atos mais drásticos – certa vez teve um caso com o melhor amigo do marido –, conseguiu convencer tanto a si mesma quanto ao marido de que ela não tinha culpa, porque ele a havia levado àquilo!

Elizabeth é perfeitamente capaz de distinguir entre o certo e o errado. Entretanto, não pode acreditar que seja capaz de sentir culpa – e sobreviver.

Outro tipo de culpa deficiente é demonstrado por pessoas que punem a si mesmas depois de cometer um ato terrível, mas que voltam a cometê-lo várias vezes mais. Pois, embora a consciência diga que o que fazem é errado e exija um pagamento brutal pelo pecado, o sentimento de culpa não funciona para elas como um sinal de alarme. Serve somente para punir, nunca para prevenir.

Sabemos que certos criminosos, na verdade, procuram a punição para expiar uma culpa inconsciente. Sabemos que alguns criminosos sofrem de sentimentos de culpa distorcidos, sempre presentes. Existem, entretanto, as chamadas personalidades psicopatas, que parecem demonstrar uma ausência completa de culpa, pessoas cujos atos antissociais e criminosos, cujos repetidos atos de destruição e depravação ocorrem sem nenhuma restrição ou remorso. Esses psicopatas enganam e roubam, mentem e prejudicam e destroem com extrema impunidade emocional. Esses psicopatas soletram em letras de trinta metros de altura o tipo de mundo que teríamos, se não existisse a culpa.

Mas não é preciso ser psicopata para permitir que outra pessoa ou um grupo tome o lugar da nossa consciência individual. Porém, isso pode também levar à culpa deficiente. Pois, quando transferimos para outros nosso senso de responsabilidade moral, podemos nos livrar das principais restrições morais. Essa transposição da consciência pode transformar pessoas comuns em integrantes de grupos de linchamento e operadores de crematórios. E pode levar qualquer pessoa a agir de um modo que, individualmente, ela consideraria impossível.

Numa famosa experiência para testar a consciência *versus* a obediência à autoridade, o psicólogo Stanley Milgran levou algumas pessoas ao laboratório de psicologia da Universidade de Yale, a fim de realizarem – assim foram informados – um estudo sobre a memória e o aprendizado. Foi explicado que se estudaria o impacto da punição sobre o aprendizado e que, para isso, uma das pessoas, designada como "professor", devia administrar um teste de aprendizado a um "aluno" amarrado a uma cadeira na outra sala e aplicar um choque elétrico cada vez que o "aluno" desse uma resposta errada. Os choques eram executados por meio de uma série de trinta interruptores, que iam do fraco (15 volts) ao severo (450 volts), e o "professor" era instruído para aplicar a cada resposta errada o choque seguinte mais alto. O conflito começou quando o "aluno" passou dos gemidos aos protestos veementes e depois a gritos de agonia, e o "professor", cada vez mais constrangido, quis parar a experiência. Mas cada vez que hesitava, a pessoa com autoridade ao seu lado o incentivava a continuar e completar a experiência. E, a despeito da preocupação com o nível de dor que estava sendo infligida, um grande número de "professores" continuou apertando o interruptor até a mais alta voltagem.

Os professores não sabiam que os alunos eram atores e que estavam apenas fingindo sentir dor. Pensavam que os choques eram dolorosamente reais. Mas alguns convenceram-se de que estavam fazendo aquilo por uma causa nobre – a procura da verdade. E outros convenceram-se de que "ele foi tão burro e teimoso, que mereceu levar o choque". Outros ainda, simplesmente, não foram capazes, embora convencidos de que o que faziam era errado, de falar francamente com os orientadores do teste – isto é, de desafiar a autoridade.

Milgran nota que "uma explicação generalizada é que os professores que infligiram à vítima o mais alto grau de choque eram monstros, a porção sádica da sociedade. Mas, se considerarmos que quase dois terços dos participantes se encaixam nessa categoria de indivíduos 'obedientes' e que representam pessoas comuns escolhidas entre as classes trabalhadora, executiva e profissional, o argumento perde toda a sua força".

É tentador ler sobre essa experiência e imaginar a nós mesmos saindo pela porta, capazes de distinguir o certo do errado e de agir de acordo com essa distinção. É tentador pensar que nossa consciência teria prevalecido. É tentador pensar que, submetidos ao teste, seríamos contados entre os moralmente puros. E alguns de nós realmente o seriam. E alguns de nós fracassariam. Mas nós todos, durante nossa vida, praticamos atos que sabemos ser moralmente errados. E, quando isso acontece, a resposta saudável é o sentimento de culpa.

A culpa saudável é adequada – em quantidade e qualidade – ao ato. A culpa saudável leva ao remorso, mas não ao ódio por si mesmo. A culpa saudável evita a repetição do ato culposo, sem isolar um vasto campo de nossas paixões ou prazeres.

Precisamos reconhecer que fizemos algo moralmente errado.

Precisamos reconhecer e aceitar nossa culpa.

O filósofo Martin Buber, consciente dessa necessidade, nos diz que "existe a culpa real", que há valor no "coração sentido que censura" e que a reparação, a reconciliação, a renovação exigem uma consciência "que não foge da visão das profundezas e que, quando censura, procura o meio para atravessá-las..."

"O homem", diz Buber, "é o ser capaz de se sentir culpado e capaz de iluminar sua culpa."

Aparentemente, conhecemos melhor as partes proibitivas da nossa consciência que limitam os prazeres e as alegrias, as partes que estão sempre atentas para nos julgar, condenar e mobilizar o sentimento de culpa. Mas nossa consciência contém também nosso ego ideal – nossos valores e altas aspirações, as partes que falam aos nossos "deve-ser-feito" e não aos nossos "não-deve-ser-feito". Outra tarefa da consciência consiste em dizer "muito bem" e "fez muito bem", encorajando, aprovando, elogiando, recompensando-nos, e que nos ama por conseguir, ou procurar alcançar, esse ego ideal.

Nosso ego ideal é composto pelas visões mais otimistas e esperançosas do nosso eu. O ego ideal compõe-se dos mais nobres objetivos. E, embora seja um sonho impossível que jamais poderá se realizar, o fato de procurarmos alcançá-lo nos dá uma profunda sensação de bem-estar. Nosso ego ideal é preciso para nós, porque compensa uma perda da nossa primeira infância, a perda da imagem do eu como algo perfeito e completo, a perda da maior parte do ilimitado e infantil narcisismo do não-sou-maravilhoso, ao qual tivemos de renunciar em face da realidade. Modificado e remodelado em objetivos éticos e padrões de moral, e numa visão do melhor que podemos ser, nosso sonho de perfeição continua vivo – nosso narcisismo perdido continua vivo no nosso ego ideal.

É verdade que sentimos culpa quando não alcançamos o ego ideal, ou quando ultrapassamos nossas restrições morais. É verdade que a culpa nos faz menos felizes, menos livres. Se pudermos acreditar no "vale-tudo", podemos continuar nosso caminho alegremente – sem culpa. Um lobo perdoado em sua carne. Uma abelha inocente em sua copulação. Algo além dos limites da humanidade.

Não se pode ser um ser humano completo sem a perda da liberdade do vale-tudo.

Não se pode ser um ser humano completo sem se adquirir a capacidade de sentir culpa.

CAPÍTULO 10

O fim da infância

Ser um homem é exatamente ser responsável.

Antoine de Saint-Exupéry

Passando da união para a separação, e do eu separado para o eu culpado, descobrimos que não estamos seguros nem livres. Cada vez fica mais evidente que a pessoa responsável por nós... somos nós, e podemos nos ressentir dessa responsabilidade. Como o menino de sete anos que, censurado pelos pais por se comportar mal, respondeu indignado, queixando-se: "Estou ficando cheio disso! Tudo o que vocês fazem, põem a culpa em mim".

Talvez possamos dizer que esse menino era simplesmente um futuro psicanalista, representando a clássica visão freudiana de que forças desconhecidas inconscientes determinam nossas ações, que desejos, necessidades e temores fora do nosso consciente nos incitam a querer o que queremos e a fazer o que fazemos.

Como ser responsável quando nosso id – esse demônio dos tempos modernos – nos obriga a fazer as coisas?

A resposta é de Saint-Exupéry: ser um homem, uma mulher, um adulto é aceitar a responsabilidade. E, durante os anos compreendidos entre o nascer da consciência e o fim da adolescência, devemos – expandindo lentamente o domínio pelo qual podemos nos responsabilizar – nos transformar em adultos responsáveis.

Devemos começar reclamando como nossos os tumultos de desejos, raivas e conflitos que moram dentro de nós. Devemos também começar a aprender a amarrar nosso sapato. E, à medida que estendemos o domínio e o reino da nossa consciência e competência, começaremos a nos afastar cada vez mais de casa. Na fase que Freud chamou de "latência" – geralmente entre os sete e dez anos –, deixamos a benevolente fortaleza da família. Nossa tarefa como crianças no período de latência consiste em adquirir o conhecimento social e psicológico sem o qual não é possível conviver com essa separação, essas novas perdas necessárias.

Pesquisas recentes sugerem que a fase de latência pode ser determinada por um relógio biológico, pois aos sete anos há uma convergência de maior estabilidade psíquica e importantes habilidades cognitivas, que dá ao indivíduo mais autocontrole. Portanto, teoricamente, estará mais bem equipado para adiar e redirecionar os impulsos mais importantes. É possível a socialização com maior facilidade. Mas, a não ser que se chegue à latência com o eu definitivamente separado – tendo renunciado ao papel principal de Édipo –, essas tarefas tornam-se difíceis.

Afinal, como pode uma menina ir à escola quando tudo é tão triste e perigoso longe da mãe? E como pode o menino aprender o abc com coisas como incesto e parricídio na mente? Embora a maioria das crianças entre na fase de latência com uma consciência rígida e rigorosa demais, de um pecador recém-convertido, deve entrar também com confiança suficiente – nos outros e nela mesma – para permitir que essa consciência tão rigorosa seja abrandada. Pois, como é possível arriscar e ousar, se cada erro cometido é um crime capital? Como, se todos os caminhos estão bloqueados por restrições autoimpostas, é possível sair para explorar o mundo da latência?

Com apenas sete anos, está na hora de sair.

Na latência, a criança descobrirá, com espanto e alívio, que os pais são falíveis: "Meu pai diz que foi assim, mas minha professora, a srta. March, diz que não foi". Na latência, encontra um novo conjunto de pessoas para admirar, para imitar, para amar. Deixando o tumulto de Édipo para trás e com as tempestades da adolescência ainda no futuro, a criança volta suas paixões e suas energias para o aprendizado. E por meio do que aprende – lendo, cavalgando e correndo por uma pequena parte do universo –, começa a adquirir a sensação de comando.

Numa entrevista com Amy, minha vizinha em Washington, de nove anos, ela falou sobre algumas das coisas que recentemente dominou:

"Atravessar ruas movimentadas sem sinal."

"Fazer eu mesma minha torrada e todo tipo de sanduíches."
"Tocar violino."
"Dar cambalhotas."
"Mergulhar com a prancha sem dobrar os joelhos."
"Entender palavras difíceis – como o significado de 'pastoral'."
"Aprender sobre os republicanos e democratas e sobre a Grécia, conhecer o mundo todo e não apenas a vizinhança."

O analista Erik Erikson, no seu clássico *As Oito Idades do Homem*, descreve os estágios e desafios do ciclo da vida e vê a latência como o estágio em que se desenvolve o que ele chama de "senso da indústria". O desejo de fazer algum tipo de trabalho completo. A capacidade de manejar as tarefas e os instrumentos da sociedade em que se vive. E uma autodefinição ampliada, que inclui – enquanto nos equilibramos em duas rodas e aprendemos palavras como "pastoral" – novas competências extremamente gratificantes. Erikson diz que todas as crianças, "mais cedo ou mais tarde, se sentem descontentes e impacientes, sem a sensação de poder fazer coisas bem-feitas, até mesmo com perfeição..." O trabalho, até o das crianças, oferece – como disse Joseph Conrad certa vez – uma oportunidade de nos encontrar, achar a própria realidade.

Além de aprender a fazer bem as coisas, a criança aprofunda a autodefinição, colocando-se no contexto de um grupo, percebendo que faz parte de algo que se chama "meninos", ou "meninas", ou "crianças de nove anos", ou "alunos da quinta série". A identidade sexual e a compreensão do que pode fazer uma criança da sua idade ficam mais claras e são confirmadas pelo fato de ser membro do grupo, o que intensifica o senso de identidade, aquele "*este* sou eu", a uma distância física e emocional do lar.

Para alguns, há também aquele adulto que é a primeira centelha – para mim, foi a líder do meu grupo de escoteiras a primeira pessoa adulta que acreditou que eu podia escrever – que nos vê em papéis especiais, em papéis de autodefinição, a pessoa que não podem ser nossos pais do faça-sua-cama-e-pare-de-bater-na-sua-irmã-e-não-responda-para-sua-mãe.

O mundo da criança se expande também com o desenvolvimento de um senso mais acentuado da realidade, uma distinção mais clara entre ficção e fato, que permite a elaboração de planos mais práticos e o jogo com as fantasias sem o temor de que elas tomem conta da sua vida.

A latência é outro passo para fora e para a frente. E, no seu auge ideal, pode dar à criança aquela sensação embriagadora (embora, como logo descobre, efêmera) de que finalmente começa a juntar as coisas.

Alguns de nós talvez lembrem dessa época da infância como um período difícil, solitário e confuso. Éramos péssimos nos jogos, éramos tímidos, éramos sempre deixados de lado. Mas muitos adultos lembram esses anos como repletos de amizades novas, triunfos e riso. Na verdade, são os anos dourados que Dylan Thomas descreve no seu belo poema sobre juventude e vida fácil, "Fern Hill":

> E quando eu era imaturo e descuidado, famoso entre os celeiros,
> No pátio feliz cantando, quando a fazenda era meu lar,
> Ao sol que só é jovem uma vez,
> O tempo deixava-me brincar e ser
> Dourado na graça dos seus meios,
> E verde e dourado, eu era caçador e pastor, os novilhos
> Cantavam ao som da minha corneta, as raposas latiam nas colinas claras e frias,
> E o sabá repicava lentamente
> Sobre os cascalhos dos regatos sagrados.
>
> E, respeitado entre raposas e faisões ao lado da casa alegre,
> Sob as nuvens recém-criadas e tão feliz como podia ser,
> Ao sol renascido, muitas vezes,
> Eu seguia meu caminho sem destino,
> Meus desejos percorriam os montes altos de feno,
> E eu não tinha cuidado, ocupado com o céu azul, que o tempo permite
> Em seu movimento, criando tão poucas manhãs tão felizes
> Antes que as crianças verdes e douradas
> O acompanhem, perdendo a inocência.

Na minha entrevista com Amy, perguntei se sua vida de nove anos e meio era verde e dourada. A resposta foi "naturalmente que sim!". E sua explicação fazia parecer que tinha lido – ou escrito – o livro da criança na fase de latência.

Amy diz que tem a sensação de estar "relaxada e confortável, mais ou menos crescida, mas não velha. Estou por minha conta, mas não preciso ganhar a vida". Os adultos em sua vida, diz ela, não a consideram mais "pequena". Entretanto, acrescenta, sabe que, "quando estou fora de casa por minha conta, sempre posso voltar e minha mãe e meu pai estarão à minha espera".

Amy pertence a um clube de cinco meninas chamado Frota do Arco-Íris (porque todas adoram o arco-íris). Sua melhor amiga é Anne (cujos segredos ela jamais revela). Amy gosta de jogos de tabuleiro, de andar de patins e de pessoas que não são mandonas. E sua opinião atual sobre a sociedade é que "ficar apaixonada parece idiota" e que "meninos devem brincar com meninos e meninas, com meninas".

O que ela gostaria que fosse diferente? Pouca coisa. Ela fala muito e acha que devia procurar falar menos. Gostaria de ser mais bondosa para com o irmão mais novo. E deseja "desesperadamente" ter orelhas furadas, mas, embora tenha de esperar por isso até completar treze anos, não tem pressa de ficar mais velha.

"Tenho a impressão de que, quando estiver no final do fundamental, tudo vai ser muito mais difícil", explica ela. Então, faz uma pausa. Depois acrescenta, filosoficamente: "Quando eu tinha seis anos, achava que o *quinto* ano seria mais difícil. Mas, quando cheguei lá, descobri que estava preparada".

Muitas crianças na fase de latência não se acham preparadas.

Nan, de dez anos, diz para a mãe: "Nunca vou usar batom – nunca. E não precisa comprar meias compridas para mim até eu ter cem anos".

O Peter Pan da ficção resolve nunca ser um homem, preferindo ser eternamente um menino.

E Joy, da sexta série, nos seus devaneios corre pelos bosques – líder do bando de Robin Hood –, mas ela prefere, nessas fantasias, adiar indefinidamente o começo da sua menstruação. Diz a si mesma que uma menina menstruada não vai se sentir bem liderando o bando de Robin Hood. Não diz que tem medo de sair do estado de graça para entrar na puberdade.

Na divisão do desenvolvimento humano em estágios característicos, os analistas diferem em vários pontos, mas todos concordam em dizer que a idade para cada estágio não pode ser determinada com exatidão. Contudo, muitos concordam também que a latência termina aos dez anos; vem a seguir a fase da pré-puberdade, um tempo de "transição da esterilidade para a fertilidade"; vem então a puberdade, definida para as meninas pela primeira menstruação (chamada *menarca*) e para os meninos pela primeira ejaculação; e a adolescência caracteriza-se pelos esforços loucos-desesperados-extasiados-precipitados para chegar a um acordo com o novo corpo e seus impulsos violentos.

Ao contrário de Peter Pan, Nan, de dez anos, e Joy/Robin Hood, muitos desses meninos e meninas acolhem alegremente os primeiros sinais da idade adulta. Porém, o mais ávido deles tem desejos secretos – geralmente inconscientes – de continuar no mundo verde e dourado da infância.

A heroína de Judy Blume, Margaret, de doze anos, define os dois lados da sua ambivalência em relação ao crescimento.

Por um lado: "Minha mãe está sempre falando sobre quando eu for adolescente. Endireite as costas, Margaret! Uma boa postura agora faz um corpo bonito mais tarde. Lave o rosto com sabonete, Margaret! Assim não terá espinhas na adolescência. Se quer saber, acho que ser adolescente é uma droga – com as espinhas e a preocupação de não cheirar mal!".

No entanto: "Deus, você está aí? Sou eu, Margaret. Acabo de dizer para minha mãe que quero um sutiã. Por favor, ajude-me a crescer. Você sabe onde. Quero ser como todas as outras".

O processo de afastamento, que começa com o esforço para sair do colo da mãe, depois ficar de pé, depois ir para as outras salas da casa, passando das imagens, sons e cheiros da vida em família para os estudos, tarefas e brincadeiras do período de latência, deposita a criança – na puberdade – na praia de um mar turbulento, onde ela percebe com clareza que partir pode significar o afogamento.

Ou talvez o assassinato.

Alexander Portnoy, lembrando "aquele longo período de raiva que é chamado de minha adolescência", diz que "o que mais me apavorava no meu pai não era a violência que podia de repente desencadear em cima de mim, mas a violência que eu desejava cometer todas as noites, na hora do jantar, contra sua carcaça assassina e ignorante... E o que havia de especialmente assustador nesse desejo assassino era o seguinte: se eu tentasse, as chances eram de ser bem-sucedido".

Lembra também, quando saiu correndo da mesa sem terminar o jantar e bateu a porta, a observação de sua mãe: "Alex, continue com esse atrevimento, essa falta de respeito, e vai provocar um ataque cardíaco naquele homem!".

Muitos filhos e filhas, durante o crescimento, talvez tenham medo de provocar ataques cardíacos nos pais.

Mesmo quando não demonstram falta de respeito!

Na verdade, existe a noção de que o fato de afirmar o direito a uma existência separada pode inconscientemente significar que estamos matando nossos pais e que assim, na maioria dos casos – talvez em todos, especialmente no caso de pais possessivos –, forma-se um certo grau de sentimento de culpa pela separação. Foi colocado também que a culpa pela separação é adequada, que crescer é uma forma de homicídio e que "assumir a responsabilidade pela própria vida e pelo modo de conduzi-la, dentro da realidade psíquica, corresponde a assassinar os pais...". Assim, tornando-se autônomo (e não continuando dependente), estabelecendo restrições interiores (e não precisando mais que os pais façam o papel de consciência externa), desfazendo os elos emocionais (e não procurando mais gratificações dentro do âmbito familiar), encarregando-se das próprias necessidades (e não deixando a cargo do pai ou da mãe satisfazê-las), o indivíduo retira esse papel dos pais e os atribui a si mesmo.

Nesse sentido, é culpado pela morte dos pais.

Mas o assassinato metafórico é apenas um dos problemas da adolescência, quando o corpo e a mente começam a separar-se, quando o estado normal de adolescente é às vezes dificilmente diferenciado do estado de insanidade, quando o desenvolvimento – normal – exige a perda, o abandono, a desistência de... tudo.

Estimulado por hormônios, o corpo é submetido a uma revisão maciça – que aumenta as partes sexuais e os pelos, demonstrando (pelo fluxo menstrual e pelas emissões seminais) que estamos entrando para a raça dos fazedores de bebês, mudando de altura e de peso, de forma e de pele, de voz e de odores, a ponto de não sabermos o que vamos encontrar de manhã quando acordarmos.

Lembro-me de um garoto adolescente, de pouca altura, que finalmente chegou a um acordo com o fato de ser baixo e na verdade desenvolveu uma encantadora personalidade de "pessoa de pouca altura", uma parte da qual consistia em fazer uma lista das beldades que, naquela época, estavam casadas com homens – segundo ele – mais baixos do que elas. Mencionava Jackie e Aristóteles Onassis. Mencionava Sofia Loren e Carlo Ponti. Mencionava... E, então (teria sido da noite para o dia?), certa manhã acordou e viu que tinha crescido tardiamente vários centímetros – e teve de fazer uma revisão completa da personalidade que havia adotado.

Sim, a imagem física – a visão interior do estado externo – sofre alterações dramáticas durante a puberdade, quando a beleza é perdida ou obtida, ou perdida e reencontrada: quando centímetros – às vezes, meras frações de centímetro – na altura, nas cadeiras, na largura das orelhas ou no comprimento do nariz fazem uma grande diferença, entre alegria e desespero; quando a força se instala num torso ou se instala uma imagem igualzinha à de Brooke Shields, olhos azuis e cabelo escuro; quando as perguntas que as meninas fazem sobre os meninos – e as que os meninos fazem com maior insistência sobre as meninas – não são mais "São inteligentes? São bons?", mas "Como é que eles são fisicamente?".

No adorável livro de Delia Ephron sobre a angústia da adolescência, intitulado *Romance da Adolescência*, ela enumera uma lista de coisas físicas com que os adolescentes devem se preocupar:

- Se você é mulher, preocupe-se com o fato de ter os seios redondos demais. Preocupe-se com o fato de ter os seios muito pontudos.
- Preocupe-se porque seus mamilos são da cor errada. Preocupe-se porque seus seios apontam para direções opostas.
- Se você é homem, preocupe-se com o medo de ter seios.
- Preocupe-se porque seu nariz é muito chato. Preocupe-se porque seu nariz é muito comprido. Preocupe-se porque o pescoço é gordo demais. Preocupe-se porque tem os lábios muito grossos.
- Preocupe-se porque tem nádegas gordas. Preocupe-se porque tem orelhas de abano. Preocupe-se porque tem as sobrancelhas muito juntas.
- Se você é homem, preocupe-se com o medo de nunca poder ter bigode.
- Se você é mulher, preocupe-se com o medo de ter bigode.

Já foi dito que para os adolescentes "ser diferente é ser inferior". Estar certo significa ser igual a todos os outros. Assim, qualquer tipo de desvio da norma da aparência física, ou a maturidade tardia ou prematura, pode ser uma fonte de embaraço, fonte de vergonha e desgosto, e pode formar imagens mentais que permanecem ("Sempre me considerei ossuda e magricela e desajeitada") até muito depois de esses fatos físicos terem desaparecido.

Porém, mesmo quando as mudanças físicas ocorrem no tempo certo, mesmo quando ocorrem de acordo com os padrões, a obsessão por dietas e pelo peso pode vir a ser um problema sério na adolescência. A expressão talvez mais drástica (especialmente entre meninas) da imagem física distorcida e rejeitada é uma doença físico-mental – a anorexia nervosa –, na qual severas restrições alimentares podem provocar emaciação, desnutrição quase completa, interrupção da menstruação e, com frequência, morte. Embora dificuldades emocionais anteriores possam desempenhar um papel importante nessa doença, ela é desencadeada pelo impacto da puberdade. A dra. Hilde Bruch, que escreveu extensivamente sobre a anorexia, descreve a jovem anoréxica como uma medrosa Bela Adormecida de quinze anos, que foge da adolescência, foge da mudança.

Mas, para a maioria, a mudança é irreprimível na adolescência – mudanças no corpo e na mente – e, durante a viagem do início, do meio ou do fim da adolescência, a normalidade é definida como um estado de desarmonia. Essa desarmonia não precisa ser constante, nem mesmo visível; muitas vezes, na verdade, é silenciosa e secreta. Mas os conflitos e mudanças bruscas no estado de espírito, bem como os excessos, são quase sempre exagerados, a ponto de alguns pais de adolescentes fazerem a seguinte lista:

- Um adolescente normal é tão irrequieto e desajeitado, contorce-se tanto, que é capaz de machucar o joelho – não jogando futebol, nem o futebol americano, mas caindo da cadeira no meio da aula de francês.
- O adolescente normal tem sexo na cabeça – e muito frequentemente na mão.
- O adolescente normal considera dois principais objetivos na vida: (1) acabar com a ameaça do holocausto nuclear; e (2) ter cinco camisetas com a etiqueta Ralph Lauren.
- O adolescente normal mergulha da agonia para o êxtase – e volta em menos de trinta segundos.
- O adolescente normal (capaz agora de pensamento lógico abstrato) pode usar essa nova habilidade cognitiva para a contemplação de profundos problemas filosóficos, mas nunca se lembra de levar o lixo para fora.
- O adolescente normal deixa de ver os pais como seres falíveis, para vê-los como errados em praticamente tudo.

- O adolescente normal não é um adolescente normal, quando age normalmente.

Anna Freud concorda com a última observação. Ela diz "que é normal para o adolescente comportar-se durante um considerável período de tempo de modo imprevisível e inconsistente; lutar contra os impulsos e aceitá-los; livrar-se deles e ser dominado por eles; amar os pais e odiá-los; revoltar-se contra eles e depender deles; sentir-se profundamente envergonhado por reconhecer a mãe na frente dos amigos e, inesperadamente, desejar ter conversas íntimas com ela; esforçar-se para imitar e se identificar com outras pessoas enquanto procura incessantemente a própria identidade; ser mais idealista, artístico, generoso e desprendido do que jamais será pelo resto da vida, mas também o oposto: egocêntrico, egoísta, calculista. Essas flutuações entre extremos opostos seriam consideradas altamente anormais em qualquer outra época da vida. Na adolescência, podem significar apenas que leva muito tempo para aparecer a estrutura adulta da personalidade...".

No fim dessa viagem, as confusões psíquicas atingem um novo tipo de ordem, e aprende-se a equilibrar restrições e gratificações (sem ser asceta nem hedonista). Os prazeres sensuais da infância passam a constituir o tempero e as guarnições do sexo pênis-na-vagina. Ao escolher alguém para amar, o adolescente pode começar tipicamente por si mesmo (num êxtase de narcisismo adolescente); depois entusiasma-se por alguém do mesmo sexo (e talvez tenha alguma ansiedade do tipo homossexual); finalmente, desenvolve o mesmo entusiasmo sexual por membros do sexo oposto (depois de, mais uma vez, renunciar aos desejos edipianos pela mamãe ou pelo papai, que se renovam no cadinho sexual da adolescência).

Pode também encontrar algumas respostas para a pergunta universal da adolescência: Quem sou eu?

Ora, durante os anos poderosos da latência, a criança tem a ilusão de ter resolvido o problema do quem-sou-eu. Mas, sob o ataque da puberdade, o senso do eu, da individualidade, da identidade, como que se derrete, transformando-se em algo confuso e evasivo.

Entre as tarefas aparentemente intermináveis da adolescência, está a de adquirir um senso do eu, firme, mas ainda flexível, pois, como observa Erikson, só na adolescência "desenvolvemos os pré-requisitos do crescimento fisiológico, a maturidade mental e a responsabilidade social para experimentar e atravessar a crise de identidade".

Erikson vê nessa crise a luta para nos tornarmos pessoas completas por direito, e isso só se consegue por meio da unificação – uma síntese interior – do que fomos e do que esperamos ser; da nossa identidade sexual (que é mais ampla que o gênero); das partes ética, étnica, ocupacional e social de nós mesmos; de novas identificações com companheiros da mesma idade e pessoas adultas especiais fora da família; das escolhas e dos sonhos. E embora identificação e formação da identidade não terminem no fim da adolescência, a continuação do crescimento e do desenvolvimento será baseada na resposta do quem-sou-eu na adolescência.

Isso não quer dizer que o eu nasce na adolescência – todos sabem que ele já tem uma longa história –, mas significa que ele adquire uma nova qualidade, uma nova clareza, um princípio organizador pelo qual estabelecemos os limites entre o eu e o não eu. O estado do que Erikson chama de "confusão de identidade" – demonstrado por problemas com o trabalho ou com a intimidade, pela identificação exagerada com algum herói da mesma idade, pela escolha de uma identidade negativa (prefiro ser completamente mau a parcialmente bom), pelo sentimento de uma enorme desolação, paralisia ou colapso – pode ocorrer quando a crise de identidade não é superada.

Paralelamente, ou talvez como parte da crise de identidade da adolescência, ocorrem um abrandamento da severidade de nossa consciência e a mudança do ego ideal de uma grandiosidade impossível para algo mais realista e quase... acessível. Pois o ego ideal – os padrões e as expectativas de cada um para si mesmo – é formado pelos sonhos narcisistas da nossa infância. E esses sonhos – essas visões infantis do que é um ser humano completo – têm de crescer com o resto. Manter os objetivos irrealizáveis e os sonhos impossíveis de perfeição é adquirir um senso perpétuo de inadequação, é achar errado tudo o que se faz, é uma garantia de fracassos repetidos.

Isso porque, para quem tem de ser o mais inteligente, um B+ em história é um fracasso.

Para quem tem de ser a mais bela, ser a segunda colocada no concurso de Rainha do Baile de Formatura é um fracasso.

Para quem tem de ser o melhor atleta, perder uma única partida de tênis é um fracasso.

Crescer significa estreitar a distância entre os sonhos e as possibilidades. Uma pessoa adulta tem um ego ideal adulto.

"Quando eu era pequena", diz Anita, de treze anos, "a distância entre o que eu queria e o que tinha era pequena. Acho que, quando eu ficar mais velha, ela vai ser pequena outra vez. Mas agora, entre o que eu quero e o que tenho é assim", ela abre bastante os braços, "e tudo", ela suspira, "parece ruim."

Outra razão pela qual as coisas podem "parecer ruins" para Anita é que "não quero fazer", diz ela, "a maioria das coisas que minha mãe quer que eu faça". Na disputa desse cabo de guerra com a mãe, o objetivo de Anita é perfeitamente claro. "O que estou tentando conseguir com isso", diz ela, "é mais liberdade."

O curso da adolescência – da puberdade até mais ou menos os dezoito anos – é relativamente marcado pelos seguintes fatos principais:

No começo da adolescência, há a preocupação com as alterações físicas da puberdade.

No meio da adolescência, há a luta com o quem-sou-eu e a procura, fora de casa, do amor sexual.

No fim da adolescência, há um maior abrandamento da consciência, e a inclusão – como parte vital do ego ideal – de valores e compromissos relacionados com nosso lugar no vasto mundo.

E durante todas essas fases, atravessamos, ingerimos, mastigamos e digerimos uma vasta coleção de perdas novas e necessárias, quando nos separamos – realmente – dos nossos pais.

Essa separação – essa perda da união mais íntima da vida – é muitas vezes assustadora e sempre triste. Os portões do Éden se fecham com estrondo para sempre. E acrescente-se a isso a perda do eu criança, a perda do corpo que se conhecia e a perda da inocência confortável, enquanto nos sintonizamos com as verdades dolorosas do jornal falado. Como acontece com todas as perdas importantes, essa deve ser lamentada – deve-se lamentar o fim da infância – antes de adquirirmos a liberdade emocional para nos lançar ao amor e ao trabalho na comunidade humana.

Afirma-se que os adolescentes, nesse estágio de desistência, experimentam "uma intensidade de sofrimento desconhecida nas fases anteriores...". É quando compreendem afinal o significado do transitório. Assim, sentem saudade do passado, da Idade do Ouro, que nunca mais vai voltar. E, suspirando ao pôr do sol, no fim do verão, com amor insatisfeito e poemas sobre "a terra do bem-estar perdido", lamentamos – sem saber, lamentamos – um fim muito mais grave: a renúncia da infância.

Lamentar a infância perdida é outra tarefa – a tarefa central – da adolescência. Existem vários modos de se evadir dessa tarefa ou de realizá-la.

Roger, por exemplo, prestes a ir para a universidade, inferniza sua vida doméstica, brigando com os pais quase todos os dias. Não consegue enfrentar seu desejo de ficar, mas, se conseguir sair *zangado*, e não *triste*, poderá evitar a dor da separação.

A promiscuidade de Brenda parece uma declaração de independência: sou uma mulher sexual, não uma criança. Exceto que o objetivo do sexo não é o *durante*, mas as carícias antes e depois. Provavelmente, ela não sabe que está tentando não abandonar a mãe.

As calouras Shari e Kit alimentam-se erradamente, além de se entregarem a verdadeiras farras gastronômicas: bolos, biscoitos, montes de sorvete e coisas assim. Desse modo, estão tentando dar a si mesmas um consolo maternal para a solidão. São duas leitoazinhas que gostariam de ter ficado em casa.

"Durante todo o último ano (do ensino básico)", diz uma caloura em Yale, "senti como se estivesse de pé na beira de um precipício, balançando os braços para não cair. Agora, sinto-me como um personagem de desenho animado voando sobre o *canyon*, imaginando se vou cair ou chegar ao outro lado do abismo..."

Sair de casa para a universidade é um período em que os "eus" pouco seguros vacilam. Sem o aconchego da família e dos amigos, rapazes e moças voltam-se para si mesmos e não encontram... nada. Os conselheiros das universidades trabalham com um grande número de alunos cuja ansiedade da separação é mascarada por desesperadas fugas do sofrimento. E, embora a maioria deles seja bastante forte para sobreviver à luta contra a ansiedade da separação, alguns podem naufragar sob suas soluções prejudiciais e às vezes fatais.

As drogas podem amenizar a ansiedade – por que não recorrer a elas em vez de chorar? Os diversos cultos podem substituir a segurança familiar. Ligações de dependência ou a fuga no casamento, no qual o companheiro ou a companheira toma o papel do pai ou da mãe, podem fazer com que permaneçam adolescentes para o resto da vida. E, se essas táticas falharem – e a dor da separação não puder ser evitada –, podem ocorrer casos de depressão, colapsos nervosos, suicídios.

Comparada ao número de suicídios do grupo etário de dez a catorze anos, a razão, em 1982, foi de 800% a mais para o grupo de quinze a dezenove anos.

Existem também milhares de rapazes e moças, como o herói adolescente de J. D. Salinger, Holden Caulfield, incapazes de viver no presente, atraídos pelo passado. "Jamais conte nada a ninguém", ele escreve, aos dezessete anos, no hospital psiquiátrico. "Se contar, vai começar a sentir falta de todos."

Um modo de não sentir falta, está claro, consiste em ficar em casa, em não sair, apesar de nem sempre ser necessário admitir que não se sai. Pois, embora alguns jovens se agarrem abertamente à família, há aqueles que, com uma grande demonstração de independência, descobrem um modo de jamais sair de casa.

O brilhante psicólogo literato Leon Edel, por exemplo, conta que, quando Henry David Thoreau estava para se formar em Harvard, sua mãe sugeriu que ele "arrumasse a mochila e viajasse para o exterior em busca do seu destino". Henry começou a chorar, pensando que a mãe o queria longe dela. Mais tarde, como Thoreau, o Transcendentalista, ele realmente foi embora – para uma cabana nos bosques, em Walden Pond, onde passou grande parte da vida na solidão e independente. Entretanto, observa Edel, a cabana ficava a dois quilômetros da casa da mãe, em Concord, e ele voltava para ela, para visitá-la – todos os dias.

Thoreau disse certa vez: "Acho que ficaria satisfeito em me sentar à porta dos fundos em Concord, sob os choupos, para sempre". Edel diz que foi exatamente o que ele fez – durante toda a sua vida. E, embora tenha criado o mito de se isolar do mundo, o mito de valente independência, "Thoreau, aprisionado na sua infância, jamais conseguiu sair de casa".

A adolescência é às vezes descrita (lembram-se dos estágios da infância de Margaret Mahler?) como uma segunda individuação de separação. É construída sobre o eu separado já estabelecido. E, se esse eu for por demais frágil, e, se a separação foi muito parecida com a morte, podemos não estar dispostos, não ser capazes de tentar outra vez.

"A individualização na adolescência", escreve o analista Peter Blos, "é acompanhada por um sentimento de isolamento, solidão e confusão... O reconhecimento do fim definitivo da infância, da natureza obrigatória dos compromissos, da limitação definitiva da própria existência do indivíduo – esse reconhecimento cria uma sensação de urgência, de medo, de pânico.

Como consequência, muitos adolescentes procuram continuar indefinidamente uma fase transitória de desenvolvimento; essa condição é chamada de *adolescência prolongada*."

O personagem de Salinger, Holden Caulfield, planeja, para prolongar sua adolescência, descobrir o modo de continuar a viver sem crescer. O fim da infância é como o fim de toda a inocência. Recusando transformar-se em um dos falsos e hipócritas do mundo dos adultos, que só pensam em fazer dinheiro, ele inventa uma fantasia – uma gloriosa fantasia salvadora – na qual...

> estou sempre imaginando todos aqueles garotinhos brincando neste imenso campo de centeio. Milhares de garotinhos, e ninguém por perto, ninguém adulto, quero dizer – exceto eu. E estou de pé à beira de um rochedo maluco. O que tenho a fazer é apanhar todos os que ameaçam despencar do rochedo – quero dizer, se estiverem correndo sem olhar para onde vão, tenho de aparecer de algum lugar e *segurá-los*. E fazer isso o dia inteiro. Serei apenas o apanhador no campo de centeio...

Para muitos adolescentes, crescer significa desistir e vender tudo. Significa deixar para sempre a inocência e as ilusões. Significa, explica John, de 21 anos, formar-se na faculdade no difícil mercado de trabalho de 1983 e receber uma oferta de emprego no escritório de um senador conservador, cuja política ele desaprova, mas, pensando que talvez deva garantir sua segurança, aceitá-la. Significa também abandonar a sensação das opções infindáveis – aquela impressão de poder (se resolver exatamente o que deseja) ser um especialista em assuntos soviéticos, um especialista em biologia marinha, um jornalista. Crescer significa também, diz John (embora ainda não tenha feito isso), "formar uma família com alguém. Sustentar a mim mesmo. E ter seguro de vida".

Quer concordemos ou não em que precisamos de um seguro de vida para nos qualificar como adultos, ser homem (ou mulher), como observou Saint-Exupéry é ser responsável. Ser responsável significa assumir compromissos e cumpri-los. Ser responsável significa, naturalmente, amarrar o próprio sapato. Mas significa também não ter permissão para culpar uma infância terrível – ou uma paixão, uma tentação, uma ignorância ou uma inocência – por atos que são nossos, por ações que realmente praticamos. Pois se, na realidade, as praticamos, somos responsáveis por elas.

Tem sido argumentado que Édipo, aquele que matou o rei, seu pai, para se casar com a mãe, não pode ser responsabilizado porque – pobre homem ignorante – não sabia. Mas o analista Bruno Bettelheim sugere que a culpa de Édipo deriva exatamente do fato de ele não ficar sabendo e que o ponto central do mito é "prevenir as consequências totalmente destrutivas de agir *sem saber* o que se está fazendo".

Chega um tempo em que não nos é permitido não saber.

Na história de Jó, recontada pelo poeta Archibald MacLeish na peça J. B., oferecem ao atormentado herói este frio consolo:

> Não existe culpa, meu caro. Todos somos
> Vítimas da nossa culpa, não culpados.
> Matamos o rei por ignorância: a voz
> Revela: cegamos a nós mesmos.

> J. B. não aceita o fato de se eximir da culpa.

> Prefiro sofrer
> Todos os indizíveis sofrimentos mandados por Deus
> Sabendo que fui eu que sofri,
> Eu, que mereci a necessidade de sofrer,
> Eu, que agi, eu, que escolhi,
> A lavar minhas mãos com as suas naquela
> Inocência pecaminosa. Podemos ser homens
> E fazer com que uma irresponsável ignorância
> Seja responsável por tudo?

A resposta a essa pergunta – a única resposta adulta – tem de ser "não".

Assim, em algum ponto, um pouco antes ou depois do fim da segunda década de vida, o homem chega a um marco importante – o fim da infância. Deixou um lugar seguro e não pode mais voltar. Entrou para um mundo no qual a vida não é justa e raramente é o que *deveria* ser. Talvez chegue até a comprar um seguro de vida.

Mas não é um seguro contra ter de compartilhar o amor, contra perder para rivais, contra os limites determinados pelo sexo e pela culpa – contra as muitas e necessárias perdas. Haverá sempre o proibido e o impossível. Como escreve Peter Blos: "As duas deusas gregas, Tyche e Ananke, princípios filosóficos da Fortuna e da Necessidade, tomam o lugar das figuras do pai e da mãe e transformam-se nas forças às quais os homens se curvam". É duro crescer.

Mas reconhecer tudo isso e ainda assim encontrar a liberdade, fazer as escolhas, saber o que é e o que pode vir a ser, isso é o adulto responsável. Curvando-se à necessidade, deve escolher. Essa liberdade de escolha é a carga e a dádiva que todos recebem ao deixar a infância, a carga e a dádiva que todos levam quando atingem o fim da infância.

PARTE III

CONEXÕES IMPERFEITAS

*Todos nós chamamos sem cessar, por meio
dos abismos incalculáveis que nos separam...*

DAVID GRAYSON

CAPÍTULO 11
Sonhos e realidade

...a vida desperta é como um sonho sob controle.

George Santayana

Crescer significa abandonar os mais queridos sonhos megalomaníacos da infância. Crescer significa saber que eles não podem ser realizados. Crescer significa adquirir a sabedoria e a habilidade para conseguir o que se deseja, dentro dos limites impostos pela realidade – uma realidade que consiste em poderes diminuídos, liberdades restritas e, com as pessoas amadas, conexões imperfeitas.

Uma realidade construída, em parte, sobre a aceitação das perdas necessárias.

Contudo, embora repudiados, os desejos irrealizáveis insinuam-se em nós sorrateiramente. Como sintomas, erros, acidentes e lapsos de memória. Como lapsos de língua e de pena (*"Dear Dead*, quero dizer, *Dad"**). Como acidentes (pois não derrubaríamos sopa no vestido branco da nossa rival de propósito – isso seria uma *maldade*). E como os sonhos que sonhamos – de noite e de dia.

Embora sejamos adultos, os desejos proibidos e impossíveis da infância continuam a insistir por uma gratificação.

Os devaneios e fantasias são um dos meios de gratificação desses desejos. Nas fantasias, os desejos podem sempre se tornar realidade. Esse faz de

---

* *"Dear Dead"* = "querido morto". *"Dear Dad"* = "querido papai". (N. da T.)

conta consciente expressa as preocupações diferentes da vida diária. Mas está também ligado ao consciente e a desejos antigos não satisfeitos.

A fantasia pode ser a solução mágica, pode dar o final feliz do conto de fadas. Nas fantasias, fazemos o que queremos fazer. É agradável quando os filmes classe B, com finais do tipo "e eles viveram felizes para sempre", vagueiam por nosso consciente – mas não são as únicas imagens nessa tela. Pois as fantasias incluem também a glória despudorada, o sexo da pior qualidade e o assassinato. E muitos de nós, recuando ante essas rápidas visões de desejos proibidos, às vezes nos sentimos culpados, envergonhados e com medo das nossas fantasias.

Evelyn fala com constrangimento sobre uma fantasia que, segundo os psicanalistas, é bastante comum:

Ela morre, a igreja está cheia para o serviço funerário, e, "um a um, os milhares de homens e mulheres cuja vida eu toquei vão até o altar, para dizer àquela multidão todas as coisas maravilhosas que fiz por eles".

Uma pessoa tão boa.

Uma pessoa tão generosa.

Somos tão gratos a ela.

Na verdade, Evelyn, durante sua vida, tem feito muitas coisas maravilhosas para muita gente. Uma vida que merece essa fantasia. Contudo, sente-se profundamente envergonhada e diz: "Isso revela claramente o quanto sou ávida por atenção e elogios e reconhecimento".

As fantasias sexuais também revelam certa avidez que pode provocar vergonha – e culpa.

Consideremos Helen, por exemplo, uma mulher feliz no casamento, que escreveu um script completo tendo como artista principal Ted, que começa com um inocente encontro para o cinema, quando o marido está fora da cidade, e termina, não tão inocentemente, na cama com colchão de água dele. Ela pergunta: será isso um adultério em pensamento? Será que todas as jovens casadas pensam nessas coisas? E até que ponto de aberração se pode chegar? Suponhamos que, além de Ted, seu companheiro de quarto também esteja na cama de água? Ou Ted e sua irmã? Ou Ted e três... Exatamente até onde se pode chegar nas fantasias?

Muitas pessoas que aceitam fantasias sexuais estranhas talvez fiquem sobressaltadas com fantasias hostis, nas quais aquela mulher brilhante que invejam é reprovada na Faculdade de Direito, e seu cunhado rico e arrogante vai à falência, e a bela mulher namoradeira da casa ao lado adoece com varíola, e todos os que as fazem ter medo, ciúme, todos os que as ameaçam ou as fazem sentir-se inferiores ou zangadas sofrem... represálias.

A mulher de um marido infiel, na sua fantasia, o vê preso à cama com uma tuberculose de longa duração – "só para que fique fora de ação", disse ela, "nada fatal". Porém, por mais difícil que seja fazer com que alguém admita isso, as fantasias hostis geralmente *são* fatais.

Considerem a suave Amanda – modesta, com medo de competir –, que, quando alguém a aborrece, deseja que esse alguém morra. Ela jamais se queixa nem se impõe, mas Amanda é a própria Companhia de Assassinato em suas fantasias, nas quais as imagens de vingança são sempre impiedosas, rápidas e permanentes.

Considerem Barry, o qual, sempre que a mulher o irrita ao máximo, entrega-se à agradável fantasia de como a vida seria doce se, na primeira viagem aérea que sua mulher fizesse, o avião sofresse uma pane total.

E considerem uma amável senhora como eu, no ano em que um garoto provocador de doze anos estava perseguindo um dos meus filhos, que sempre chegava da escola extremamente abatido. Várias vezes, tenho de confessar, resolvi o problema mentalmente, atirando o garoto provocador na frente de um caminhão.

Se as fantasias ambiciosas fazem certas pessoas corar, se as fantasias sexuais as fazem corar e provocam sentimento de culpa, fantasias de violência e morte podem fazer as pessoas corar, sentir culpa – e medo também.

Esse medo está ligado ao que os psicanalistas chamam de "pensamento mágico" – a crença de que podemos controlar os acontecimentos com nossa mente; a crença que nas tribos primitivas é expressa por meio de alfinetes espetados em bonecos e, nos tempos modernos, pela emissão de "vibrações negativas"; a crença que muitas pessoas sofisticadas se espantam ao ver que aceitam: a crença de que pensamentos podem fazer mal; a crença de que pensamentos podem matar.

Conheço uma mulher inteligente e equilibrada que teve sérios problemas com a mãe. Amargurada e zangada, brigando todos os dias, certa noite, quando ia de carro visitar a mãe, imaginou que ela havia sofrido um ataque cardíaco fatal. Quando chegou aonde a mãe morava, uma ambulância passou por ela e parou, fazendo ranger os freios, na frente da casa de sua mãe. Paralisada de medo, ela viu dois homens entrando apressadamente com a maca.

E logo depois, eles saíram com o corpo da mulher que morava no apartamento acima do de sua mãe.

"Quando vi a ambulância", disse ela, "fiquei certa de que tinha provocado um ataque cardíaco em minha mãe. E devo confessar que uma parte de mim acredita ainda, idiotamente, que minha 'mágica' atacou aquela pobre mulher por engano."

Antes de sorrir da tolice supersticiosa de minha amiga, pergunte a você mesmo: se tivesse de jurar pela vida de seus filhos que o que está dizendo é verdade – quando se trata de uma mentira –, teria coragem de fazer o juramento? Eu sei que eu não conseguiria.

Essa crença na realização de um desejo, na onipotência do pensamento, nos poderes maléficos e secretos do que pensamos, tem que ver com uma fase que nós todos atravessamos e da qual jamais nos libertamos completamente. Com suficiente sentimento de culpa por algum desejo terrível, ao vermos esse desejo se realizar realmente, encontramos milhares de explicações plausíveis. "É como se", escreve Freud, "estivéssemos pensando mais ou menos isto: 'Então é *verdade* que se pode matar uma pessoa apenas desejando que ela morra!'"

Esse julgamento pode fazer com que tenhamos medo das nossas fantasias. Porém, mesmo quando não temos medo do que as fantasias causam, podemos ter medo do que elas significam, chocados por essas rápidas visões da nossa raiva, do nosso erotismo e da nossa grandiosidade. Representam essas fantasias nossa verdadeira realidade? Revelam a verdade do que somos? Respondendo às minhas perguntas, um psicanalista contou esta bela história:

> Era uma vez, num reino muito antigo, um famoso homem santo, famoso por seu coração generoso e por seus atos de bondade. E o governante do reino, que respeitava o homem santo, mandou que um grande artista fizesse seu retrato. Num banquete formal, o artista deu o retrato de presente ao rei, mas quando, ao soar dos clarins, o quadro foi descoberto, o rei ficou chocado ao ver o rosto que ele representava – o rosto do homem santo –, selvagem, cruel e moralmente depravado.
>
> – Isto é um ultraje! – trovejou o rei, pronto para mandar decapitar o infeliz artista.
>
> – Não, senhor – disse o homem santo. – O retrato é verdadeiro.
>
> E então explicou:
>
> – Vós estais vendo o retrato do homem com quem tenho lutado a vida toda, para não ser igual a ele.

O analista está dizendo que todos os homens, até o mais santo, têm impulsos contra os quais precisam lutar todos os dias. E, se alguns ocorrem fora do nosso consciente, outros impulsos e desejos — às vezes na forma de pequenas vinhetas que chamamos fantasia — nos fazem dolorosamente conscientes da pessoa que tentamos não ser: uma pessoa primitiva, exigente, amoral e infantil, às vezes preservada e contida nas nossas fantasias.

Porém, os psicanalistas observam que a palavra crucial na frase acima é "contida". Fantasias são contidas; não são ação. Reconhecer o eu primitivo não significa ser esse eu, pois as fantasias geralmente expressam aquilo que, na vida real, o indivíduo civilizou, atrelou, transformou e domou.

Observam também que, com a nossa aprovação ou sem ela, na verdade tudo vale nas fantasias. O que não significa, acrescentam eles, que nunca devemos nos preocupar com elas.

Por exemplo, dizem os analistas, se as fantasias são persistentemente violentas e cruéis, ou se as fantasias sexuais são completamente opostas à vida sexual real, convém procurar saber um pouco mais sobre os sentimentos de raiva ou os conflitos sexuais. E dizem também que, quando as fantasias servem como substitutas da vida — quando, na verdade, *não há* trabalho nem amor, apenas fantasias —, é preciso saber por que se está vivendo dentro da própria cabeça e não no mundo real.

Entretanto, na maioria dos casos, dizem eles, quando é possível não sentir tanta culpa, tanta vergonha e medo das fantasias, elas podem ser uma fonte de libertação e de alívio. Basta reconhecê-las como essencialmente inofensivas. Reconhecê-las como substitutos daquilo que se precisa necessariamente perder. E usá-las para expressar e aproveitar o que não se pode, ou não se ousa, viver na vida real.

Os devaneios conscientes que passam pela mente, quase sempre sem convite, trazem sugestões de um mundo subterrâneo feroz. No sono, porém, quando as restrições são parcialmente abandonadas, caminha-se muito mais perto desse mundo. Sonhando, regredimos no conteúdo e na forma — liberamos desejos e processos primitivos da mente. Pois os sonhos são construídos com a linguagem vibrante e secreta do inconsciente.

Nos sonhos, viajamos por um reino da mente cheio de contradições, no qual as leis da realidade objetiva não se aplicam, imagens se transformam e se fundem, a relação entre causa e efeito é suspensa, e o tempo – passado, presente, futuro – é um só.

Uma multidão de sentimentos pode se concentrar, nos sonhos, numa única imagem, fundindo numa visão telescópica inúmeros significados: "Minha mãe estava falando, mas não com sua voz. Parecia a voz da minha irmã. E seu cabelo era vermelho, como o da minha outra irmã...".

Emoções intensas ligadas a desejos fortes, mas proibidos, são mudadas – deslocadas –, transformando-se em algo inócuo, seguro: "Eu estava na... casa onde morávamos quando meu irmão nasceu... Vi uma bola no chão, na minha frente, e dei um forte chute nela (em lugar de chutar o irmão)".

Preocupações básicas – com nascimento, morte, sexo, o próprio corpo, membros da família – são apresentadas como símbolos universais, ou por meio de outras metáforas visuais que às vezes parecem trocadilhos ridículos e impossíveis: uma mulher sonha com um oficial alemão vestido com a farda das SS nazistas. Quando acorda, suas associações a levam à imagem da mãe autoritária, obrigando-a a comer, exclamando em ídiche: "*Ess! Ess!*".

O uso da condensação, do deslocamento e da representação visual chama-se "trabalho de sonho".

A parte lógica da mente adormecida, como um editor fazendo uma revisão num artigo de leitura difícil, desempenha também um papel na formação dos sonhos. Procura estabelecer uma certa ordem no caos. Com os estranhos fragmentos produzidos pelo sonho, ela cria uma imagem mais ou menos coerente. Essa é a imagem lembrada quando acordamos.

Esse sonho do qual nos lembramos é o que Freud chama de "conteúdo manifesto" do sonho. O significado do sonho é o "conteúdo latente". A interpretação dos sonhos exige a associação de quem sonha – as ideias e os sentimentos evocados pelo sonho manifestado –, associação que, mais cedo ou mais tarde, leva do sonho lembrado aos pensamentos inconscientes dos quais o sonho deriva.

Consideremos, por exemplo, o sonho de Hugo.

"Eu estava andando com um amigo. Chegamos ao açougue. O amigo foi embora. Vi o açougueiro lá dentro. Era cego. O açougue estava escuro, todo marrom. O açougueiro disse meu nome com o sotaque da zona teatral de Boston. Eu queria carne para meu gato. Embora fosse cego, ele cortou um pedaço de rim com uma faca muito afiada."

Hugo, na psicanálise, começa a enfrentar um casamento infeliz. Por que, pergunta ele, nunca percebi isso antes? Por que me deixei levar, como um avestruz com a cabeça enfiada na areia? O que exatamente eu tinha medo de ver?

A cegueira do açougueiro, no sonho, faz com que Hugo a associe à sua recusa a ver a situação real: "Nada ver, nada ouvir, nada saber, esse sou eu. O açougueiro", diz ele, "pica tudo, chacina tudo". E então a associação o leva a encarar o que tinha medo de ver: "O açougueiro falava como um ator de teatro", lembra ele, "que se chama... Killbride"*.

Nem todos os sonhos são tão claros; usam muitos disfarces. Mas Freud diz que todo sonho contém um desejo. Diz que, por mais assustador ou triste que seja, o sonho sempre procura ser realizado. E diz também que está sempre ligado a desejos proibidos e impossíveis da infância.

Os devaneios — e os sonhos também — permitem que desejos impossíveis se tornem realidade. E podem mudar nosso modo de sentir. Pois, assim como o sonho de tomar uma cerveja pode evitar que o indivíduo se levante para tomar água, durante a noite, fantasias que temos dormindo ou acordados, que satisfazem desejos não de todo permitidos, podem reduzir a urgência desses desejos.

É realmente possível um certo grau de gratificação por meio de fantasias. Na verdade, as fantasias às vezes parecem quase reais. Porém, por mais persuasivas que sejam, por mais que gratifiquem, precisamos ser capazes de viver no mundo real adulto, precisamos ser capazes de viver com a realidade.

Não é tão ruim.

Pois crescer não significa a morte de tudo o que é bom e doce. Crescer não precisa ser o Grande Congelamento. E, quando nos transformamos naquilo que chamarei pelo nome estranho de "adulto saudável", com a sabedoria do adulto, suas forças e suas aptidões, poucos preferem voltar a ser criança.

Pois, como adultos saudáveis, podemos abandonar e ser abandonados. Podemos com segurança sobreviver sozinhos. Mas somos capazes também de compromisso e de intimidade. Capazes de unir e separar, de ser ao mesmo tempo íntimos e sozinhos, fazendo conexões em vários níveis de

---

* *"Killbride"*, aqui, pode ser entendido como "mate a noiva". (N. da T.)

intensidade, estabelecendo elos amorosos que podem refletir os prazeres diversos de dependência, mutualidade, geratividade.

Como adultos saudáveis, sentimos nosso eu digno de ser amado, valioso, genuíno. Sentimos a "individualidade" do nosso eu. Sentimos que somos únicos. E, em vez de ver o eu como a vítima passiva do mundo interior e exterior, manejada, desamparada e fraca, reconhecemos o eu como agente responsável e força determinante da nossa vida.

Como adultos saudáveis, podemos integrar as várias dimensões da nossa experiência humana, abandonando as simplificações da juventude insensível. Tolerando a ambivalência. Vendo a vida de várias perspectivas. Descobrimos que o oposto de uma verdade importante pode ser outra verdade importante. E somos capazes de transformar fragmentos separados em um todo, aprendendo a ver os temas unificadores.

Como adultos saudáveis, possuímos, além de uma consciência e, é claro, do sentimento de culpa, a capacidade para sentir remorso e para perdoar a nós mesmos. Somos apenas refreados – não aleijados – pela nossa moralidade. Assim, continuamos livres para afirmar, conquistar, ganhar a competição e para saborear os complexos prazeres do sexo adulto.

Como adultos saudáveis, podemos procurar e gozar nossos prazeres, mas podemos também enxergar e viver nossas dores. As adaptações construtivas e as defesas flexíveis permitem que alcancemos objetivos importantes. Aprendemos a conseguir o que queremos e repudiamos o proibido e o impossível, embora ainda – por meio das fantasias – nos sintonizemos nas suas exigências.

Mas sabemos como diferenciar a realidade da fantasia.

E podemos – ou conseguimos – aceitar a realidade.

E estamos dispostos a procurar a maior parte das nossas gratificações no mundo real.

O que chamamos de "teste da realidade" começa – com a frustração – na primeira infância, quando se descobre que só desejar não realiza o que queremos, quando se descobre que fantasias não aquecem, não confortam nem alimentam. Adquirimos o senso da realidade, isto é, somos capazes de dizer se alguma coisa existe realmente ou não, pois, por mais vívida que seja a imagem de gratificação criada, não passa de uma imagem da mente e não uma presença viva no quarto.

O senso de realidade permite também uma avaliação relativamente exata de nós mesmos e do mundo exterior. Aceitar a realidade significa aceitar as limitações e as falhas do mundo – e as nossas. Significa também criar objetivos possíveis, compromissos e substitutos dos nossos desejos infantis, porque...

Porque, como adultos saudáveis, sabemos que a realidade não pode nos oferecer segurança perfeita nem amor incondicional.

Porque, como adultos saudáveis, sabemos que a realidade não pode nos fornecer tratamento especial ou controle absoluto.

Porque, como adultos saudáveis, sabemos que a realidade não pode compensar os desapontamentos passados, os sofrimentos e as perdas.

E porque, como adultos saudáveis, finalmente chegamos a compreender, no desempenho dos papéis de amigo, cônjuge, progenitor, a natureza limitada de todos os relacionamentos humanos.

Porém, o problema com a idade adulta saudável é que poucos são consistentemente adultos. Além disso, nossos objetivos conscientes são muitas vezes sabotados inconscientemente. Pois os desejos infantis que vemos às vezes nos sonhos ou nas fantasias exercem grande poder fora do nosso conhecimento consciente. E esses desejos infantis podem onerar nosso trabalho e nosso amor com expectativas impossíveis.

Exigindo demais das pessoas que amamos ou de nós mesmos, não estamos sendo – quem realmente o é? – os "adultos saudáveis" que devemos ser. Crescer exige tempo, e pode demorar muito aprender a equilibrar os sonhos com a realidade.

Podemos levar muito tempo para aprender que a vida é, na melhor das hipóteses, "um sonho sob controle" – que a realidade é feita de conexões imperfeitas.

CAPÍTULO 12

Amigos de conveniência e históricos, de encruzilhada, de gerações diferentes e de aparecer quando os chamamos às duas da manhã

A amizade quase sempre é a união de uma parte da mente com uma parte da mente de outra pessoa; as pessoas só são amigas em determinadas ocasiões.

GEORGE SANTAYANA

Ao entrar no mundo, tentamos distinguir a ficção do fato, as fantasias e os sonhos daquilo que realmente acontece. Ao entrar no mundo, tentamos aceitar os compromissos do fim da infância. Ao entrar no mundo, além dos elos da carne e do sangue, tentamos formar amizades puras. Mas esses relacionamentos voluntários, como todos os outros, trarão desapontamentos e alegrias.

Pois antes acreditávamos que amigos só são amigos quando nosso amor e nossa confiança são absolutos, quando compartilhamos os mesmos gostos, entusiasmos e objetivos, quando sentimos que é possível revelar os mais profundos segredos da alma impunemente, quando de boa vontade corremos — sem fazer perguntas — para ajudá-los nos tempos difíceis. Acreditamos então que amigos só são amigos quando se encaixam nesse modelo mítico. Mas crescer significa abandonar essa crença. Pois, mesmo quem tem a sorte de conseguir um, ou dois, ou três "melhores amigos", aprende que as amizades, na melhor das hipóteses, são conexões imperfeitas.

Porque as amizades, como todos os outros relacionamentos, são limitadas por nossa ambivalência — amamos e invejamos, amamos e competimos.

Porque as amizades — entre pessoas do mesmo sexo — são compromissos, argumentam muitos, com nossas tendências bissexuais normais (mas em grande parte inconscientes).

Porque as amizades – entre sexos opostos – precisam fazer as pazes com o desejo heterossexual.

Porque até mesmo o melhor dos amigos é "amigo em certas ocasiões".

De modo geral, julga-se uma amizade pelo fato de a pessoa amparar ou não o amigo na adversidade. Mas existe outro ponto de vista, oposto e mais sutil, segundo o qual é relativamente fácil ficar ao lado do amigo na adversidade, e que o teste mais difícil da amizade consiste em ficar sincera e completamente ao lado do amigo nos momentos felizes. Pois, intercalados com os sentimentos de orgulho e de apoio, existem sentimentos de competição e inveja. Desejamos o melhor para nossos amigos; temos consciência somente da nossa boa vontade. Mas, às vezes, passa rapidamente por nossa consciência – como o bip na tela do radar – a percepção de que parte de nós lhes deseja mal. E, por um momento, encaramos a verdade de que, embora jamais sejamos capazes de prejudicá-los com palavras ou ações, talvez – quando fracassam não conseguindo o aumento, o prêmio, a crítica favorável – não fiquemos tão magoados quanto dizemos.

Os sentimentos contraditórios – de amor e ódio simultâneos – começam com as primeiras figuras mais importantes de nossa vida e são mais tarde transferidos dos pais e irmãos para mulheres e maridos, filhos e amigos. Embora as emoções pouco amigáveis sejam em sua maior parte inconscientes e embora, na amizade, o amor tenha maior peso que o ódio, é destino do homem sofrer, em maior ou menor grau, a maldição da ambivalência.

Dinah, esposa e mãe, recebe a visita de Isobel, a bela amiga da sua infância. Ela ama Isobel, mas tem também vontade de suplantá-la. Quer "se defender contra a leve ameaça de Isobel e de qualquer sucesso que tenha conseguido na vida". Quer que a sua vida – de Dinah –, "mesmo naquele momento, passada na pequena cozinha, seja invejada pela boa amiga Isobel". E sente-se inundada por "aquele velho instinto – como o que existe entre duas irmãs – de proteger Isobel contra qualquer crítica, a não ser... a sua...".

Amor e competição, amor e inveja, sabe Dinah, podem coexistir entre os melhores amigos.

"O que eu sinto", diz Marcy, "e não é fácil falar a respeito, é que ninguém devia ter tudo – não é justo. E para não sentir inveja – até mesmo dos amigos que amo verdadeiramente, preciso ter certeza de que não têm tudo de bom que a vida pode oferecer."

Embaraçada com esses sentimentos secretos e competitivos, Marcy observa: "Só quero ser igual – não superior". Assim, quando a amiga Audrey – bonita, rica, bem-sucedida – "se queixa de que o marido não a trata bem, eu ofereço a ela muita simpatia, muito conforto, mas digo a mim mesma: 'Muito bem, então o marido a trata mal – é justo'".

E assim, quando olho para minha amiga, que – como Audrey – tem tudo, fico secretamente satisfeita por ver que ela está criando uma papada.

É extremamente desagradável verificar que temos esses sentimentos em relação aos amigos. Somos tentados a insistir: "*Você* pode sentir isso, *eu* não sinto". Mas nas minhas conversas com mulheres – e com homens – sobre as emoções mistas presentes na amizade, a maioria, depois de alguma hesitação, encontra dentro deles um pouco de Dinah e de Marcy.

Se a ambivalência nos perturba, como enfrentar a ideia chocante de que sentimos inclinações sexuais em relação aos amigos do mesmo sexo? Antes de rejeitar a ideia como um assalto à nossa impecável heterossexualidade, vamos examiná-la.

Freud argumenta que todos os relacionamentos amorosos, não só entre amantes, mas com pais, filhos, amigos e com o resto da humanidade, são sempre de amor sexual, com o objetivo de uma certa conexão sexual. Em todos os relacionamentos, exceto no de amantes, o sentimento é naturalmente desviado, mas o impulso permanece silencioso e alterado. E por sermos todos, em graus diferentes, bissexuais – porque, como diz Freud, "nenhum indivíduo é limitado à reação a um único sexo, mas sempre encontra lugar para sentimentos em relação ao sexo oposto" –, o desejo sexual silencioso e alterado estará presente também nos relacionamentos entre pessoas do mesmo sexo.

Isso significa que amizades de homens com homens e de mulheres com mulheres contêm elementos eróticos inconscientes.

Isso não significa, entretanto, que estamos morrendo de vontade de ir para a cama com todos os nossos amigos.

Na verdade, para a maioria das pessoas, amizades com pessoas do mesmo sexo simplesmente não seriam possíveis se os sentimentos sexuais não estivessem isolados – parcialmente reprimidos e parcialmente conduzidos para outros canais, expressando-se como preocupação carinhosa, devoção e afeição. Entretanto, essa afeição amigável, especialmente entre homens, raramente é demonstrada por meio de contatos carinhosos, pois, ao passo que as mulheres podem se beijar e se abraçar sem despertar ansiedades homossexuais, uma pancada no ombro ou um tapa amistoso nas costas é o máximo que a maioria dos homens (a despeito da tendência atual para estereótipos de homens menos "machos") se permite.

Robert, heterossexual, acampando com um amigo, na primeira noite teve vontade de abraçar o companheiro. Mas, temendo que isso os levasse ao pânico sexual do tipo "E agora, o que vem depois?", refreou conscientemente a demonstração de afeto, até que, no fim da viagem, pôde abraçar o amigo quando se separaram. Robert interpreta seu impulso como o desejo de expressar seu amor pelo amigo, e não como o desejo de contato sexual. Mas seu medo, comum nos homens, foi que, "se nos abraçarmos, antes de darmos pela coisa estaremos tirando a roupa e um chupando o caralho do outro".

Seria sexual o impulso de Robert? O psiquiatra que me contou essa história diz que sim. Mas apenas, diz ele, no sentido de que em todos os impulsos físicos existe sempre um elemento erótico reprimido. Robert não sabe disso e, mesmo que soubesse, sentimentos sexuais desse tipo não fazem dele um homossexual.

Pois, mesmo quando o sentimento erótico é consciente, não indica necessariamente uma orientação sexual. Como observam certos psiquiatras num livro muito esclarecedor, *Amigos e Amantes na Universidade*, ter sentimentos sexuais para com uma pessoa do mesmo sexo — até mesmo ter algumas experiências sexuais — "não significa necessariamente que o indivíduo deva se definir como 'homossexual'. Esses sentimentos podem ser subordinados a sentimentos heterossexuais que representam a orientação sexual dominante".

No entanto, os mesmos psiquiatras questionam o argumento de que a restrição sexual é uma forma de hipocrisia e que a "honestidade" e a "sinceridade" exigem que sejam atendidos todos os impulsos eróticos. Questionam também a alegação de que a restrição das atividades sexuais a um sexo impõe uma limitação desnecessária e indesejável à gratificação.

Por que não usar com prazer, em lugar de restringir, nossa bissexualidade? Por que não ser amistoso fazendo amor com o amigo? "Não precisa haver uma distinção definida entre o contato sexual e a amizade", argumenta a estudiosa Shere Hite, no seu livro *O Relatório Hite*. Mas, na verdade, são as distinções sexuais que fazemos nos papéis de pais, filhos, amantes e amigos que nos concedem um âmbito emocional rico, maduro e multifacetado.

A sexualização insistente de todos os relacionamentos imporia também restrições indesejáveis.

Na medida em que a amizade exige a contenção de alguns desejos sexuais, ela é uma conexão menos do que completa, uma conexão imperfeita. Mas dizer que a amizade é uma versão diluída do amor, "como o tom cor-de-rosa é considerado uma diluição do vermelho", é, sem dúvida, incorrer num erro prejudicial. Comparando a intimidade entre amigos e amantes, o analista James McMahon observa que as amizades "diferem dos relacionamentos principais no sentido de que não implicam, geralmente, a revelação do caráter e das necessidades mais básicas, de modo quase sempre primitivo e regressivo", o que significa que, com um amante, é possível uma certa falta de modos, de controle e de dignidade. Lembremos, por exemplo, os roupões mais do que velhos que usamos para tomar café com nosso marido, nossa fungação pela casa toda quando estamos resfriadas, a naturalidade com que nos servimos de uma garfada no prato dele, nosso baixo nível de linguagem quando brigamos com ele. Além da regressão – a regressão exposta e extasiada – do amor sexual, frequentemente nos expomos de outros modos primitivos, modos que – não importa há quantas décadas nos conheçamos – jamais expomos a amigos.

Porém, a despeito do que se revela e se expõe no relacionamento amoroso, McMahon observa aquilo que todos sabem muito bem: ninguém é capaz de gratificar todos os anseios de outra pessoa. "Nenhum homem e nenhuma mulher podem ser todas as coisas um para o outro." Assim, mesmo que o amor de amantes seja vermelho, e a amizade apenas rosada, essa cor rosada nos salva da monotonia. A amizade pode contribuir – muitas vezes de modo crucial – com aquilo que falta ao amor dos amantes.

Vejam o que diz Faith, afirmando que seu casamento é bom, embora não seja perfeito: "Sem as minhas amigas, eu me sentiria muito só e abandonada. Elas são essenciais. Essenciais para a conversa psicológica, para a conversa introspectiva, a conversa sobre temores e fraquezas e loucuras. Meu marido não conversa sobre essas coisas. Minhas amigas conversam".

Lena descreve sua amiga para o marido ciumento, no filme francês inteligente e comovente *Entre Nous*: "Madeleine me ajuda a viver. Sem ela, eu sufocaria".

Ouçam agora o que diz este marido: "Se eu disser a minha mulher que fiz 986 pontos no tiro ao alvo, ela responderá: 'formidável!' Apoia o que eu faço, o que gosto de fazer. Mas na verdade não sabe o que significa conseguir esse número de pontos. Um homem sabe e aprecia o que estou dizendo de um modo que uma mulher jamais apreciaria, pelo menos uma mulher que não pratique tiro ao alvo".

Embora os homens, como as mulheres, falem sobre a importância especial dos amigos do mesmo sexo, as amizades entre homens são diferentes das amizades entre mulheres. Considerando o que já sabemos sobre a maior facilidade das mulheres para relacionamentos, não é surpresa verificar que os estudos demonstrem menos sinceridade e intimidade nas amizades entre homens. Aqui, por exemplo, está uma descrição típica de um homem do seu relacionamento com três "amigos íntimos":

> Certas coisas não conto a eles. Por exemplo, não falo muito sobre meu trabalho, porque sempre fomos extremamente competitivos. Certamente, nunca falo com eles sobre meus sentimentos de insegurança para com a vida ou outras coisas que faço. E jamais falaria sobre meus problemas com minha mulher, nada sobre meu casamento ou vida sexual. Mas, a não ser isso, conto tudo a eles. [Depois de uma breve pausa, ele riu e disse:] Não sobra muita coisa, certo?

Comparemos essa descrição cautelosa de amizade "íntima" entre homens com a observação de Hilda de que "com as amigas existe um sentimento espiritual – algo no meu íntimo que pode fluir até a superfície. Pouca coisa não é revelada, é como se eu estivesse falando comigo mesma". Comparemos isso também com a amizade descrita a seguir:

> Amo minhas amigas por seu calor e compaixão. Posso compartilhar qualquer coisa da minha vida com elas, e elas jamais julgam nem condenam... Não existe nenhum limite às confidências, ao que eu saiba. A qualidade especial dessas amizades entre mulheres é a sinceridade. Nunca consegui falar sobre meus sentimentos nem compartilhá-los do mesmo modo com um homem.

Tenho ouvido esse tipo de descrição repetido por dezenas de mulheres de todas as idades – e por nenhum homem. Contudo, ironicamente, todas as amizades famosas do mito e do folclore são entre homens: Dêmon e Pítias, Aquiles e Pátroclo, David e Jônatas, Roland e Olivier e – mais recentemente – Butch Cassidy e Sundance Kid. Porém, segundo o sociólogo Robert Bell, o que essas amizades demonstram são atos de coragem e de sacrifício mútuo. Nessas fabulosas amizades entre homens, não há nenhuma comemoração de intimidade emocional.

Os elos conscientes e inconscientes entre admissão de fraqueza e homossexualidade masculina, entre admissão de vulnerabilidade e homossexualidade masculina, entre admissão de solidão, medo da insegurança sexual e homossexualidade masculina, podem explicar em parte por que os homens mantêm mais distância do que as mulheres em relação aos amigos do mesmo sexo. Com as mulheres, o contato físico carinhoso e a demonstração emotiva são vistos com menor grau de alarme sexual. Assim, as amizades íntimas entre mulheres, comparadas às amizades íntimas entre homens, não representam o mesmo grau de perigo psicológico.

A sexualidade silenciosa presente nas amizades do mesmo sexo é menos silenciosa nas amizades entre homem e mulher, dificultando o companheirismo não sexual. Entretanto, nos últimos anos, com a criação de novas arenas onde os dois sexos podem trabalhar e se divertir como iguais, as amizades entre homens e mulheres – amizades sem planos eróticos – aumentaram. Permanece ainda, é claro, a ideia de que, como disse um homem de modo pouco delicado, "os homens são para a amizade, as mulheres são para trepar". Porém, colegas de classe, companheiros de dormitório, de escritório e alguns homens e mulheres casados encontram cada vez mais apoio social nas amizades mistas.

Em um estudo que consultei, muitos homens disseram que se sentem emocionalmente mais próximos das amigas do que dos amigos. "É uma sensação muito profunda que tenho", observou um psicólogo. "Sinto que, de modo geral, as mulheres se preocupam mais com amigos e amigas que os homens." E outro homem, advogado, disse: "Começo a pensar que o 'macho' ameaça as amizades entre os homens, mas não as amizades de homens com mulheres. A coisa toda se resume no fato de que existe, na amizade com uma mulher, uma confiança que jamais encontramos num homem".

Lucy, casada, quatro filhos, descreve sua amizade com um homem casado: "Descobrimos que temos muitos assuntos diferentes dos que ele conversa com meu marido e diferentes dos que converso com a mulher dele. Assim, às vezes conversamos por telefone ou almoçamos juntos. Temos os mesmos interesses intelectuais – sempre trocamos os livros de que gostamos –, mas existe também uma certa ternura e algum carinho".

Durante duas crises, Lucy diz: "Ele se ofereceu para conversar e para ajudar. E quando alguém da sua família morria, ele queria que eu estivesse presente. A parte sexual da nossa amizade é muito pequena, mas *existe* – o suficiente para que seja divertida e diferente".

Entretanto, diz ela, sempre fizeram questão de manter a amizade estritamente como amizade.

Mas, devido à atração sexual e à maior legitimidade atribuída aos desejos heterossexuais, as amizades entre homem e mulher são mais raras do que as amizades entre o mesmo sexo. E, quando homem e mulher conseguem, observa o psicanalista Leo Rangell, os relacionamentos geralmente se encaixam numa das seguintes categorias:

Os que são, realmente, um relacionamento do mesmo sexo: "Eu a vejo como se fosse eu, ou como veria outro homem".

Os que são, na realidade, relacionamentos de família: "Eu o vejo como a meu pai, meu irmão, meu filho".

E aqueles que passam de um companheirismo platônico para o amor sexual – disfarçado, ou talvez não disfarçado.

Rangell acredita que um casamento no qual há ternura e afeição não é ainda "exatamente uma 'amizade'" – mas chega muito perto disso. E, embora muitos casais argumentem que são amantes e grandes amigos, eu também faço distinção entre a amizade entre amantes e a amizade pura e simples – devido às regressões íntimas a que McMahon se refere, e por causa de um desejo muito maior de exclusividade. Muitos homens e mulheres, como Lucy, têm amizades que jamais passam ao amor físico, mas eles reconhecem a sutil presença de "um pouquinho de sexo" no relacionamento.

Sem dúvida, há "um pouquinho de sexo" em todos os nossos relacionamentos, mas aprendemos a respeitar nossa consciência e os tabus sociais. E, no nosso inconsciente e às vezes consciente abandono dos objetivos eróticos nas nossas amizades, perdemos – e ganhamos. A amizade, como a civilização, é comprada, diz Rangell, pelo preço da restrição em nossa vida sexual. Mas a amizade fornece o cenário para formas de prazer e de crescimento pessoal que talvez não possam ser encontradas nas praias mais selvagens do amor.

Nas amizades entre adolescentes, os amigos são usados como os amantes, para descobrir, confirmar e consolidar o que somos. Até certo ponto, sempre os usamos desse modo. "Existem forças, facetas da minha personalidade", diz May, dona de casa e mãe, "que, sozinha, eu talvez nunca visse nem reconhecesse. Meus amigos me ajudam a vê-las. E me ajudam a perseguir outros objetivos."

Amigos alargam nossos horizontes. Servem como novos modelos com os quais podemos nos identificar. Permitem que sejamos nós mesmos – e nos aceitam como somos. Intensificam nossa autoestima, porque acham que somos "legais", porque somos importantes para eles. E, porque são importantes para nós – por várias razões, em vários níveis de intensidade –, enriquecem nossa vida emocional.

Contudo, com a maioria dos amigos formamos conexões imperfeitas. Em sua maioria, nossos amigos são amigos só em determinadas ocasiões.

Nas minhas conversas com algumas pessoas sobre aqueles que chamamos de amigos, estabelecemos as seguintes categorias de amizade:

1. *Amigos por conveniência.* O vizinho, o colega de trabalho ou um membro do grupo de revezamento, no carro que nos leva ao trabalho. Vidas que rotineiramente se cruzam com as nossas. São as pessoas com quem trocamos pequenos favores. Emprestam as xícaras e os talheres para uma festa. Levam nossos filhos ao futebol quando estamos doentes. Ficam com o gato durante uma semana quando saímos de férias. E, quando precisamos de uma carona, nos levam até a oficina para apanhar o Honda. O mesmo fazemos por eles.

    Mas, com esses amigos de conveniência, raramente chegamos a uma grande intimidade nem revelamos muita coisa. Mantemos a atitude que usamos em público e conservamos uma distância emocional. "O que significa", diz Elaine, "que falo sobre meu aumento de peso, mas não sobre minha depressão. O que significa que admito estar zangada, mas não com raiva cega. E o que significa que estamos apertados este mês, mas nunca direi que estamos tremendamente preocupados com dinheiro."

    Mas isso não significa que essas amizades de ajuda mútua não tenham bastante valor.

2. *Amigos de interesses especiais.* Essas amizades dependem de haver alguma atividade ou interesse comum. São amigos do esporte, do trabalho, da ioga, da ameaça nuclear. Reúnem-se para jogar uma bola de um lado para o outro sobre a rede, ou para salvar o mundo.

"Eu diria que o que estamos fazendo juntos é 'fazer juntos', não estar juntos", diz Suzanne sobre os amigos das duplas de tênis nas terças-feiras. "É unicamente um relacionamento de tênis, mas jogamos bem juntos." E, como com os amigos de conveniência, podemos com os amigos de interesses especiais nos encontrar regularmente sem chegarmos a ser íntimos.

3. *Amigos históricos.* Com sorte, temos também um amigo que nos conheceu, como Bunny, a amiga de Grace, há muito tempo, quando... quando a família dela morava naquele apartamento de três cômodos no Brooklyn, quando o pai dela ficou desempregado por sete meses, quando o irmão, Allie, se meteu naquela briga tão furiosa que tiveram de chamar a polícia, quando a irmã dela casou com o endodontista de Yonkers e quando, na manhã seguinte à noite em que ela perdeu a virgindade, foi Bunny que ela procurou para desabafar.

Os anos passaram, cada uma seguiu seu caminho, pouco têm em comum agora, mas são ainda uma parte íntima do passado de ambas. Assim, sempre que Grace vai a Detroit, visita essa amiga de infância. Que sabe como ela era antes de endireitar os dentes. Que sabe como ela falava antes de perder o sotaque do Brooklyn. Que sabe o que ela comia antes de conhecer alcachofras. Que a conheceu naquele tempo.

4. *Amigos de encruzilhada.* Como os amigos históricos, os amigos de encruzilhada são importantes por causa do passado — pela amizade compartilhada numa época crucial da vida: talvez foram companheiros de quarto na universidade, serviram juntos na Força Aérea, trabalharam como estagiários em Manhattan ou passaram juntas pela gravidez, pelo nascimento dos filhos e pelos primeiros e difíceis anos da maternidade.

Com amigos históricos e amigos de encruzilhada, forjamos elos com força suficiente para durar. Sem maior contato do que um cartão por ano, no Natal, mantemos uma intimidade especial — pouco ativa, mas sempre pronta para ser reativada —, nas raras mas carinhosas ocasiões em que nos encontramos.

5. *Amigos de gerações diferentes.* Outra intimidade carinhosa — terna, mas desigual — existe nas amizades que se formam entre gerações diferentes, amizades que as mulheres chamam de relacionamento mãe-filha, filha-mãe. O mais jovem dá ânimo ao mais velho, o mais velho orienta o mais jovem. Cada papel, de mentor ou de aprendiz, de adulto ou

de criança, oferece seu tipo de gratificação. E, pelo fato de não haver parentesco direto, as palavras que aconselham são aceitas como sábias, não inoportunas, e os lapsos infantis não provocam ameaças nem resmungos. Sem os riscos e o investimento feroz que sempre fazem parte do relacionamento entre pais e filhos, é possível ter prazer nessas conexões díspares entre gerações diferentes.

6. *Amigos íntimos*. Emocional e fisicamente (encontrando-se, correspondendo-se, conversando ao telefone), são mantidas as amizades de profunda intimidade. E, embora não se revele a mesma intensidade – nem o mesmo tipo de problemas – a cada um dos amigos íntimos, essas amizades implicam a revelação de aspectos do eu particular – de sentimentos íntimos e pensamentos, desejos, temores, fantasias e sonhos.

As pessoas se revelam não só falando abertamente, mas também mostrando o que são, mostrando tanto o que é desagradável quanto o que é bom nelas. E intimidade significa ter confiança de que o amigo ou amiga – embora não nos considere e não deva nos considerar perfeitos – vê nossas virtudes em primeiro plano, e nossos defeitos como imagens mal definidas. "Ser amiga dela", disse uma amiga da falecida ativista política e escritora Jenny Moore, "era ser por algum tempo tão boa quanto se deseja ser." E às vezes, com alguma ajuda – inclusive alguns úteis "não-faça-isso" dos amigos –, podemos chegar lá e ficar.

O analista McMahon observa que "o crescimento exige relacionamentos" e que "a intimidade produz o crescimento contínuo durante a vida, porque ser conhecido afirma e reforça o eu". Ele cita o filósofo Martin Buber, para quem a vida real é o encontro entre mim e você e que "através do você" – encontros íntimos nos quais os verdadeiros eus se revelam – "um homem se torna eu".

Amigos íntimos contribuem para nosso crescimento pessoal. Contribuem também para nosso prazer pessoal, fazendo com que a música tenha um som mais doce, o vinho, um sabor perfeito, o riso seja mais alto e mais claro porque estão ali. Além disso, amigos cuidam de nós – atendem quando chamamos às duas da madrugada; emprestam o carro, a cama, o dinheiro, a atenção e, embora não haja nenhum contrato escrito, é evidente que a amizade íntima implica direitos e obrigações importantes. Na verdade, geralmente procuramos – para nos tranquilizar, para nos confortar, para o venha-me-salvar –, não pessoas da nossa família, mas amigos, amigos íntimos como... Rosie e Michael.

Rosie é minha amiga.
Gosta de mim quando sou burro e não só quando sou inteligente.
Eu me preocupo demais com jiboias, e ela compreende.
Ando com os pés virados para dentro, meus ombros são caídos e tenho cabelos nas orelhas.
Mas Rosie diz que tenho boa aparência.
Ela é minha amiga.

Michael é meu amigo.
Gosta de mim quando estou de mau humor, não só quando estou alegre.
Eu me preocupo muito com lobisomens, e ele compreende.
Sou toda sardenta, exceto nos olhos e nos dentes.
Mas Michael diz que tenho boa aparência.
Ele é meu amigo.

Quando meu papagaio morreu, chamei por Rosie.
Quando roubaram minha bicicleta, chamei por Rosie.
Quando machuquei a cabeça e o sangue jorrou, assim que o sangue parou de jorrar, chamei por Rosie.
Ela é minha amiga.

Quando meu cachorro fugiu, chamei por Michael.
Quando roubaram minha bicicleta, chamei por Michael.
Quando quebrei o pulso e o osso ficou de fora, logo que puseram o osso para dentro outra vez, chamei por Michael.
Ele é meu amigo.

Rosie tentaria me salvar se houvesse uma enchente.
Ela iria me procurar se eu fosse raptado.
E, se nunca mais me encontrassem, ela ficaria com minha Instamatic.
Ela é minha amiga.

Michael tentaria me salvar se um leão me atacasse.
Ele me ampararia se eu pulasse de uma casa em chamas.
Mas se, por engano, não conseguisse me amparar, ficaria com minha coleção de selos.

| Ele é meu amigo.

Além de nos ajudar a crescer, nos dar prazer e proporcionar ajuda e conforto, nossas amizades íntimas nos protegem da solidão. Pois, embora nos ensinem a procurar e a dar valor à autossuficiência e embora exista em todos nós um recesso íntimo que jamais revelamos, é muito importante ser importante para outra pessoa e não estar sozinho. "Preciso saber", diz Kim, "que outra pessoa além de mim se preocupa se estou viva ou não." Um antigo provérbio diz: "Ninguém deve ficar sozinho, nem no paraíso".

Porém, a capacidade para fazer amizades íntimas varia extremamente, pois alguns têm um dom especial para isso, e outros, constrangidos, ineptos, morrem de medo de que a intimidade leve à rejeição – ou à possessão. Amizades íntimas exigem o senso do eu, interesse por outras pessoas, empatia e compromisso de lealdade. Exigem também a desistência – a perda necessária – de algumas fantasias de amizade ideal.

O célebre velho romano Cícero, no seu ensaio muito citado "Sobre a Amizade", pergunta: "Como pode ser digna de ser vivida... a vida que não tem aquele repouso que se encontra na boa vontade mútua de um amigo?". Até aqui, tudo bem. Mas então, ele continua, impondo à amizade um ônus que nenhuma amizade pode suportar, definindo-a como o relacionamento entre dois caracteres "sem mácula" que pensam *em completo acordo sobre todos os assuntos humanos e divinos... Deve haver harmonia completa*", afirma o rigoroso Cícero, "de interesses, propósitos e objetivos, sem exceção".

Ora, é verdade que estudos sobre amizades entre adultos realizados por sociólogos demonstram que as semelhanças são a regra, que as pessoas escolhem amigos iguais a elas em idade, sexo, estado conjugal e religião, bem como em atitudes, interesses e inteligência. Foi até sugerido que, uma vez que não existe na amizade o tumulto do amor sexual, há "mais probabilidades de haver um relacionamento pleno no amor do que haveria na amizade". Porém, embora isso possa ter sido verdadeiro nos tempos antigos (na época de Cícero?), nós, os modernos, somos por demais individualistas. Duas pessoas, dois adultos jamais serão completamente iguais. Os melhores amigos são amigos em certas ocasiões.

Pois, entre os amigos mais íntimos, pode haver aqueles a quem jamais se pede dinheiro – são encantadores e brilhantes, mas irremediavelmente mesquinhos. Pode haver amigos com os quais não se pode discutir um livro, ou amigos cujo modo de educar os filhos nos dá vontade de chorar. Pode também haver amigos íntimos com uma consciência por demais indulgente, na nossa opinião; amigos cujos atrasos compulsivos nos irritam; amigos íntimos cujo gosto quanto a comida, roupas, cachorros e políticos são incompreensíveis para nós – a preferência na escolha do marido ou da mulher é pior ainda. Queremos que nossos amigos íntimos compartilhem nossas paixões e valores, nossos heróis e vilões, nossos amores e nossos ódios. Mas, na verdade, podemos ter amigos a quem temos de perdoar com complacência, por admirarem os filmes de Clint Eastwood e desprezar Yeats. E, às vezes, por falharem conosco.

> Se Rosie me contar um segredo, mesmo que me espanquem e me mordam,
> Não contarei o segredo de Rosie.
> E então, se torcerem meu braço e me chutarem as canelas,
> Ainda assim não contarei o segredo de Rosie.
> E então, se disserem: "Conte-o, ou jogaremos você na areia movediça",
> Rosie me perdoará por contar seu segredo.
>
> Se Michael me contar um segredo e eu for espancada,
> Não contarei o segredo de Michael.
> Depois, se torcerem meus dedos e me atirarem ao chão,
> Não contarei o segredo de Michael.
> Então, se disserem: "Conte-o, ou jogaremos você no meio das piranhas",
> Michael me perdoará por contar seu segredo.

A despeito de Cícero, amizades íntimas exigem indulgência e perdão das duas partes. Pessoas de caráter impecável, sem dúvida, não são indulgentes nem capazes de perdoar. Contudo, apesar da ambivalência, da restrição da sexualidade e do fato de que amigos são amigos somente em certas ocasiões, as amizades criadas podem ser fortes e às vezes mais fortes do que as que criamos por meio da carne, do sangue e da lei – mais confortadoras e exuberantes, conexões "sagradas e miraculosas".

CAPÍTULO 13

Amor e ódio no casamento

*O estado conjugal é... uma imagem completa do céu
e do inferno que podemos experimentar nesta vida.*

RICHARD STEELE

Os amigos são menos do que perfeitos. Aceitamos suas imperfeições e nos orgulhamos do nosso senso de realidade. Mas, quando se trata de amor, teimosamente nos agarramos às ilusões — visões conscientes e inconscientes de como as coisas deviam ser. Quando se trata de amor — amor romântico, amor sexual e amor conjugal —, precisamos aprender outra vez, com dificuldade, a desistir de todos os tipos de expectativa.

Essas expectativas florescem no clima vaporoso da adolescência, quando ternura e paixão sexual convergem, quando nos apaixonamos por alguém que representa para nós (com uma pequena ajuda da cegueira do amor) a realização perfeita de todos os desejos humanos. O amor romântico da adolescência, diz o analista Otto Kernberg, é o "começo normal e crucial" do amor adulto. Mas muitos terminam a adolescência antes de enterrar o amor adolescente.

E muitos trazem de volta a paixão você-é-tudo-para-mim, não-posso-viver-sem-você. Os passeios ao luar. As viagens à lua. E, apesar do fato de ser ou não possível conservar esse amor durante todos os anos da nossa vida, ele pode lançar sua sombra sobre tudo o que vier depois:

> Ontem à noite, ah, na noite passada, entre os lábios dela e os meus
> Pousou tua sombra, Cynara! Teu hálito derramou-se

> Sobre minh'alma, por entre beijos e vinho;
> E senti-me desolado e ferido pela antiga paixão,
> Sim, senti-me desolado e curvei a cabeça:
> Tenho sido fiel a você, Cynara!, a meu modo.

Freud, tratando do amor, distingue o amor sensual, que procura a gratificação física, e o amor caracterizado pela ternura. Freud descreve também a superestimação — ou idealização — da pessoa amada. Ela também faz parte do amor sexual romântico. Além disso, Freud nos lembra que nem mesmo o relacionamento amoroso mais profundo pode evitar a ambivalência e nem o casamento mais feliz pode evitar uma certa porção de sentimentos hostis.

Sentimentos de ódio.

"A textura sedosa do elo matrimonial", escreve William Dean Howells, "suporta uma tensão cotidiana de insultos e transgressões, aos quais nenhum outro relacionamento humano poderia ser sujeito sem ser lesado." E um sociólogo moderno acrescenta: "Uma pessoa, sem nenhuma hostilidade, agressão ou intenção de ferir — apenas através da expressão da sua existência —, pode ser prejudicial para outra".

A boa ressalva é que, às vezes, o elo entre marido e mulher é mais forte do que qualquer dano que um possa causar ao outro.

A má ressalva é que nenhum casal de adultos consegue provocar mais dano um ao outro do que marido e mulher.

Conhecendo muito bem meu marido, sei exatamente quais os calos em que devo pisar para ofendê-lo. Sei também como acalmar, alisar e fazer as coisas agradáveis. E, embora se pense que esse conhecimento deva manter meus dedos longe dos botões que criam problemas, permitindo a nós dois uma espécie de paraíso conjugal, não é assim que o meu casamento — ou a maioria dos casamentos — funciona.

O psicanalista Israel Charny, num ousado estudo sobre o casamento, contesta "o mito de que as dificuldades conjugais são, em grande parte, o destino de pessoas 'doentes' ou 'imaturas'". Ele argumenta que "empiricamente, não se pode negar... que a grande maioria dos casamentos está sujeita a profundas tensões destrutivas, visíveis ou não". E ele sugere uma redefinição do casamento comum, médio, normal, como um relacionamento inerentemente carregado de conflito e de tensão, cujo sucesso exige "um perfeito equilíbrio entre amor e ódio".

As tensões e os conflitos da vida de casados podem começar com a morte das expectativas românticas, encantadoramente descritas no poema "Les Sylphides", no qual, sonhando com flores e com rios murmurantes, cetim e árvores dançantes, dois amantes se casam.

> Então eles se casaram – para ficar mais tempo juntos –
> E descobriram que jamais estavam muito tempo juntos.
> >Separados pelo chá da manhã,
> >Pelo jornal da tarde,
> >Pelos filhos e pelas contas dos fornecedores.
>
> Quando acordava durante a noite, ela sentia segurança
> Na respiração cadenciada do marido, mas imaginava se
> >Na verdade valia a pena e para onde
> >O rio tinha ido
> >E onde estavam as flores.

Outra romântica frustrada é Emma, casada com um médico, ávida leitora de romances sentimentais que a levam a sonhar com "um reino maravilhoso no qual tudo é paixão, êxtase e encantamento". Amargamente insatisfeita com o casamento, no qual não encontrou felicidade, lamentando "seus sonhos muito altos, a casa muito pequena", faz do marido Charles, bondoso mas mortalmente desinteressante, "o único objeto do ódio complexo resultante de suas frustrações".

Emma é uma heroína adúltera, a Madame Bovary de Flaubert, uma mulher de alma ardentemente romântica, que espera do casamento "aquela maravilhosa paixão que, até aquele momento, foi como um grande pássaro de penas rosadas pairando no esplendor dos céus da poesia". Não encontrando essa paixão no casamento, Emma não desiste, nem aprende a temperar o romance com a realidade. Sem tomar conhecimento da vida diária, aprende a odiar o marido – e procura romances em outro lugar.

Mas não é preciso praticar o adultério para dizer, com Flaubert: "Madame Bovary c'est moi". Nós todos medimos nossos sonhos, comparando-os à realidade. Nós todos talvez tenhamos tentado alcançar um pássaro de plumagem rosada, nos céus da poesia, e acabamos com um papagaio na gaiola da sala de estar, num subúrbio de Silver Springs.

"O casamento", escreve o antropólogo Bronislav Malinowski, "representa um dos mais complexos problemas pessoais da vida humana; o mais emocional e o mais romântico de todos os sonhos humanos tem de ser consolidado num relacionamento comum de trabalho..." E embora, ao contrário da infeliz Emma, o indivíduo se ajuste, se adapte, se comprometa e consiga continuar, muitas vezes as pessoas casadas odeiam o casamento, porque ele domestica os sonhos de amor romântico.

Levamos para o casamento uma infinidade de expectativas românticas. Às vezes, também, visões de míticos êxtases sexuais. E impomos à nossa vida sexual muitas outras expectativas, muitos outros "devia ser", que o ato cotidiano do amor não consegue realizar. A terra devia tremer. Nossos ossos deviam cantar. Fogos de artifício deviam explodir. O ser consciente – o eu – devia ser queimado na pira do amor. Devíamos alcançar o paraíso, ou um fac-símile razoável. Nós nos desapontamos.

No seu livro *O Casamento é um Inferno*, Kathrin Perutz descreve a mitologia sexual que tanto onera o leito nupcial:

> O verdadeiro homem ou a verdadeira mulher devem ser profundamente sexuais; o único intercâmbio verdadeiro entre seres humanos é a relação sexual; níveis de prazer quase se tornaram marcas para avaliar o que é bom, e a variedade sexual é atualmente tão necessária para o casamento quanto o eram as cortesias sociais antigamente... O amor deve ocorrer – ou deve-se fazer sexo – num determinado número de vezes por semana; do contrário, o indivíduo cai em desgraça e fica fora da competição.

Essas imposições transformam o ato sexual num teste de desempenho e na prova do estado de nossa saúde mental, intimidando e envergonhando – e, sim, desapontando – maridos e mulheres que não conseguem o orgasmo apocalíptico. Porém, mesmo quando a paixão é febril e todos os sistemas funcionam com perfeição, é difícil manter esses picos de excitação. E os casais acabam descobrindo que, depois de algum tempo, o sexo não é mais tão sexy.

> Levo mais um copo d'água para as crianças.
> Passo o creme de hormônio no rosto.
> Então, depois de terminar a isometria,
> Recebo meu marido com um abraço caloroso.

Com minha camisola de flanela de mangas compridas
E meias (porque meus pés estão sempre gelados),
Engulo tranquilizantes para minhas extremidades nervosas
E pastilhas de antialérgico para a coriza.

Nosso cobertor elétrico azul, regulado ao máximo.
Nosso despertador vermelho, regulado para as sete e meia.
Digo a ele que devemos muito no armazém.
Ele diz que seus dois melhores ternos estão sujos.

No ano passado, dei um Centauro no aniversário dele.
(Eles me prometeram que ele se transformaria em meio homem, meio animal.)
No ano passado, ele me deu algo negro e rendado.
(Eles prometeram a ele que eu ia ficar louca de desejo, no mínimo.)

Mas, em lugar disso, os rolos do meu cabelo tilintam no travesseiro
E a unha comprida do pé dele me arranha.
Ele se levanta para aplicar um pouco de Chap Stick.
Peço-lhe que me traga dois Bufferin.

Oh, em algum lugar deve haver lindos *boudoirs*
Com lençóis Porthault e dosséis e chicotes.
Ele caça leões na África nos fins de semana.
Ela tem noventa centímetros de cadeiras.

Seus olhos se encontram sobre os copos de conhaque.
Ele passa os dedos pelos cabelos dela, penteados por Kenneth.
Os filhos estão na outra ala com a governanta.
O som de violinos paira no ar.

Na nossa casa ouço água pingando.
Está chovendo, e nunca nos lembramos de tampar a goteira.
Ele apanha o pano de chão, e eu, o balde.
Concordamos em tentar novamente na próxima semana.

Dizer tudo isso não significa negar que se pode ter momentos de sexo tão notáveis quanto em qualquer sonho fantasista, momentos em que a união – tenha ou não orgasmos perfeitamente sincronizados – é um casamento mútuo de paixão e amor. A ausência do manual sobre sexo também não significa que seja impossível o que o analista Kernberg chama de "formas múltiplas de transcendência", em que – por meio de atos de amor sexual – atravessamos e apagamos as fronteiras que separam um eu do outro, a mulher do homem, o amor da agressão e o presente do futuro e do passado.

O testemunho desses momentos sublimes não se limita aos freudianos e à ficção. Consideremos estas palavras poéticas do filósofo Bertrand Russell, em sua autobiografia:

> Procurei o amor, primeiro porque ele traz o êxtase – um êxtase tão imenso que muitas vezes eu teria sacrificado o resto da vida por algumas horas desse prazer. Procurei-o depois porque alivia a solidão – aquela terrível solidão, na qual o consciente, trêmulo e frio, olha por sobre a borda do mundo para o abismo gelado e insondável. Eu o procurei finalmente, porque vi na união amorosa, numa miniatura mística, a visão prefigurada do céu que santos e poetas imaginam.

Certo, muito bem. Mas, para muitos casais – talvez a maioria –, esses momentos são raros e extraordinários. Ou então, eles se deixam vencer pelo hábito, e o hábito fica rançoso. Pois, embora no amor sexual procuremos continuar com o corpo as conexões feitas com o coração e a mente, certas vezes o salto do amor para o êxtase falha. Há momentos – e são muitos – em que temos de nos contentar com conexões imperfeitas.

Mas o contraste entre o casamento que se desejava e o casamento conseguido abrange mais do que o desapontamento romântico e sexual. Pois, mesmo para quem se casa com uma visão realista do que deve ser o casamento – e da pessoa com quem está se casando –, a condição de casado pode não corresponder a algumas e, às vezes, a todas as expectativas. De que sempre estarão ali um para o outro. De que sempre serão fiéis e leais. De que aceitarão as imperfeições um do outro. De que jamais se ofenderão gravemente. De que, embora esperando discordar em muitas coisas sem importância, sem dúvida, concordarão nos assuntos importantes. De que serão honestos e de coração aberto um para o outro. De que um sempre defenderá o outro. De que o casamento será o santuário, o refúgio, o "céu num mundo sem coração".

Não necessariamente. E por certo, não o tempo todo.

Pois, ao lado dessas expectativas, coligem histórias de promessas não cumpridas, de males deliberadamente causados, deslealdades, infidelidades, tolerância zero para limites e falhas dos companheiros e brigas com unhas e dentes sobre assuntos não pouco importantes, como dinheiro, ter filhos, religião e sexo. "Se eu tivesse de definir meu marido", diz Meg, "baseada na dor infligida e no abuso de confiança, acho que teria de considerá-lo meu pior inimigo." Fazendo eco a essas palavras, um psicólogo sugere que marido e mulher são "inimigos íntimos".

A inimizade aparece porque as expectativas não realizadas tornam-se metáforas para tudo o que falta no casamento. Ela não tomou o lado dele na briga com o irmão. No dia em que ela perdeu o bebê, ele estava em Los Angeles a negócios e não quis voltar. Os insultos e ofensas inevitáveis do casamento prejudicam também a textura macia do elo matrimonial, fazendo pensar: "Ela nunca vai me compreender", fazendo com que ela pense: "Casei-me com o homem errado".

Ouçamos Millie: "Às vezes, quando falo com ele sobre um problema – meu ou das crianças –, ou digo alguma coisa séria e profunda, ou alguma coisa desesperada, pela resposta dele percebo que não me ouviu e que também não me ouvira na véspera. E então, quando sinto que preciso de compreensão, de admiração, de *qualquer coisa*, apelo para o fato de ele não estar me dando nada disso no momento, como prova de que ele nunca, nunca me escuta, nem me vê, nem sabe quem diabo sou eu, nem quer saber. E então, começa a espiral descendente, e tudo o que ele diz uso contra ele, como prova de que ele me deixa sempre de fora, de que é completamente insensível às minhas necessidades".

É mais ou menos isso o que Millie me tem dito, não só recentemente, mas durante anos. Pois embora, como ela diz, seu casamento seja firme e sólido, há certos momentos em que todo o amor morre, quando o abismo entre o que ela deve receber e o que ele tem para dar não pode ser transposto. E o que resta, quando Millie olha para aquele homem que é estável, tem bom gênio e é bom, que ajuda em casa e que é devotado e fiel, é algo assim como: "Você tem vontade de dar um profundo suspiro", uma sensação do tipo: "Oh, meu Deus, o que estou fazendo aqui?". A sensação de que: "Casei-me com o cara errado – deve existir alguém mais sintonizado com aquilo de que preciso", a sensação de estar dizendo: "Sim, eu o odeio".

Nossas primeiras lições de amor e a história do nosso desenvolvimento moldam as expectativas que temos no casamento. Geralmente, estamos conscientes de esperanças não realizadas. Mas levamos também os desejos inconscientes e os sentimentos mal resolvidos da infância, e, orientados pelo nosso passado, fazemos exigências no nosso casamento sem perceber que as estamos fazendo.

Pois, no amor do casamento, procuramos recuperar os amores dos nossos primeiros desejos, encontrar no presente figuras amadas do passado: o pai ou a mãe inacessível da paixão edipiana. A mãe do amor incondicional da infância. E a união simbiótica em que dois eus se confundem, como antes. Nos braços do nosso verdadeiro amor, procuramos unir os anseios e objetivos do desejo do passado. E, às vezes, odiamos nosso companheiro ou companheira por não satisfazer esses desejos antigos e impossíveis.

Odiamo-lo porque ele não pôs um fim à nossa separação.

Odiamo-lo porque não preencheu nosso vazio.

Odiamo-lo porque não correspondeu ao nosso "salve-me, complete-me, seja meu espelho, seja uma mãe para mim".

E odiamo-lo porque esperamos todos esses anos para casar com o papai – e ele não é o papai.

É claro que ninguém se casa com a intenção consciente de se casar com o papai – ou com a mamãe. Nosso plano secreto é um segredo também para nós. Mas esperanças subterrâneas provocam abalos sísmicos. E até que se aprenda a "distinguir entre os objetivos conscientes e atingíveis e... os objetivos inconscientes e inatingíveis", escreve o analista Kubie, "o problema da felicidade humana, seja no casamento ou em outra coisa qualquer, permanecerá sem solução".

Certamente existem certos objetivos que podem ser alcançados com o casamento – objetivos normais e objetivos extremamente neuróticos. Existem "casamentos complementares" em que as exigências do marido e da mulher combinam tão bem que, mesmo quando parecem casamentos infernais, satisfazem às necessidades psíquicas das duas partes.

Os relacionamentos dominado-dominador, ídolo-adorador, desamparado-eficiente, bebê-mamãe são exemplos de complementaridade neurótica. E, embora esses papéis polarizados possam provocar grandes conflitos entre marido e mulher, são também expressões da convicção profunda e compartilhada sobre a natureza do casamento.

O dominado e o dominador concordam em que o amor conjugal significa autoridade, escravidão, controle.

O adorador e o ídolo concordam em que o amor conjugal significa afirmação do ego.

O desamparado e o eficiente concordam em que o amor significa segurança por meio da dependência.

E o bebê e a mamãe concordam em que o amor conjugal significa cuidado e carinho incondicionais.

Essas suposições compartilhadas explicam os elos apaixonados que unem um casal, mesmo quando o casamento parece catastrófico. Juntos, constroem o casamento que desejam. São "casais em conluio", mas qualquer mudança interior ou exterior pode representar uma ameaça para o delicado equilíbrio do relacionamento em conluio.

Vejamos, por exemplo, o casamento de um homem que deseja uma mulher que o crie e alimente como se fosse sua mãe, uma mulher que – respondendo ao encanto e ao desamparo dele – lhe dê carinho materno e admiração. Esse arranjo oferece boas coisas tanto ao marido-filho, quanto à mulher-mãe, até o momento em que ela sente a necessidade de ser bem tratada, até ela se cansar de dar a ele admiração incessante, até que – em alguns casos – ela se canse dos adultérios do marido. Ele, por seu lado, vai achar intolerável o fato de não ter mais a devoção absoluta da mulher. Minha mulher, queixa-se ele, é egoísta, fria, injusta. Continua chorando pela mãe, mas a mãe perfeita de que precisa não existe mais. O que existe agora é um aumento de tensão no casamento.

Uma versão mais complicada do casamento complementar é o que chamamos de identificação projetada, um intercâmbio sutil e inconsciente, no qual um usa o outro para conter e experimentar algum aspecto da própria personalidade.

Por exemplo, Kevin é um tipo másculo que, inconscientemente, odeia e repudia a própria ansiedade, e que "transpõe" a ansiedade para a mulher, Lynne, libertando-se desses sentimentos ao atribuí-los – e projetá-los – à mulher e então pressionando-a psicologicamente, criando nela sentimentos de rejeição e abandono. Assim, quando o filho deles se atrasa duas horas, Lynne puxa os cabelos, e Kevin diz com desprezo: "Você se preocupa demais". Ele não se preocupa, pois Lynne está se preocupando por ele – e, assim, despreza a ansiedade da mulher e não a sua.

Há também a mulher que detesta pessoas agressivas e faz com que o marido se encarregue da agressão e dos gritos. E a mulher com um marido perdulário que expressa, no lugar dela, a parte indulgente da sua personalidade. A identificação projetada é sempre recebida por pessoas com tendência naquela determinada direção, mas é "colocada" ali pelo companheiro ou companheira, que precisa de alguém para fazer seu papel.

"Quando uma mulher aprende a negar as próprias ambições e impulsos competitivos de competência e domínio", diz a psicóloga Marriet Lerner, "pode escolher um homem que expresse essas coisas por ela. Quando não consegue tolerar a ideia da própria dependência ou fraqueza, pode encontrar um companheiro que desempenhe um papel de incompetente e fraco que ela teme ser o seu papel real. Quando aprende a agradar e proteger os outros, talvez encontre um marido provocador e sem tato social. As mulheres geralmente escolhem como maridos homens que expressam justamente tudo aquilo que elas precisam negar em si mesmas, ou qualidades que deveriam expressar, mas não conseguem. E, então, revoltam-se contra o marido, quando ele expressa as qualidades pelas quais o escolheram."

Quando o companheiro possui algumas características do outro, o casamento pode ser cheio de problemas, mas permanecer intato. Porém, eis o que pode acontecer quando a identificação projetada é desfeita: uma mulher casada, de trinta e poucos anos, começa uma terapia porque é incapaz de dirigir a casa e tomar conta dos filhos. Ao longo de todo o casamento, sentiu-se incapaz e ansiosa. O marido, que, além de trabalhar o dia todo, toma conta da casa, fala sobre sua disposição de "não poupar esforços para ajudar a mulher".

Mas quando ela, com o tratamento, começa a demonstrar sinais de melhora, o marido fica cada vez mais insatisfeito, primeiro manifestando-se contra o tratamento, depois recusando-se a pagar por ele, e por fim, num acesso de raiva, atacando a mulher. Finalmente, aquele homem "gregário, afável, flexível e maduro, com uma genuína preocupação pelo bem-estar da mulher", fica tão abalado que se interna num hospital. Não tendo mais a mulher para expressar sua ansiedade e incapacidade, aquele homem "saudável" transformou-se realmente na mulher "doente".

Existem casos em que a identificação projetada e complementar é bastante construtiva. Porém, sempre que as necessidades essenciais se confundem, a união corre perigo. E, por incrível que pareça, duas pessoas presas a um casamento patológico podem continuar neuroticamente juntas para sempre, ao passo que casais mais completos e saudáveis, capazes de crescer e mudar juntos, acabam se separando.

Ironicamente, o surto do desenvolvimento humano pode contribuir para criar tensão no casamento.

Perspectivas impossíveis, necessidades não satisfeitas e díspares são fontes contínuas de tensão e desentendimento conjugal. Produzem a parte infernal do matrimônio. Porém, já foi dito também que o fato de o casamento consistir em um marido e em uma mulher é suficiente para explicar a presença do ódio. Já foi dito que o fato de os homens serem homens e as mulheres serem mulheres – duas espécies diferentes? – é uma causa fundamental de conflitos no casamento.

Argumentam também que os conflitos conjugais originados de diferenças sexuais são mais profundos do que a preocupação com a mudança sexual dos papéis desempenhados. Dorothy Dinnerstein, uma psicóloga audaciosa e brilhante, explica do seguinte modo as origens da guerra entre os sexos.

Dinnerstein argumenta que as mulheres, como primeiras responsáveis pelo cuidado dos seres humanos, "nos introduziram nas situações humanas, e... no começo nos pareciam responsáveis por todos os fracassos dessa situação...". Assim, tornaram-se os recipientes – ao contrário dos homens e dos pais – das nossas emoções e expectativas mais primitivas. Nossa exigência de sermos bem tratados pela mãe, que tudo nos dá, nossa raiva infantil pela mãe que nos desaponta, nossa revolta contra a mãe dominadora, provocam distorções na nossa visão adulta da mulher – e dos homens. E essas distorções da infância, diz ela, prejudicam não só nosso crescimento pessoal, como também nossa capacidade para amar.

Dinnerstein afirma que nossa organização sexual – a divisão de oportunidades e privilégios – tem origem no papel central da mulher na criação dos filhos. E, "embora grande parte do nosso prazer de viver esteja tecido nessa organização", observa, "ela aparentemente jamais foi inteiramente confortável ou benéfica para nenhum dos sexos. Na verdade, tem sido sempre a fonte principal de todo sofrimento humano, do medo e do ódio: a sensação de uma profunda tensão entre homem e mulher tem impregnado a vida da nossa espécie desde tempos imemoriais, até onde os estudos dos mitos e dos rituais nos permitem examinar o sentimento humano".

Esse sofrimento, esse medo e esse ódio nos dominarão, até que as mulheres se libertem do papel de bode-expiatório-ídolo-provedora-devoradora. Sofrimento, medo e ódio, diz ela, continuarão a impregnar os relacionamentos entre homens e mulheres, até que homens e mulheres criem juntos seus filhos.

> Uma vez que o primeiro progenitor é uma mulher, à mulher, inevitavelmente, será imposto o duplo papel de apoio indispensável e de inimigo mortal do ser humano. Será considerada como a doadora natural da individualidade das pessoas; como a plateia inata em cujo interesse a existência subjetiva das pessoas pode se refletir; como o ser peculiarmente necessário para confirmar o valor das pessoas, o poder, a importância. Se deixar de prestar esse serviço, ela é um monstro anômalo e inútil. Ao mesmo tempo, é considerada alguém que não permite que a pessoa seja ela mesma, que evita que adquira sua individualidade, que quer engolfar, dissolver, afogar, sufocar todas as características de autonomia. Na vida adulta... apoiamo-nos definitivamente na nossa heterossexualidade, para manter afastada essa ameaça original. Teremos de continuar a proceder assim, de certo modo, até que possamos reorganizar a criação dos filhos, para fazer com que o reino do não eu seja tanto feminino quanto masculino.

A guerra entre os sexos pode resultar do fato de as mulheres criarem os filhos? A psicologia, de certo modo, apoia esse ponto de vista. Pois os diferentes caminhos de desenvolvimento seguidos por meninos e meninas – e, eu acrescentaria, algumas diferenças inatas também – têm como resultado conjuntos extremamente diferentes de experiências e convicções, especialmente no campo dos relacionamentos humanos. Devemos lembrar que os meninos, no processo de formação da sua identidade sexual, precisam se desligar – de modo mais brusco do que as meninas – do elo que os une à mãe, pois as meninas podem ser meninas continuando a se identificar com a figura materna, mas os meninos, para ser meninos, não podem. Assim, a relação íntima torna-se uma condição confortável e valiosa para as mulheres, ao passo que uma aproximação muito grande representa uma ameaça para os homens. Essa diferença sexual produz um distanciamento tão grande entre os sexos, diz à terapeuta Lillian Rubin, que marido e mulher geralmente vivem como "estranhos íntimos".

"Quero que ele fale comigo." "Quero que ele me diga o que sente." "Quero que ele tire a máscara do 'estou bem' e seja vulnerável." As mulheres muitas vezes se queixam de darmos socos numa porta trancada. E os maridos, como revela este paciente da dra. Rubin, muitas vezes se sentem confusos e sitiados:

> Todo esse maldito negócio que chamam intimidade me deixa furioso. Nunca sei o que vocês, mulheres, querem dizer quando falam a esse respeito. Karen se queixa de que não falo com ela, mas não é conversa o que ela quer, é outra droga qualquer, mas não tenho ideia do que é. Sentimentos, ela está sempre pedindo-os. O que ela quer que eu faça, se não tenho nenhum para dar, nem para comentar, só porque ela resolve que está na hora de falar sobre sentimentos? Diga você o que isso tudo significa, talvez assim a gente possa ter um pouco de paz por aqui.

A mulher precisa compartilhar sentimentos – ouvir sobre os sentimentos dele, falar sobre os dela –, e essa necessidade entra em choque com a relutância masculina em tratar *desse* assunto. No caso de Wally e Nan, o abismo da comunicação foi tão profundo que quase devorou seu casamento.

Segundo Nan, Wally jamais foi "um grande conversador, nem um ouvinte atento", mas havia intimidade suficiente entre eles para manter o casamento. Então, mudaram-se para Washington, onde Wally conseguira um emprego importante na Casa Branca.

"Durante os primeiros três meses", diz Nan, "tudo correu bem; eu estava me divertindo." Mas então, o trabalho de Wally o absorveu completamente. "A comunicação entre nós dois desapareceu", lembra Nan. "Ele simplesmente não falava mais comigo." Saía de casa antes que ela se levantasse. Quando chegava, à noite, os dois telefones começavam a tocar. E, sempre que Nan tentava conversar com ele sobre... qualquer coisa, Wally tamborilava impaciente na mesa e perguntava, aborrecido: "Qual é o fim da história?".

Nan diz: "Ele não dava atenção aos meus sentimentos. Por isso, desisti de dizer a ele como me sentia".

Em meio a essa desolação, o filho deles morreu num acidente. Wally, para fugir à dor, passou a trabalhar até mais tarde. Nan expressava seu sofrimento e raiva "gritando e berrando, reclamando furiosamente", diz ela. Vendo que Wally a ignorava, recorreu aos barbitúricos. E, depois de dois anos tomando comprimidos, estava a poucos passos da morte.

Mais tarde, um psiquiatra perguntou a Wally o que ele pensava dos comprimidos que Nan tomava. Quando ele declarou que ajudavam a manter seu casamento, Nan teve vontade de gritar: "O que ele quis dizer", conta ela, "foi que, com os comprimidos, eu não ficava histérica, não criticava, não era uma pessoa. Tinha me transformado naquilo que ele era para mim – uma máquina".

Nan diz que odiava o marido.

"Quando deixei de tomar comprimidos", diz ela, "comecei a ficar muito, muito zangada. Não quero esse casamento", disse ela; "esse casamento acabou". Arranjou um amante e foi para a Europa com ele, abandonando o marido e o outro filho. Nove meses depois, recuperando os destroços de sua vida, Nan e Wally voltaram a viver juntos.

Isso aconteceu há alguns anos. Eles completarão agora 25 anos de casados. O que ajudou a sobrevivência desse casamento? Com ajuda externa, Wally melhorou um pouco – não completamente, mas um pouco –, e começou a se interessar por ela. Com a análise, Nan melhorou sua capacidade de conduzir as coisas. Mas ela diz: "Agora eu sei que, se precisar de Wally, ele estará ao meu lado". Compartilham muitas coisas boas, diz ela. E o sexo ainda é muito bom.

A má ressalva é que nenhum casal de adultos consegue causar tanto mal um ao outro quanto marido e mulher.

A boa ressalva é que o amor pode sobreviver ao ódio.

Os homens procuram a autonomia; as mulheres desejam a intimidade. Essa diferença sexual é responsável pelas tensões conjugais. E, mesmo quando não leva às tensões explosivas que separaram Nan e Wally, pode explicar em parte por que as mulheres, em geral, se queixam mais do casamento do que os homens.

Os estudos têm demonstrado que "mais mulheres do que homens relatam frustrações conjugais e insatisfação com o casamento; é maior o número de mulheres que se queixa de sentimentos negativos; mais mulheres do que homens falam de problemas conjugais; mais mulheres do que homens consideram seu casamento infeliz, já pensaram em separação ou divórcio, arrependem-se do casamento que fizeram; e um número menor relata um companheirismo positivo.

A esses estudos, podemos acrescentar os seguintes resultados: as mulheres correspondem mais às expectativas do marido do que eles às delas. As mulheres fazem mais concessões e adaptações. As mulheres são mais sujeitas do que os maridos – à depressão, às fobias e a outros problemas emocionais.

A socióloga Jessie Bernard chegou à conclusão de que o preço do casamento é mais alto para as mulheres do que para os maridos. Ela afirma que o mesmo casamento é diferente para o homem e para a mulher: "Assim, em toda união matrimonial existem dois casamentos, o dele e o dela". E, em termos de boa saúde mental, de bem-estar psicológico, todos os estudos demonstram que o dele é melhor.

Contudo, a despeito dos problemas psicológicos e das respostas negativas, mais mulheres do que homens veem o casamento como uma fonte de felicidade. Com sua maior necessidade de amor e companheirismo em um relacionamento duradouro, elas "demonstram essa necessidade", diz Jessie Bernard, "agarrando-se ao casamento, por mais difícil que seja".

Contemplando o futuro do casamento, Jessie Bernard acredita que, de uma forma ou outra, ele sobreviverá, embora "as exigências que homens e mulheres façam do casamento jamais sejam satisfeitas plenamente; não podem ser...". Ela diz que homens e mulheres, não importa de que tipo seja a união, "continuarão a desapontar-se e a dar prazer um ao outro...". E o casamento, diz ela, continuará a ser um relacionamento "intrinsecamente trágico" – "trágico no sentido de simbolizar um conflito insolúvel... entre desejos humanos incompatíveis...".

Nossos desejos humanos incompatíveis, nossos conflitos, nossos desapontamentos confirmam a existência do ódio no casamento. Mas o uso dessa palavra brutal, "ódio", essa expressão de desamor, essa palavra não amada, pode ser chocante. E, quando somos pessoas ótimas, de temperamento suave, acharemos difícil nos convencer de que podemos sentir uma emoção tão violenta. Especialmente no casamento. Especialmente em relação a alguém que amamos.

Mas o ódio pode ser inconsciente ou consciente. Pode ser passageiro ou enraizado e contínuo. O ódio pode ser um facho ou um martelar constante de raiva, amargura e dor. O ódio nem sempre é uma explosão; pode ser às vezes uma lamúria em voz baixa.

É fácil reconhecer o ódio nos casamentos que classificamos de "cão e gato", nos quais marido e mulher – embora profundamente unidos – mantêm-se em pé de guerra dia e noite. Mas existem também casamentos "ensolarados", que apresentam uma fachada de felicidade e "negam e mantêm em segredo a realidade". Esses casais, apesar da inveja de vizinhos e amigos, podem pagar um alto preço por negar seus conflitos. Podem sofrer sintomas físicos constantemente. Ou talvez não sofram nada, e seus filhos – sentindo as secretas sementes de luta – venham a pagar o preço por eles.

Entre esses dois extremos, estão os casais cujos casamentos atravessam estações como as do ano, quando todas as conexões são interrompidas e a escuridão predomina, quando falha a tolerância que lhes permite aceitar a não realização das suas expectativas, quando sentem – se forem honestos a respeito disso – ódio mútuo. Muitas vezes, esse ódio é manifestado por meio de violências físicas e de ofensas verbais do tipo *Quem Tem Medo de Virginia Woolf?* Outras vezes, as mensagens de "eu te odeio" são transmitidas de modo menos direto e disfarçado.

Na casa de Wendy e Edward, por exemplo, nunca se ouvem gritos. Há mais de vinte anos eles adotam o tom suave. Um exemplo: as tensões aparecem, e Edward, como que se desculpando, compra um enorme buquê de rosas para Wendy. Ela arruma as flores no vaso, e os dois saem juntos para jantar. Quando voltam, as rosas estão murchas. "Ela esqueceu de pôr água no vaso, e as rosas morreram", diz Edward. "Acho que estava tentando me dizer alguma coisa."

Wendy talvez nem saiba quando sente hostilidade contra o marido. Mas os sentimentos de Rachel estão na ponta dos dedos. "De repente, estamos na quadra de tênis, nós dois jogando em dupla contra outro casal, e me surpreendo jogando contra ele", admite ela. Sempre que está com ódio do marido, diz Rachel, "jogo a favor do outro lado. Não quero que ele ganhe".

As fantasias são outra forma de expressão do ódio conjugal, sem uma troca ostensiva de hostilidade. Connie, uma mulher gentil que conheço, permite a si mesma imaginar que o avião do marido caiu no mar. Gosta também da fantasia de se livrar dele com a ajuda de um pistoleiro da Máfia.

"Acho que não desejo isso realmente", diz ela, "mas também não deixo de desejar. Só a ideia me anima."

Quando mencionei as fantasias de Connie a homens e mulheres casados, muitos ficaram sinceramente chocados. "Nunca. Nunca tive esse tipo de pensamento", disseram eles. Mas, afinal, talvez não seja um meio tão horrível de lidar com os sentimentos de ódio no casamento. Talvez, diz o psicanalista Leon Altman, seja possível amar melhor se soubermos odiar com alegria.

E talvez seja possível odiar com mais alegria se pudermos lembrar o impressionante resultado de estudos feitos com animais: não existem ligações pessoais sem agressão. Os animais, sem agressão, formam bandos instáveis, unindo-se anonimamente. Um cientista detentor do prêmio Nobel, Konrad Lorenz, conclui inequivocamente: sem agressão, não há amor. Otto Kernberg diz que o fato de não reconhecermos a agressão "transforma uma profunda relação amorosa em... um relacionamento ao qual falta a própria essência do amor".

Para Erikson, o amor adolescente é "uma tentativa de definição da identidade", procurando experimentar nossa autoimagem em outra pessoa. O sexo na adolescência, diz ele, é em grande parte um ato de "procura de identidade". Em outras palavras, esse amor sexual é típico da crise de identidade que, segundo Erikson, faz parte do ciclo normal de vida. Quando o amor consiste menos no ato de amar a pessoa amada do que no ato de se encontrar.

O amor adolescente é também voltado para si mesmo – narcisista –, na medida em que a pessoa amada é idealizada. Pois, embora seja provavelmente verdadeiro que amar exige de nós, como observou George Bernard Shaw, um exagero das diferenças entre uma pessoa e outra, o amor adolescente quase sempre vai aos extremos. Essas idealizações excessivas podem ser um meio de adquirir qualidades, atribuindo-as à pessoa que estamos amando. A coisa ocorre da seguinte maneira: não sou perfeito, portanto vou fazer você perfeito e, amando você, farei minha essa perfeição.

No curso do desenvolvimento normal rumo às formas adultas de amor, os elementos narcisistas diminuem. Começa-se a ver a pessoa real. Trazemos para o relacionamento a capacidade de sentir empatia e carinho, de sentir culpa quando provocamos dor, de sentir vontade de reparar o dano causado e oferecer consolo. Enquanto a pessoa amada simbolizar certos ideais valiosos para nós, continuamos a vê-la como uma pessoa ideal, mas essa idealização convive com o conhecimento realista de quem amamos. E, se o amor tiver de progredir para algo duradouro, para o amor adulto, para um casamento maduro – amoroso – e durável, esse conhecimento nos colocará frente a frente com nossos desapontamentos, nossos sentimentos de amargura, nosso ódio. Mas também abrirá nosso coração para a gratidão.

Gratidão por encontrar – no relacionamento amoroso daquele momento – um pouco das pessoas amadas do nosso passado.

Gratidão por receber – no relacionamento amoroso daquele momento – um pouco do que jamais tivemos no passado.

Gratidão por recuperar – por meio do amor sexual – um pouco da felicidade simbiótica do passado.

E gratidão pela sensação de ser conhecido, compreendido pela pessoa amada.

Entretanto, libertados da cegueira do amor, teremos de enfrentar a realidade de que outros companheiros também podem inspirar essa gratidão, de que outros casamentos podem gratificar nossas necessidades – talvez até melhor. Na verdade, uma vez ou outra, podemos desejar outros relacionamentos, desejos aos quais – se nosso amor for duradouro – renunciamos. Mas desejo e renúncia podem acrescentar novas riquezas ao amor maduro.

"Todos os relacionamentos humanos devem terminar", lembra Kernberg, falando sobre as características do amor adulto, "e a ameaça de perda, abandono e, em última instância, de morte é maior onde o amor for mais profundo." Mas a conscientização desse fato oferece algo mais do que uma rápida visão da realidade: "A conscientização desse fato", diz ele, "também torna o amor mais profundo".

No seu poema sobre ilusão e realidade, W. H. Auden nos dá duas imagens do amor. Na sua visão romântica, ele capta com ironia todos os sonhos de amor dos jovens:

> E descendo o rio caudaloso
>   Ouvi um amante cantar
> Sob um arco da via férrea:
>   "O amor não tem fim.
>
> Eu te amarei, querida, eu te amarei
>   Até que a China e a África se encontrem,
> Até que o rio salte sobre a montanha
>   E o salmão cante nas ruas.
>
> Eu te amarei até que o oceano
>   Seja dobrado e dependurado para secar,

> E as sete estrelas comecem a crocitar
> 	Como gansos lá no céu.
>
> Os anos passarão correndo como coelhos.
> 	Pois nos meus braços eu tenho
> A Flor dos Tempos,
> 	E o primeiro amor do mundo".

Contra essa visão encantada, Auden aridamente evoca as marcas frias e inevitáveis do tempo, tempo que "espia na sombra e tosse quando você devia beijar", tempo que aos poucos desfaz os sonhos adolescentes de unidade, felicidade, salvação, transcendência e paixão, tempo que finalmente nos ensina a natureza das escolhas que fizemos. Ele termina assim:

> Oh, fique ao lado da janela
> 	Enquanto as lágrimas escaldantes escorrem;
> Você deve amar seu vizinho desonesto
> 	Com seu coração desonesto.

A canção cínica de Auden sobre o amor perfeito, sobre o amor infinito, sobre o amor que dura até que a China e a África se encontrem, talvez retrate corretamente os riscos do romantismo. E, sem dúvida, os amantes de longo tempo aprenderão sobre o sofrimento e a distorção dos corações. E, sem dúvida, mais cedo ou mais tarde começarão a comparar os fracassos da compreensão e os desencantamentos da familiaridade. Com o tempo, enfrentarão a certeza daquilo que nunca, nunca poderão esperar um do outro.

Essas expectativas perdidas são perdas necessárias.

Mas sobre essa perda podemos construir o amor adulto. Podemos lutar para amar, usando o melhor das nossas aptidões distorcidas. Podemos, embora com menos frequência, caminhar sob as estrelas e viajar até a lua, curvando-nos aos limites e às fragilidades do amor. E podemos, com amor e ódio, preservar aquela conexão extremamente imperfeita que chamamos de casamento, em que companheiros amados são também inimigos.

Lembrando sempre que não existe amor humano sem ambivalência.

E aprendendo que devemos abandonar o sonho de "amor para sempre; ódio, nunca".

CAPÍTULO 14

Salvando os filhos

> *Se concedessem a Garp um vasto e ingênuo pedido, ele pediria que o mundo fosse seguro. Para crianças e adultos. Para Garp, o mundo é desnecessariamente perigoso demais, para uns e para outros.*
>
> JOHN IRVING

> *A vida dos filhos é*
> *Perigosa para os pais*
> *Com o fogo, a água, o ar*
> *E outros acidentes;*
> *E alguns, por amor a um filho,*
> *Antecipando a desgraça,*
> *Esvaziam o mundo, para fazer*
> *O mundo tão seguro quanto um quarto.*
>
> LOUIS SIMPSON

Quando os filhos começam a nascer, surge um novo sonho – o sonho de protegê-los contra qualquer perigo. Mas os planos mais perfeitos para a felicidade e o bem-estar dos filhos podem não ser ideais do ponto de vista deles. Mesmo tentando salvá-los dos perigos e das dores da vida, há certos limites que devem ser respeitados. Temos de desistir de muita coisa que queríamos fazer por nossos filhos. E, naturalmente, temos de desistir dos filhos também.

Pois, assim como os filhos devem, passo a passo, separar-se dos pais, os pais devem separar-se deles. E provavelmente sofrerão, como sofre a maior parte das mães e dos pais, um certo grau de ansiedade da separação.

Porque a separação põe fim à doce simbiose. Porque a separação reduz o poder e o controle dos pais. Porque a separação os faz sentir menos necessários, menos importantes. E porque a separação expõe os filhos ao perigo.

A Sra. Ramsay, mãe de oito filhos, admite para si mesma que "levava uma vida que ela considerava terrível, sempre hostil e pronta para atacar na menor oportunidade... Mesmo assim, ela disse a todos os seus filhos: vocês têm de passar por isso... Assim, sabendo o que os esperava – amor e ambição e a terrível solidão em lugares desolados –, frequentemente ela sentia: por que precisam crescer e perder tudo? E então, dizia para si mesma, brandindo sua espada num desafio à vida, bobagem. Eles serão perfeitamente felizes".

Contudo, por mais que a heroína de *Ao Farol* seja poderosa e protetora, a espada que empunha não evita os golpes da vida. Sua bela filha, Prue, adulta e casada, morre tragicamente devido a uma doença de parto, e Andrew, o filho com um maravilhoso dom para a matemática, morre na guerra, na França, devido à explosão de uma granada. No livro *O Mundo Segundo Garp*, uma criança, ouvindo mal as palavras *contracorrente submarina*, pensa que se trata de um Sapo Submarino* – uma criatura pegajosa e suja, malvada e sorrateira, que vive no fundo do mar e puxa as pessoas para a morte. No mundo perigoso do Sapo Submarino, é difícil e assustador ver os filhos deixar a segurança dos braços dos pais.

Pois a maioria das mães acredita que sua presença física pode evitar que os filhos sofram qualquer mal. Confesso que também acreditei nisso. Durante certo tempo (sei que parece ridículo), eu tinha certeza de que, se eu estivesse presente, meus filhos jamais se engasgariam com um pedaço de carne. Por quê? Porque eu sabia que iria obrigá-los a comer pedaços menores, mastigando cuidadosamente. E porque sabia que, se o pior acontecesse, eu podia apanhar uma faca e fazer a traqueotomia. Como muitas outras mães, eu me considerava – e de certo modo, ainda me considero – o anjo da guarda dos meus filhos, seu escudo invulnerável. E, embora tenha permitido que meus filhos explorassem, cada vez mais, este mundo sozinhos, sou perseguida pela ansiedade de que sempre correrão mais perigo sem minha presença.

As mães não são as únicas a se preocupar com os riscos da separação. Os pais também associam separação com perigo. Um pai diz que, quando o filho aprendeu a engatinhar, ele engatinhava ao lado dele; "assim", explica ele, "se um lustre despencasse do teto, eu podia apará-lo antes que atingisse a cabeça dele".

---

* Em inglês, "*undertow*" = "contracorrente submarina"; "*under toad*" = "sapo submarino". (N. da T.)

No poema com que começo este capítulo, um pai, ao dar boa-noite para a filha, medita sobre os perigos fora do quarto dela. Depois, medita sobre os perigos de tentar mantê-la no quarto:

> Um homem que não suporta
> Brincadeiras de criança,
> Erguendo a voz e a mão
> Afasta os filhos.
> Longe dos olhos, longe do alcance,
> Passam as crianças barulhentas;
> Ele está sentado numa praia vazia,
> Com um copo vazio na mão.

Termina dizendo que com ou sem perigo temos de deixá-los ir.

Os pais temem a separação, não só porque representa um perigo para a vida do filho, mas também para a sua — na nossa opinião — frágil psique. Muitas mães confessam que, em qualquer situação nova, quando deixam os filhos na colônia de férias, na casa de uma amiga ou na escola, perdem um tempo absurdo tentando descrever para a pessoa que vai tomar conta deles as características e as necessidades da personalidade dos filhos. Querem que a pessoa compreenda que o filho é quieto, mas profundo, que fica confuso quando tem de comer depressa, que pode parecer forte, mas é basicamente muito sensível, que nunca devem pedir que tire o boné de beisebol, nem à mesa, nem no banheiro.

"Só recentemente me dei conta de que eu não estava cedendo como devia", disse-me uma mãe. "Aonde quer que meu filho fosse, eu sempre chegava primeiro, tentando orquestrar do melhor modo possível o ambiente."

Às vezes, não tomamos conhecimento do fato de que é difícil nos separar dos filhos e que estamos nos agarrando muito a eles. E esse desconhecimento pode fazer da separação uma coleção de problemas. Consideremos uma mãe que deixa o filho de quatro anos na escola maternal, onde ele imediatamente se distrai enfiando pregos de madeira numa tábua furada.

"Até logo, vou embora", diz a mãe.

O garoto olha para ela, e alegremente diz até logo.

"Mas eu vou voltar logo", diz a mãe.

O garoto, dessa vez sem erguer os olhos, diz: "Até logo".

"Sim, vou voltar ao meio-dia", garante a mãe, acrescentando, vendo que isso não o impressionou: "Não se preocupe". Então, convencido afinal de que a partida da mãe é algo com que precisa se preocupar, o menino começa a chorar.

Separações dolorosas da nossa infância podem influenciar o modo como encaramos a separação dos nossos filhos. Revivemos o passado e tentamos reparar o que sentimos. Selena, traumaticamente abandonada quando pequena, achava que a separação era um inferno e que seus filhos não poderiam suportá-la. E, sempre que viajava com o marido, fazia um livro de lembranças para os filhos.

"Havia fotografias minhas e do meu marido", explica Selena. "Havia também fotografias dos lugares por onde passaríamos. Havia desenhos e mensagens dizendo: 'Nós amamos vocês. Não tenham medo. Logo estaremos juntos'." Provavelmente, esse era o tipo de segurança que Selena havia desejado ardentemente na infância.

Entretanto, seu filho mais novo, Billy, muito mais forte do que ela, quando a mãe falou numa viagem que pretendia fazer com o pai, disse que esperava que os dois se divertissem, "e não precisa fazer aqueles tolos livros de lembranças para nós".

O problema dos pais com a separação não é só a distância física, mas a separação emocional também. Os pais às vezes procuram, com exagerada ansiedade, dar orientação e conselhos. "Faça isto assim", ou: "Espere, deixe que eu faço para você". Podem ter problemas para deixar que os filhos sejam o que querem ser e, dentro do razoável, façam tudo o que desejam fazer. Às vezes, são até compreensivos demais.

Pois, acreditem ou não, existe uma criatura chamada "mãe boa demais", a mãe que insistentemente dá demais, a mãe que atrasa o desenvolvimento, não permitindo que o filho tenha nenhuma frustração. Além disso, essas mães podem ter uma empatia tão imediata com os filhos que estes não sabem se possuem sentimentos próprios. Uma jovem mulher, sentindo dificuldade para separar-se da mãe, fez uma declaração que termina assim: "Agora que disse tudo isso, não tenho certeza se esses são meus pensamentos ou os de minha mãe, ou o que eu acho que minha mãe gostaria que eu pensasse".

A mãe a possuíra e não podia deixar que ela se fosse.

O psicanalista Heinz Kohut descreve os filhos perturbados – muitas vezes emocionalmente arrasados – de pais que entendiam de psicologia e que "desde o começo haviam comunicado aos filhos, com frequência e detalhadamente, o que eles (os filhos) pensavam, desejavam e sentiam". Não eram pais insensíveis nem rejeitavam os filhos. Além disso, a afirmação de que conheciam os sentimentos dos filhos melhor do que a si próprios era, em grande parte, correta. Mas, do ponto de vista dos filhos, essa ávida percepção dos pais era uma intrusão, uma ameaça contra a individualidade de cada um. E eles ergueram um muro para proteger emocionalmente o centro de sua individualidade contra o perigo de serem compreendidos.

Os pais geralmente não conseguem ver os filhos como pessoas independentes, que aos poucos se afastam psicologicamente deles. Conheço a história de uma mãe que, certo dia, quando levava a filha para a escola, começou a conversar com outra mãe: "Estamos indo para a escola, nós adoramos a escola e nos divertimos muito, e temos uma ótima professora", até ser interrompida pela filha, que disse, zangada: "Não, mamãe, *nós* não estamos indo para a escola – *eu* estou indo".

Libertar os filhos consiste em deixar que sejam eles mesmos, e isso significa abandonar o que planejamos para eles. Pois, consciente e inconscientemente, antes mesmo de nascerem, as mães sonham com o tipo de filhos que desejam. Alguns entendidos dizem que a imagem formada pela mãe pode ser tão poderosa que "a mãe às vezes precisa abandonar a fantasia daquele bebê diferente que esperava ter e lamentar a perda desse bebê idealizado, antes de conseguir mobilizar seus recursos para interagir com o bebê que realmente teve".

Muitas são as fantasias e expectativas da mãe, antes e depois do nascimento do filho.

Como extensões delas, as mães esperam que os filhos lhes deem orgulho – que sejam atraentes, educados, corteses, mentalmente saudáveis. "Pare de roer as unhas", diz Dale, irritada, para a filha de nove anos, procurando dar à voz um tom de brincadeira: "Você vai arruinar meu bom nome".

Como versões aperfeiçoadas dela mesma, a mãe espera que os filhos não tenham qualidades desfavoráveis. "Na idade dela, eu era manhosa, barulhenta e chata", diz Rhoda. "Não posso supor que ela seja assim."

Como se os filhos fossem sua segunda chance na vida, a mãe espera que eles, agradecidos, façam uso das oportunidades que ela oferece – o teatro, a música, as viagens, o dinheiro para a universidade, bem como a compreensão amorosa –, que, "eu bem que gostaria", diz Scott, "de ter tido".

E, porque os pais se consideram melhores que seus pais, esperam produzir filhos "melhores" do que eles produziram.

A cada etapa no caminho, e sobre quase todos os assuntos — o formato das orelhas quando nascem, a facilidade do treinamento no uso da privada, com que força e a que distância conseguem jogar uma bola aos onze anos, os pontos que fazem nos testes escolares de aptidão, a pessoa em que votam pela primeira vez, com quem estão dormindo aos vinte e sete anos, quais as roupas que estão usando e o carro que eles têm aos trinta anos —, as mães alimentam expectativas.

Algumas se realizam. Mas há também muito desapontamento. A filha não gosta de ler. O filho não foi classificado para o time de basquete. A filha gosta de Ronald Reagan. O filho só gosta de amigos. Crescendo sob o mesmo teto dos pais, os filhos, direta e indiretamente, são expostos aos valores, estilos e pontos de vista do pai e da mãe. Mas, finalmente, deixá-los ir significa respeitar seu direito de escolher a própria vida.

Deixar partir os filhos e abandonar os sonhos que se fizeram para eles é uma das perdas necessárias.

Erich Fromm, estudando o amor erótico e o materno, sugere esta interessante distinção: "No amor erótico, duas pessoas que estavam separadas se tornam uma só pessoa. No amor materno, duas pessoas que eram uma se separam". E então, ele acrescenta: "A mãe deve não só tolerar, mas também desejar e dar apoio à separação do filho".

Pois, no começo, mãe e bebê executam algo muito parecido com uma dança na qual nenhum dos dois conduz o outro, uma dança em que as alternativas de repouso e atividade, distância e contato, barulho e calma são reguladas por ambos. Juntos, essa mãe e esse bebê fazem um entrosamento mútuo entre iniciativas e respostas, e essa sincronia — esse "entrosamento perfeito" — facilita a harmonia interior do bebê em seus primeiros relacionamentos com o mundo exterior.

"O amor da mãe e sua estreita identificação com o filho", diz o psicanalista D. W. Winnicott, "permitem que ela conheça as necessidades da criança e de certo modo forneça a coisa certa, no lugar certo e no tempo exato."

Porém, mais tarde, quando o filho cresce, ela deve, seletiva e gradualmente, deixar de ser a mãe que resolve tudo.

Winnicott, que aprova o que ele chama de "preocupação materna primária" — o investimento exaustivo da mãe no filho recém-nascido —, descreve também a importância de estar preparada "para deixá-lo ir... quando o bebê precisa se separar dela". Ele concorda que "é difícil para a mãe separar-se do filho com a mesma rapidez com que o bebê precisa separar-se dela", mas, como ele observa com frequência nos seus estudos, é a *diminuição* cuidadosamente calibrada da adaptação à mãe, o ato de deixar de dar ao filho tudo de que ele precisa, o que permite à criança aprender lentamente... a tolerar a frustração, adquirir senso de realidade e conseguir alguma coisa de que precisa sem ajuda.

A analista Margaret Mahler, no seu artigo sobre a separação-individuação, concluiu que "o crescimento emocional da mãe no seu papel, sua disposição emocional para libertar o filho pequeno – dar a ele, como a mãe-passarinho, um leve empurrão, um encorajamento na direção da independência –, é extremamente útil. Pode até representar, diz ela, "o *sine qua non* da individuação normal (saudável)".

Todos nos dizem, então, que, quando chega a hora de libertar, temos de deixar ir nosso filho.

A aptidão para reter e deixar partir, quando chega a hora de reter e deixar partir, é um dom natural e inato da "mãe suficientemente boa", que não precisa ser a Mãe Terra – nem ser psicanalisada – para fazer corretamente tudo o que deve ser feito. A mãe suficientemente boa, diz Winnicott, é a mãe que está lá. Ela ama fisicamente. Ela fornece continuidade. Está pronta para responder.

Gradualmente, apresenta o bebê ao mundo. E acredita que seu filho existe, desde o começo, como um ser humano independente.

Mais tarde, quando chega a hora de deixar partir, essa mãe ajudará...

Mas vejamos a argumentação brilhante do filósofo dinamarquês Sören Kierkegaard:

> A mãe amorosa ensina o filho a andar sozinho. Fica a uma certa distância dele, de onde não pode segurá-lo, mas estende os braços. Imita os movimentos da criança e, quando ela cambaleia, inclina-se rapidamente como se fosse ampará-la, para que a criança pense que não está andando sozinha... E mais: o rosto dela a chama como uma recompensa, um encorajamento. Assim, a criança anda sozinha, com os olhos fitos no rosto da mãe, *não* nas dificuldades do caminho. Apoia-se nos braços que não a estão segurando e constantemente procura o refúgio do abraço materno, sem suspeitar de que, *ao mesmo tempo em que enfatiza o quanto precisa dela, está provando que pode viver sem ela*, porque anda sozinha.

Mas a necessidade desse ato de libertação emocional da mãe – e do pai – não ocorre só uma vez na infância. No curso do processo de autodefinição e de expansão do seu campo de autonomia, as crianças tentam várias vezes se livrar dos elos que as prendem. E os pais renegociam o relacionamento com os filhos, não só como meninos e meninas, mas como homens e mulheres, passando por diversos estágios de separação.

"Cada transição de uma fase para a seguinte", escreve a psicanalista Judith Kestenberg, "representa um desafio, tanto para os pais quanto para os filhos, para que abandonem formas antiquadas de interação e adotem um novo sistema de coexistência. A capacidade dos pais para enfrentar esse desafio depende do seu preparo interior para aceitar a nova imagem que o filho forma deles e para formar uma nova imagem do filho."

Uma imagem de uma criança segura e separada, que provavelmente sobreviverá sem a mãe.

Mas sobreviverá?

Algumas observações sobre minha cidade natal:
- Três dos quatro filhos dos Bromfeld são viciados em drogas.
- O filho dos Blake, de 23 anos, cometeu suicídio.
- A filha dos O'Reilly, de dezoito anos, foi hospitalizada com depressão.
- O filho dos Chapman, de quinze anos, cometeu suicídio.
- A filha de quinze anos dos Rosemzweig está com anorexia.
- O filho mais velho dos Mitchell foi processado por tráfico de drogas.
- O filho mais novo dos Kahn foi hospitalizado com um colapso nervoso.
- A filha dos Daley, de dezenove anos, é retardada.
- A filha dos Farnsworth, de dezesseis anos, tentou o suicídio.
- O filho dos Miller, de dezessete anos, fugiu de casa.

Pergunto: os pais dessas crianças são responsáveis por toda essa dor e esse desperdício?

A carta de uma mãe ao psicólogo de crianças Haim Ginott sugere que a maioria das mães se considera culpada:

Nenhuma de nós é capaz de fazer deliberadamente qualquer coisa para prejudicar nossos filhos, moral, espiritual ou emocionalmente; entretanto, é exatamente o que fazemos. Muitas vezes, minha alma chora por coisas que fiz e disse sem pensar, e rezo para não repetir essas transgressões. Talvez não se repitam, mas outra situação negativa toma o lugar delas, até eu me sentir morta de medo de ter prejudicado meu filho pelo resto da vida.

Esse medo é tristemente familiar a todos. É compartilhado por quase todas as mães: o medo de que nossas falhas como pessoas e como pais ou mães provoque danos permanentes aos nossos filhos e que nem as melhores intenções possam protegê-los.

Vejamos o que diz Ellen: "Prometi ser racional, razoável, sensata e justa com eles, de um modo que minha mãe jamais foi comigo. E surpreendi-me agindo de modo totalmente irracional e injusto, mais vezes do que gosto de lembrar. Lembro-me de ter achado uma tolice minha mãe procurar me comprar — como era humilhante! E então, surpreendo-me procurando comprar meus filhos. Lembro-me de que, antes de ter filhos, eu via mães no supermercado que envergonhavam os filhos fazendo-os chorar, que gritavam com eles, de modo vulgar, repugnante e completamente irracional. Lembro-me de pensar que eu nunca, nunca faria uma coisa daquelas. Mas eu fiz".

Apesar das nossas resoluções, surpreendemo-nos às vezes maltratando nossos filhos do mesmo modo como fomos maltratados. E, sob vários outros disfarces, usando nossas filhas e filhos como personagens de uma peça, reencenamos trechos da nossa infância. Pois, como sabemos, existe uma compulsão para repetir os relacionamentos importantes do passado, o que inclui privações e sofrimentos, ressentimentos recalcados e raiva. Os psiquiatras afirmam que a "tendência dos adultos para repetir antigos temores e conflitos com novos personagens, embora sempre inconscientes, perturba frequentemente a paz familiar". Às vezes, vemos os filhos nos papéis de nossos pais ou irmãos, invejados amargamente na infância, e repetimos com eles o que fizemos antes — ou o que desejávamos fazer.

Percebendo que estamos repetindo os dolorosos relacionamentos antigos, temernos prejudicar permanentemente nossos filhos. Acreditamos, também, que somos uma fonte de danos permanentes, por causa da raiva violenta que sentimos contra eles.

No seu livro *The Mother Knot*, a escritora Jane Lazarre observa que, embora cada mulher seja diferente da outra, "na nossa cultura existe apenas uma imagem de 'boa mãe'. Na pior das hipóteses, essa imagem é a de uma deusa tirânica, espantosamente amorosa e de um masoquismo assassino, que ninguém pode nem deve imitar. Mas, mesmo na melhor das hipóteses, ela é... tranquilamente receptiva e moderada e concretamente inteligente; quase sempre tem um bom temperamento e sempre controla as próprias emoções. Ela ama os filhos completamente, sem nenhuma ambivalência".

"A maioria das mulheres", conclui Jane Lazarre, "não é assim."

E tememos que nosso amor imperfeito prejudique nossos filhos.

Acreditamos que o amor sem ambivalência, o amor sem compromisso, trará bem-estar aos nossos filhos, salvando-os das drogas, da depressão, das más companhias, dos danos à autoestima, apesar das nossas falhas e fracassos quase incontáveis. Acreditamos que o amor materno perfeito, não importa o que se faça, os protegerá contra o mundo frio e difícil. Eles vencerão porque os amamos, mas que chance poderão ter se às vezes sentimos raiva deles, se às vezes sentimos... ódio?

Winnicott, enumerando algumas das razões pelas quais a mãe pode odiar o bebê, demonstra um profundo conhecimento da maternidade e da ambivalência, quando diz:

> O bebê interfere na sua vida particular...
>
> Ele é cruel, trata a mãe como um lixo, uma empregada não remunerada, uma escrava.
>
> Seu amor entusiasmado é um amor de conveniência, e quando obtém o que deseja descarta-se dela, como de uma casca de laranja.
>
> Ele é desconfiado, recusa o bom alimento oferecido pela mãe, tornando-a insegura, mas aceita o que a tia lhe oferece.
>
> Depois de uma manhã cansativa com ele, ela sai para passear, e o bebê sorri para um estranho que diz:
>
> – Ele não é fofo?
>
> Se ela fracassar com ele no começo, sabe que ele se vingará dela pelo resto da vida.

Para esse pediatra transformado em analista, parece perfeitamente sensato que a mãe que ama seu filho também o odeie. Mas a maioria das pessoas, confrontadas com essas emoções, sentirá ansiedade, culpa ou medo de ter se transformado no Sapo Submarino.

"Estou zangada com meu filho...", confessa Jane Lazarre, descrevendo o fim de um dia longo e difícil com a criança. "Eu grito com ele para que pare de choramingar e o jogo no berço. Então, rapidamente o tomo nos braços, protegendo-o dessa mãe insana, com medo de... enlouquecer meu filho. Se é que compreendo bem os especialistas, não é difícil conseguir isso."

Não é verdade.

Podemos, sim, nos empanturrar de informações sobre como criar filhos e podemos nos esforçar para agir de modo mais amadurecido e atento, e nada disso vai impedir que sim –, inevitavelmente, vez ou outra falhemos com nossos filhos. Porque há uma grande distância entre saber e fazer. Porque pessoas maduras e com conhecimentos também são imperfeitas. Ou porque algum acontecimento da nossa vida pode ser tão absorvente e deprimente que não conseguimos atender às necessidades dos nossos filhos naquele momento. Perdemos nossa mãe, nosso marido é infiel, temos problemas de saúde, de trabalho e, embora sem a intenção de fugir às obrigações para com os filhos, somos levados rumo a outras direções por diversos motivos.

É preciso desistir da esperança de que, tentando bastante, será possível fazer só o que é certo com os filhos. A conexão é imperfeita. Muitas vezes, erramos.

Enfrentar a possibilidade de falhar como mãe e como pai é outra perda necessária.

Mas os seres humanos sempre foram criados por seres humanos falíveis. Basta ser suficientemente bom. E, liberando os filhos, as mães suficientemente boas podem presumir que estão fornecendo o material emocional mais certo. É preciso não esquecer, contudo, que mesmo com os melhores pais do mundo – amorosos, protetores, pacientes, confiáveis, ternos, encorajadores, cheios de empatia e de autossacrifício –, os filhos, como aqueles Bromfeld, Chapman, Miller e outros, podem não vencer na vida.

Existe aquilo que os psiquiatras chamam de Teoria do Verdadeiro Dilema da Paternidade e da Maternidade, segundo a qual, por mais que os pais devotem sua vida aos filhos, os resultados sempre fogem ao seu controle. Pois o que acontece aos filhos depende também do mundo fora do âmbito familiar. Depende do mundo que eles têm dentro da cabeça. Depende ainda da natureza inata de cada um. E, desde o começo, dependerá do tipo de conexão que se estabelece entre a mãe e o bebê como indivíduos.

A antiga ideia do bebê como uma *tabula rasa*, uma porção de argila infinitamente maleável, deu lugar ao reconhecimento de que as crianças têm temperamento e aptidões inatos. Uma área cada vez mais extensa de pesquisas demonstra que o conhecimento do recém-nascido é maior do que se pensava e se apresenta muito mais cedo. Foi estabelecido também o fato de que cada bebê, desde que nasce, é – como um floco de neve – diferente de todos os outros bebês.

Há os bebês cheios de vida, preparados para o máximo de comunicação com o mundo. Há bebês passivos, que se desligam rapidamente. Há bebês tão sensíveis que o toque ou a voz da mãe podem representar uma agressão. Freud registrou a "importância dos fatores inatos (constitucionais)", observando que os dotes recebidos e a oportunidade determinam juntos "o destino do homem – raramente, ou nunca, só um deles isolado". Pesquisas recentes confirmam que os bebês nascem com certas qualidades que os pais não podem conferir nem evitar. E, nos primeiros estágios, a sensação de bem-estar do bebê dependerá essencialmente do grau de entrosamento entre ele e (especialmente) a mãe.

Esse entrosamento, como já vimos, é a sintonia entre mãe e filho, um diálogo emocional progressivo de deixas e respostas que, quando tudo vai bem, ajuda o desenvolvimento. Mas, às vezes, o entrosamento não é bom – não porque a mãe ou o bebê não são bons, mas porque seus estilos e ritmos não estão sincronizados. Às vezes, um entrosamento defeituoso – um bebê passivo, por exemplo, com uma mãe extremamente ativa – pode fazer com que a criança sinta a interferência materna como uma intrusão, pode fazer com que a mãe venha a sentir-se rejeitada, pode criar situações crescentes de desconforto e desapontamento e pode provocar problemas para a vida futura.

O psicanalista Stanley Greenspan, diretor do Programa Clínico de Desenvolvimento Infantil do Instituto Nacional de Saúde Mental, uma das principais autoridades no estudo das crianças, oferece este exemplo de um mau entrosamento:

A Sra. Jones tem um bebê cheio de vigor. Para ela, a atividade ardente do bebê é "assustadora". Talvez, observa Greenspan, a mãe tenha nascido com um sistema nervoso que cede facilmente com qualquer estímulo. Amando seu bebê e procurando fazer o melhor possível, ela procura, entretanto, fugir do que considera uma agressividade assustadora, prejudicando desse modo o desenvolvimento normal do filho. Ela não é uma mãe má. Ele não é um mau bebê. Mas eles não se entrosam.

Certos desentrosamentos podem começar com aquele tipo de mãe cuidadosa e esforçada – e um bebê com temperamento difícil. Não, não foi a mãe quem fez o bebê difícil. Não, a culpa não é dela – ele nasceu assim. Porém, esses bebês que sempre têm cólicas, impacientes, manhosos, que enrijecem o corpo, que são inconsoláveis – que demonstram essas reações desde o primeiro dia de vida –, podem convencer uma mãe muito competente (e a mãe dela, e algumas de suas amigas) de que ela é um fracasso. Essa mãe, certa de que seu bebê era perfeito, até que ela o estragou, pode sofrer terrivelmente de culpa e de vergonha. E, geralmente, não encontra um meio melhor de tratar o filho enquanto não se liberta desse sentimento de culpa.

Há um interesse crescente pela importância desse entrosamento. Existem clínicas que, depois de estudar as mães e os bebês interagindo, oferecem instruções para melhorar o entrosamento. O dr. Greenspan, por exemplo, ajudará a Sra. Jones a ver o filho como uma criança ativa, não agressiva. Ela continuará assustada, diz ele, mas menos distante. Com essa mudança, diz o dr. Greenspan, "podemos conduzir o bebê através dos estágios do desenvolvimento do ego". Mas "continuará a existir tensão entre a Sra. Jones e seu bebê", diz Greenspan. "E podemos prever que ele se livrará dessas tensões mais tarde."

Estamos falando de como os pais desempenham seu papel. Porém, também importa como os bebês desempenham o papel deles. Quando o bebê resiste aos carinhos afetuosos da mãe, porque é tão ativo que os abraços são uma restrição à sua atividade; quando a menininha chora e fica com o corpo rígido ao ouvir a voz da mãe, porque é hipersensível ao som; quando a criança recua e se afasta sempre que a mãe quer mostrar novas experiências, porque, por natureza, "é lenta nos seus interesses", temos de lembrar que as mães não criam os filhos do nada. Com alívio – ou será com pena? –, devemos aceitar essa limitação do poder materno ou paterno.

Embora não possamos nos atribuir todo o crédito, nem toda a culpa, pela criança que trazemos ao mundo, somos – depois do nascimento – os principais modeladores do seu ambiente. E, mesmo quando mãe e filho estão fora de sintonia, a mãe pode, com sua ajuda, com o próprio crescimento, com uma compreensão do que está acontecendo, adaptar-se melhor ao bebê e melhorar o entrosamento. Acreditando, como acreditamos, que o que acontece na primeira infância é muito importante, sem dúvida, os pais procurarão fazer com que seja bom tudo o que acontece ao filho. Porém, "o que acontece" na infância inclui os fatos externos – o que realmente acontece para a criança *lá fora* –, mas também os fatos internos – o que acontece *ali dentro*.

Existem limites para o que os pais podem fazer em relação ao que está acontecendo nesses dois lugares.

Pois os pais não podem evitar que o filho seja o mais baixo da classe, ou que a filha tenha uma cara engraçada, nem protegê-los de serem os últimos escolhidos porque não sabem chutar uma bola. Não podem protegê-los de reconhecer certas inaptidões. Não podem protegê-los contra "o fogo, a água, o ar e outros acidentes", nem da perda do pai ou da mãe, por morte ou por divórcio. Por mais que os amem, esse amor pode não ser suficiente para protegê-los contra os sentimentos de inaptidão ou abandono.

Existem métodos de educar os filhos que parecem receitas para psicopatas, e métodos que parecem dar apoio à sanidade e força mental. Existem experiências positivas que podemos aplicar na educação dos filhos, e acontecimentos perigosos do mundo lá fora dos quais todas as crianças devem ser protegidas. Uma vez que cada criança nasce com certas qualidades, com certos estilos e tendências, certos "dons", sua natureza vai interagir com a criação que recebe, de modo único e muitas vezes imprevisível. Essa interação ocorre tanto no mundo externo quanto no seu mundo interior. Assim, não é só a experiência de uma pessoa, mas o modo como ela sente essa experiência que dá à criança sua orientação psicológica.

Os pais de Shelley Farnsworth, que tentou o suicídio aos dezesseis anos, procuram explicações no passado.

Shelley foi um bebê muito pequeno e frágil. A Sra. Farnsworth tinha um medo terrível de que ela morresse. Teria transmitido essa ansiedade para Shelley?

Os Farnsworth fizeram uma longa viagem quando Shelley tinha só um ano de idade. Talvez ela tivesse sentido medo de que nunca mais voltassem.

Os Farnsworth tiveram outro filho quando Shelley estava com dezoito meses. Sem dúvida, isso ocorreu cedo demais.

Os Farnsworth mudaram de casa quando Shelley tinha nove anos. Como todos sabem, uma mudança pode ser bastante perturbadora.

Quando Shelley estava com doze anos, os Farnsworth tiveram uma terrível crise conjugal. Como a tensão e as brigas afetaram a menina?

Shelley começou a fumar maconha aos treze anos. Os Farnsworth desaprovaram, mas não consideraram isso muito sério.

Quando Shelley estava no segundo ano preparatório, os Farnsworth começaram a pressioná-la para que tirasse boas notas e fosse aceita por uma boa universidade. A pressão teria sido excessiva?

No último ano preparatório, a bela, a brilhante, a amada filha dos Farnsworth tomou uma superdose de comprimidos para dormir.

Teria um ou todos esses fatores apresentados pelos Farnsworth levado Shelley ao suicídio? Ou um ou todos esses fatores teriam feito pressão excessiva nas suas vulnerabilidades inatas? Não sabemos se os pais poderiam ter feito ou deixado de fazer alguma coisa, para que a história fosse diferente.

Não podemos saber.

A princípio, Freud acreditava que um fato externo traumático — uma sedução sexual na primeira infância — poderia causar problemas neuróticos nos adultos. Mais tarde, verificou que a maior parte das histórias de sedução sexual contadas no seu divã eram fantasias, e não fatos. Baseado nessa certeza, Freud concluiu que as fantasias e os desejos inconscientes (e os conflitos e o sentimento de culpa que provocam) têm um impacto na vida do indivíduo como se fossem fatos. O inverso disso ocorreria quando a mente inconsciente reage a um fato, determinando o tipo de impacto que isso terá em sua vida.

Há momentos em que, embora a vida do mundo "real" de uma criança seja tranquila, sua vida interior pode estar repleta de ansiedade.

Por exemplo, vejamos o caso de um menino com problemas edipianos. Se seu desejo pela mãe é muito forte, e os sonhos de exterminar o pai são realmente violentos, a criança — mesmo tendo um pai amoroso e nada autoritário — pode imaginá-lo como uma figura perigosamente punitiva. Nos anos seguintes, se essa criança aperfeiçoar suas fantasias de desejo sexual e de punição, pode tornar-se um homem perturbado, um homem que teme o sucesso no amor ou no trabalho, ou em ambos — não porque seus desejos de Édipo foram cruelmente sufocados, mas porque foram intensos e porque sempre teve tanto medo deles.

Porém, há crianças que, depois de enfrentar os mais brutais fatos da vida real, emergem deles com saúde e aptidões intatas.

Estudos revelam que nem toda pessoa que teve uma infância terrível é um ser humano danificado. Alguns meninos e meninas demonstram, em face da violência e da privação, tanta aptidão para se ajustar, sobreviver e prevalecer, que são chamados de "invulneráveis". Certas crianças conseguem tanto da vida, a despeito de um passado de pesadelo, a despeito de uma infância "destruidora da alma", que nos inspiram um imenso respeito, escreve o psicanalista Leonard Shengold, "pelos enigmáticos e contraditórios trabalhos da alma". Ele observa:

> Os seres humanos possuem recursos misteriosos, e alguns sobrevivem a infâncias terríveis com... sua alma, não sem cicatrizes ou distorções, mas, pelo menos em parte, ilesas... Esse fato é um *mistério*; parte da explicação é a herança inata. Ela poderia ter permitido a um dos meus pacientes de pais psicóticos tornar-se, desde os quatro anos de idade, o verdadeiro chefe da família – uma pessoa de mente sã e carinhosa, que conseguiu ajudar os irmãos e até mesmo tomou conta dos pais psicóticos. Não tenho resposta adequada para isso.

Porém, a sobrevivência psíquica desses poucos não elimina o potencial destrutivo de uma infância infeliz. Da mesma forma, danos psíquicos em crianças em ambientes positivos não provam que é perda de tempo a convivência adequada. Pois, embora Freud tenha observado "que, quando se trata de neurose, a realidade psíquica tem mais importância do que a realidade material", é evidente que atos materiais de privação, intrusão e crueldade na infância representam uma ameaça para a realidade psíquica da maioria das crianças. É evidente que a interação constante da realidade interna e externa molda a personalidade humana.

É verdade que o dano emocional pode ocorrer em qualquer idade. É verdade que, durante a vida, o indivíduo pode aperfeiçoar sua experiência passada. É verdade também que o elo entre a experiência passada e a saúde emocional futura é atualmente questionado por especialistas em desenvolvimento infantil. Obviamente, este livro concorda com aqueles que afirmam – a maioria, suponho – que tudo o que acontece na infância é extremamente importante; que os primeiros anos de vida são os mais importantes e vulneráveis, porque a psique da criança – sua alma – está começando a se formar. Mas devemos compreender também que, embora os pais prefiram se sentir culpados e impotentes, há limites para o poder deles. Precisamos compreender também que, tanto no seu mundo externo quanto no interno, existem perigos na vida dessas crianças contra os quais os pais desejam desesperadamente – tão desesperadamente – servir de biombo, mas sobre os quais eles não têm controle.

No excelente livro de memórias de Vladimir Nabokov, *Fala, Memória*, ele descreve sua experiência de olhar nos olhos do filho recém-nascido e ver neles "sombras de florestas antigas e fabulosas, onde havia mais pássaros do que tigres e mais frutos do que espinhos...". A fantasia dos pais é conservar essa floresta. A fantasia dos pais é a de que, se forem bons e amorosos, manterão a distância os tigres e os espinhos. A fantasia dos pais é a de que podem salvar os filhos.

A realidade chega tarde da noite, quando os filhos estão fora de casa e o telefone toca. A realidade nos faz lembrar — naquele momento em que o coração perde uma batida, antes de atender o telefone — que qualquer coisa, qualquer horror é possível. Contudo, embora o mundo seja cheio de perigos e a vida dos filhos seja perigosa para os pais, eles precisam partir, e os pais precisam deixá-los ir. Esperando que os tenham equipado bem para a jornada. Esperando que usem as botas na neve. Esperando que, quando caírem, consigam se levantar outra vez. Esperando.

> Quem disse que a ternura
> Transforma o coração em pedra?
> Deixe-me suportar sua fraqueza
> Como suporto a minha.
> É melhor dizer boa-noite
> Respirar carne e sangue
> Todas as noites como se cada noite
> Fosse sempre apenas boa.

CAPÍTULO 15
Sentimentos de família

Sou filha na casa de minha mãe,
Mas eu mando em minha casa.

RUDYARD KIPLING

Dos vinte anos aos trinta e poucos, adquire-se uma segunda família, da qual somos os adultos responsáveis. Podemos até pensar que estamos começando uma família completamente nova. Porém, ainda que nos mudemos para a Austrália – ou para a Lua –, não nos desligamos facilmente da nossa família primeira e original, daquela teia complexa de relacionamentos que nos une, mesmo imperfeitamente, uns aos outros.

Aos vinte, ou trinta e poucos anos, somos amantes, trabalhamos, somos amigos. Somos parceiros num casamento, pais dos nossos filhos. Mas continuamos também a ser, sob ângulos que talvez não nos convenham mais, filhos dos nossos pais.

Pois nossa família, nossa primeira família, foi o cenário no qual nos tornamos indivíduos à parte. Foi também a primeira unidade social na qual vivemos. E, quando a deixamos, levamos conosco muitas das suas tendências formativas. Ficamos ligados a ela interiormente, por mais que tentemos nos libertar. E a maioria das pessoas – mesmo que de modo distante, obrigatório e rotineiro – fica ligada a ela também externamente.

Porém, mesmo mantendo a conexão – a conexão interna e a externa –, continuamos a lutar para nos libertar dessa primeira família. Aprendemos a ver o mundo com nossos olhos, e não com os dos nossos pais.

Reconsiderarmos os papéis que nossos pais, consciente ou inconscientemente, determinaram para nós. E examinamos os mitos familiares – os temas e as crenças, tácitos ou não, que caracterizam a família como um grupo.

Embora seja mantida a conexão, certas coisas precisam ser abandonadas para que sejamos donos de uma nova casa.

Mais uma vez, são perdas necessárias.

O caráter coletivo de uma família pode ser percebido pelo mundo externo como uma "característica comum". Às vezes, parece fácil rotular uma família. Os Bach eram uma família musical. Os Kennedy, uma família ambiciosa e atlética. E nossa primeira família talvez fosse nobre, esportiva ou intelectual. A característica comum é a face pública da família; seu mito é a imagem que faz mentalmente de si mesma. E, embora possam convergir, existem mitos familiares inconscientes que nem o mundo externo nem a família conseguem reconhecer.

Os mitos familiares contribuem para estabilizar a estrutura organizacional. Conservam a unidade emocional. E são apaixonadamente defendidos por todos os membros da família. Mas muitos deles são distorções da realidade, às vezes grotescas e prejudiciais. Para manter um determinado mito, diz o especialista em dinâmica familiar Antônio Ferreira, pode ser necessária "uma certa dose de percepção".

Nós, por exemplo, com quais desses mitos familiares comuns fomos criados? Com quais deles, na verdade, vivemos ainda? O mito de que nossa família é unida e harmoniosa. De que os homens da nossa família são sempre fracos, e as mulheres, fortes. De que nossa família tem pouca sorte. De que é uma família especial e superior. De que nunca desistimos, nem cedemos, nem erramos. Ou de que devemos confiar uns nos outros e em mais ninguém, porque o mundo externo é hostil e perigoso.

"Nossa casa era uma caverna", diz minha amiga Geraldine, "e nossa mãe era o dragão que montava guarda. A não ser que fosse parente, ninguém entrava." Ela confessa que só depois de casados ela e o irmão descobriram que amigos podem ser tão confiáveis quanto parentes, e que não é preciso ser um membro da família para merecer a confiança de alguém.

Um dos mais problemáticos desses mitos, ou temas, é o mito da família unida e harmoniosa, que pode acarretar uma negação desesperada de qualquer dissensão ou distanciamento entre os membros da unidade familiar.

Observem o tom desta mãe, que insiste (com a completa concordância do marido) na felicidade harmoniosa da sua família:

> Somos todos de temperamento pacífico. Gosto de paz, nem que tenha de matar alguém para consegui-la... Será difícil encontrar uma criança mais feliz, mais normal. Eu estava satisfeita com meu filho! Estava satisfeita com meu marido! Estava satisfeita com minha vida! *Sempre* estive satisfeita! Tivemos 25 anos de um casamento feliz e o maior prazer em sermos pai e mãe.

Ficamos imaginando quem ela matou para ter paz.

Essa tentativa da família de uma harmonia perfeita e essa procura da "pseudomutualidade" levam-nos a encarar qualquer diferença como um perigo tão grande para o relacionamento, que ninguém pode se separar, mudar ou crescer. E, embora alguns argumentem que as famílias de esquizofrênicos apresentam uma pseudomutualidade "intensa e duradoura", encontramos variações menos drásticas do tema da harmonia desesperada em muitos lares "normais".

Os filhos adultos dessa família sentem-se abandonados e infelizes cada vez que o cônjuge discorda deles.

Ou temem demais a própria afirmação para participar de qualquer atividade competitiva.

Ou são adultos que repetem com os filhos a lição limitadora de que a diferença é prejudicial, e a separação, fatal.

Evidentemente, o mito familiar não tem o mesmo impacto em todos os membros da família. Cada um responde a seu modo. Entretanto, esses mitos, quando poderosos e insistentes, terão de ser reconhecidos algum dia. Devem ser avaliados e, se necessário, abandonados, ou, se for essa a escolha, devemos torná-los propriedade nossa.

Além de explorar esses mitos, é preciso também estudar os papéis que o sistema mitológico da família impõe a cada um, os papéis inconscientemente criados para cada filho pelo pai, pela mãe ou por ambos, às vezes antes mesmo de o filho nascer. O dr. Ferreira descreve um homem ao qual coube o papel, quando pequeno, de ser "como a mãe, burro e estúpido". O homem recorda que "eu tentava tão arduamente ser o que minha mãe queria que eu fosse que chegava a me orgulhar da minha burrice e de minha incapacidade de aprender a soletrar... pois assim, ela, a mãe, riria da minha burrice, satisfeita, dizendo que 'eu era mesmo filho dela', pois ela também nunca conseguira muita coisa na escola, nem fora dela... E até hoje, na presença dos meus pais, me surpreendo agindo como um idiota!".

Os pais podem escolher os mais variados tipos de papel para os filhos. A mãe dependente e possessiva, por exemplo, pode inverter os papéis e fazer da criança uma mãe. Um pai infeliz no casamento atribui à filha o papel de substituta da esposa. Alguns pais impõem a um filho o papel do eu ideal, pressionando-o para que seja o que eles desejariam ter sido. E outros, aberta ou discretamente, impõem aos filhos o papel de bode expiatório.

"A opinião geral", diz o analista Peter Lomas, "é de que o senso de identidade deriva exatamente da... determinação de um certo papel no sistema familiar. Mas há uma diferença importante entre o reconhecimento de outra pessoa como ser humano único e seu reconhecimento apenas naquele papel." A exigência dos pais de que um filho desempenhe um papel que ele ignore pode ser desastrosa.

Consideremos Biff Loman, filho do comovente, do condenado Willy de *A Morte do Caixeiro-Viajante*. Biff "não consegue se fixar", diz ele, "em nenhum tipo de vida". Não consegue se fixar porque não consegue escapar, nem dar conta, do papel que o pai lhe impôs. Aos 34 anos – furioso e deprimido –, Biff, finalmente, explode:

"Não sou um condutor de homens, Willy, e você também não é... Valho um dólar por hora, Willy! Tentei sete estados e não consegui nada mais. Um dólar por hora! Entende o que quero dizer? Não estou trazendo mais prêmios para casa, e você deixará de querer que eu os traga?".

Willy não quer ouvir, e Biff diz, furioso:

"Papai, eu não sou nada! Não sou nada! Compreende isso? Sou apenas o que sou, nada mais".

Willy continua sem prestar atenção. E Biff, com sua fúria esgotada, começa a soluçar, enquanto tenta se comunicar com o pai sonhador.

"Quer me deixar em paz, pelo amor de Deus? Quer pegar esse sonho falso e acabar com ele antes que alguma coisa aconteça?"

Mas Willy prefere destruir o filho – Willy prefere morrer – a destruir aquele sonho.

A escolha dos papéis, entretanto, não se restringe a famílias com problemas. Famílias saudáveis têm papéis para os filhos também.

E, às vezes, eles são assumidos claramente – John Kennedy queria que o filho mais velho, que tinha seu nome, fosse presidente. Às vezes, sem uma palavra, a mensagem é recebida. Porém, embora estudos demonstrem que cada criança sabe exatamente qual o papel que os pais inconscientemente reservam para ela, talvez seja possível medir a saúde de uma família pela liberdade que dá a cada filho de *não* aceitar seu papel.

Para construir nossa própria vida, questionamos os mitos familiares e nossos papéis dentro da família – e, é claro, questionamos as regras rígidas da infância. Pois o ato de sair de casa só se torna uma realidade emocional quando deixamos de ver o mundo com os olhos dos nossos pais.

"Nossa experiência subjetiva da vida e nosso comportamento", escreve o psicanalista Roger Gould, "são governados literalmente por milhares de crenças (ideias) que compõem um mapa, usado para interpretar os acontecimentos da nossa vida (inclusive nossos problemas psicológicos particulares). Quando crescemos, corrigimos uma convicção que nos restringiu e nos limitou desnecessariamente. Por exemplo, quando aprendemos na juventude que nenhuma lei universal nos obriga a ser o que nossos pais queriam que fôssemos, estamos livres para explorar novas experiências. Abre-se uma porta para um novo nível de consciência..."

Mas abrir essas portas é sempre um ato assustador.

Pois, se a segurança significa manter-se perto dos pais (perto deles fisicamente, e também adotando suas regras e códigos de moral), provavelmente teremos uma sensação de perigo quando nossas escolhas nos distanciarem deles: quando não conseguirmos nos formar em medicina, nem nos casar com um médico. Quando nos casarmos com uma pessoa de cor, raça e credo diferentes. Quando resolvermos abandonar a igreja, o clube dos primos, o partido democrático. Ou ainda, embora eles saibam mais, quando resolvermos não seguir seu conselho sobre o seguro-saúde.

Há momentos dolorosos em que nossos pais se sentem zangados, amargurados, insultados, magoados, porque dizemos a eles – mais uma vez – que estamos fazendo as coisas a *nosso* modo. E há momentos dolorosos em que imaginamos se, em resposta à nossa demonstração de autonomia, eles dirão: "Nesse caso, vá para o inferno". "Eu tomo as minhas decisões", diz Vicky, de 23 anos, "com lágrimas nos olhos e medo no coração, porque tenho sempre pavor de perder minha mãe." Mas, a despeito desse medo, diz ela, e a despeito do profundo amor que tem pela mãe, "acho que tenho de fazer o que devo fazer".

Nem todos fazem. Nem todos conseguem.

O escritório de advocacia de Carter fica a quinze ou vinte minutos do apartamento luxuoso da mãe viúva. Carter a leva de carro ao jogo de cartas, ao médico, ao dentista, e janta com ela às terças e domingos. Um bom rapaz deve fazer o que o pai faria, se estivesse vivo; é assim que mãe e filho devem ser avaliados. E embora, ao contrário do pai falecido, Carter durma com outras mulheres vez ou outra, permaneceu emocionalmente fiel à mãe até os trinta e poucos anos – e solteiro.

Há também Gus, que sempre quis ser veterinário, mas acabou entrando para o negócio de mercearia da família. Há também Jill, que, depois de se mudar para outro estado, conseguiu um emprego, um apartamento e alguns namorados e foi convencida a voltar para casa, em Boston: "Seu pai não está nada bem". Acabou se casando com um contador. E Rhoda, que, depois de magoar o coração do pai e o da mãe, com um casamento "errado" e sua mudança para Nova York, voltou a Nova Jersey, onde, com sua mãe ao lado, continuou a comprar roupas e os frios para o jantar (e onde, sempre na companhia da mãe, finalmente conseguiu fazer um aborto, então ilegal).

Mamãe é quem sabe. Papai é quem sabe. No íntimo, tememos que isso seja verdade. Assim, certo ou errado, também tememos que eles não nos amem, não aprovem o que fazemos, não nos respeitem ou não nos salvem, se escolhermos nosso caminho.

"Os pais continuam a monitorar os filhos dos vinte aos trinta anos", escreve Roger Gould. "Quando fazemos as coisas ao modo deles, temos medo de estar capitulando. Quando violamos suas regras e temos sucesso, sentimo-nos livres, mas também um pouco culpados. Quando enfrentamos um fracasso, imaginamos se eles não estavam certos o tempo todo..."

A questão não consiste no fato de que, para conseguir a liberdade, é preciso enfrentar os pais, nem no fato de que, se nossa escolha os agrada, estamos cedendo a eles. Nossas opções não são de desafio ou de obediência. Uma pessoa pode querer ser dentista como o pai, permanecendo em Wilkes-Barre, onde moram os pais e avós. Pode também se casar com uma pessoa que não ama, só porque ela é negra e sua família é branca, correta e sulista. Continuamos escravos dos nossos pais enquanto *nosso* caminho tiver de ser exatamente o que o *deles* não é. A separação não exige que os repudiemos. Exige escolhas livres.

Aos vinte anos, mais ou menos, estabelecemos uma vida até certo ponto independente da vida dos nossos pais. Temos a ilusão de que, fazendo escolhas racionais, não somos iguais a eles naquilo que não queremos ser. Mas, quando entramos na casa dos trinta, descobrimos o quanto somos parecidos com nossos pais e como são grandes as semelhanças adquiridas inconscientemente, contra a nossa vontade. Descobrimos, como diz uma mulher, "que esta pessoa que está sendo vingativa como minha mãe não é minha mãe *lá fora*, mas minha mãe *em mim*".

Começamos a reconhecer nossas identificações.

Reconhecemos que, embora disfarçadamente, somos tão autoritários quanto nosso pai. Reconhecemos que, embora viajemos sozinhos para a Europa, somos tão cautelosos quanto nossa mãe. Reconhecemos um tom de voz, uma expressão facial, uma atitude, uma compulsão, que pertencem à nossa mãe ou ao nosso pai, que odiamos neles, mas que... são nossos.

Reconhecendo essas identificações inquietadoras, podemos começar a nos livrar delas, evitando repeti-las. Entretanto, descobrimos também que somos capazes de mais tolerância com essa mãe e esse pai "em mim" e para as pessoas reais "lá fora". Quando tínhamos vinte anos, concentrávamos toda a nossa energia em ser completamente diferentes dos nossos pais, mas agora começamos a compreender as qualidades que compartilhamos. E, recapitulando as experiências da mãe e do pai – no casamento e especialmente como pai e mãe –, talvez não sejamos juízes tão severos.

Na verdade, costuma-se dizer que, quando nos tornamos pais, compreendemos o que nossos pais tiveram de passar e não os culpamos nem os denunciamos mais, como talvez fizéssemos, por tudo o que sofremos em suas mãos. Ser pai ou mãe pode ser uma fase construtiva do desenvolvimento, na qual são cicatrizadas algumas feridas da infância. Pode também alterar as antigas perspectivas da infância do indivíduo, levando-o a uma visão menos alienada e mais compreensiva.

Mas o fato de nos tornarmos pais ou mães pode atuar como uma reconciliação, destinando aos nossos pais melhores papéis, libertando-os para que sejam – como avô e avó – mais amorosos, ternos, pacientes e generosos do que foram como mãe e pai. Não mais preocupados em instilar valores morais, não mais encarregados da disciplina e das regras, não mais responsáveis pela formação do caráter, assumem o que há de melhor neles, e nós – felizes com tudo o que podem oferecer aos nossos filhos – começamos a perdoar os pecados deles, reais ou imaginários.

Vejamos como isso funcionou entre uma mulher – minha mãe, Ruth Stahl – e sua filha Judith – eu.

Lembro-me de que eu sempre exigia muito de minha mãe, embora não mais do que ela exigia de mim, e assim, acostumadas ao desapontamento, à mágoa, à raiva e à frustração de um amor apaixonado, nós duas – minha mãe e eu – crescemos juntas. E lutamos juntas. Mas só quando tive meus filhos, finalmente encontramos papéis que se entrosavam completamente: eu, como mãe dos seus netos gloriosos; ela, uma avó formidável.

Por causa desse relacionamento especial, comecei, acho eu, a conhecer minha mãe; a entender alguma coisa da sua história; a notar que ela sabia ser corajosa, e que sabia ser engraçada, e que era capaz de recitar "Annabel Lee" por inteiro. Comecei a amá-la por me ensinar os prazeres dos lilases, dos livros e das amigas. Comecei a amá-la por amar os netos mais do que a mim.

Não mais profundamente, talvez. Não, necessariamente, mais. Mas certamente melhor.

Pois, para mim, minha mãe sempre foi a mais encantadora e a mais irritante das mulheres. Para mim, o preço do amor sempre foi muito alto. Entretanto, diante de todos os meus filhos, minha mãe teve apenas um rosto, um rosto sempre sorridente. Para eles, ofereceu amor sem restrições até o dia de sua morte. "Vovó diz que eu sou o máximo", disse meu filho mais velho, que a via com a mesma nitidez. Mas, entre minha mãe e eu, durante muitos anos a ambivalência foi uma constante.

Eu vivi com minha mãe sentindo raiva e amor – como acho que vivem quase todas as filhas –, mas meus filhos só a conheceram de um modo: como a mulher que os julgava mais inteligentes do que Albert Einstein. Como a mulher que achava que escreviam melhor do que William Shakespeare. Como a mulher que considerava todos os seus desenhos autênticos Rembrandts. Como a mulher para quem tudo o que eram e tudo o que queriam ser significavam... o máximo.

Minha mãe não pedia aos meus filhos nada além do prazer da sua companhia. Minha mãe reservara para mim uma agenda muito mais rigorosa.

"Seja melhor", dizia ela. "Tente com mais ardor", dizia ela. "Faça isso", dizia ela, "do meu modo. Do contrário, vai se machucar, vai ficar doente, vai cair num buraco." "Não faça coisas más", dizia ela, "senão você partirá o coração de sua mãe. Seja uma boa menina."

Eu ansiava por seu amor e sua aprovação, ansiava por ser sua boa menina, mas ansiava também por liberdade e autonomia. E as dores do crescimento me faziam compreender que não podia ter tudo. Assim, quando minha mãe dizia: "Por que não me ouve? Só quero o que é bom para você", a filha rebelde balançava a cabeça, definia seu plano de batalha e respondia: "Deixe que eu resolva o que é melhor para mim".

Mas minha mãe não tinha sonhos sobre meus filhos. Havia tentado... com bons resultados... e com fracassos, com minha irmã e comigo. Mas isso tinha acabado para ela, e os netos não a ameaçavam agora. Nem a desapontavam. Nem provavam qualquer coisa – boa ou má – a respeito dela. E eu a vi livre de ambições, livre da necessidade de controlar, livre da ansiedade. Livre – como ela dizia – para aproveitar.

"Ser avô ou avó", observa a psicanalista Therese Benedek, "é ser pai e mãe em segundo grau. Livres das tensões imediatas... os avós aparentemente apreciam os netos muito mais do que curtiram os filhos."

Sem dúvida, minha mãe os apreciava.

Encontrou um âmbito de sua vida no qual a felicidade não ocorria ontem nem amanhã, não era incerta nem distante, na qual a felicidade não era o que devia ter sido, nem o que seria, mas vivia no presente – na sua cozinha, almoçando com os netos. Ou no sofá da sala, lendo para os netos. Ou comprando sorvetes duplos para os netos. Ou tentando apanhar um pombo com os netos.

Que sorte a deles. Que sorte a dela. E que sorte a minha. Com as crianças entre nós, encontramos nossa distância ideal, não muito perto, nem muito distante. Unidas por Anthony-Nicholas-Alexander, minha mãe e eu estabelecemos uma nova conexão.

Mas não glorifiquemos as reconciliações da vida em família. Essas conexões, como todas as outras, permanecem imperfeitas. E nem todas as mães e filhas conseguem usar a nova geração para curar as feridas do passado.

Existem mães que vivem fora do alcance dos filhos. Existem mães que vivem numa intimidade sufocante. Existem aquelas que não querem mais nada com fraldas ("Não vou deixar que ela me faça de babá"). Existem mães ocupadas, independentes, mulheres que trabalham e não têm tempo para *playgrounds* ou visitas ao zoológico. Existem mães que sentem ciúme da atenção que as filhas dão aos netos ("Não posso ficar um pouco sozinha com você?").

Há também as filhas que sentem ciúme da atenção que a mãe dá aos netos. Há filhas, ainda, empenhadas em fugir da mãe. Existem filhas que sempre serão meninas de quatro anos diante da mãe. Filhas que, depois de ler alguns livros de psicologia infantil na universidade, resolvem que sua mãe jamais fez nada certo.

Existem distâncias vastas demais, que não podem ser transpostas. Mas a maioria de nós, chegando à meia-idade, se sente mais disposta a tentar vencê-las.

Escrevendo sobre "Assuntos de Família" na *Harvard Educational Review*, Joseph Featherstone observa que, ao chegarem à meia-idade,

> meus amigos começam a se interessar mais pela história da sua família. Sempre relutamos em pensar historicamente sobre nossa vida e a vida dos nossos pais; lemos a respeito do passado, mas nunca pensamos em nossa própria vida como parte de uma grande tapeçaria, que inclui os fazendeiros irlandeses do século XIX, os camponeses *shtetl*, os cardeais da Renascença, os puritanos do século XVII, os guerreiros africanos e os mecânicos londrinos. Lutamos para alcançar um futuro, tentando viver o presente. É em parte uma questão de idade – os jovens têm o dever duplo de fugir da história e da vida em família. Isso geralmente significa um desligamento completo do passado e da nossa família, um desligamento que raramente é tão definitivo quanto parece na ocasião em que ocorre.

Na meia-idade, procuramos uma nova conexão com nossas "raízes". Procuramos as identificações em vez de evitá-las. Embora todos saibamos que somos os únicos responsáveis pela própria vida, reconhecemos também que podemos usar toda a ajuda possível, inclusive o que é bom – o talento, a consciência moral, o espírito empreendedor, seja lá o que for –, tornando-os nossos (assim o esperamos) simplesmente pelo fato de pertencermos à família.

Assim, sentimo-nos felizes em saber que nossa bisavó Evalyne cantava ópera numa pequena companhia, ou que o pai do nosso pai foi um membro dos Trabalhadores das Indústrias do Mundo, ou que o tio de nossa mãe, Nate – como o irmão de Willy Loman, Ben –, foi para a selva e voltou milionário. Agrada-nos pensar que as qualidades que produziram essas conquistas admiráveis são uma parte da nossa herança. Conforta-nos pensar – como mulher, sei que fiz isso certa vez, num momento de crise – que "o sangue de Carlos Magno corre em minhas veias".

Voltando-nos para o passado, começamos a ver nossos pais sob uma nova luz, começamos a perceber como foram moldados por sua história. E, geralmente, descobrimos segredos – praticamente toda família tem segredos – que podem ter grande impacto nos nossos sentimentos para com a família.

Por exemplo, a descoberta de que nosso pai ou nossa mãe foi casado antes. Ou que a morte de um dos nossos pais foi devida ao suicídio. Ou o caso de Claire, que descobriu que sua mãe teve um filho ilegítimo e o deu para que fosse adotado quando Claire tinha dois anos. Ou quando descobrimos, sob as mentiras às vezes elaboradas, que tipo de pessoas nossos pais eram na verdade.

Mas não completamente.

No livro de autobiografia ficcional de Herbert Gold, Pais, o herói, agora na meia-idade, leva as filhas a um rinque de patinação, como seu pai o levava havia muitos anos. "Lembro-me por que tinha tanto prazer em patinar com meu pai", escreve ele. "Era uma esperança de intimidade, uma esperança de redenção... Eu acreditava que o abismo entre mim e o meu pai e entre mim e os outros podia ser transposto... Como um gângster, eu procurava penetrar na alma secreta de meu pai. Os limites continuaram, sem solução."

Na meia-idade, naqueles anos entre os 35 e os 45 ou 50, aprendemos que muitos sonhos não se realizam. Muitas coisas que desejávamos não recebemos dos nossos pais. Chegou a hora de reconhecer e aceitar o fato de que nunca as teremos.

No seu estudo sobre famílias, Featherstone observa que, "constantemente, surpreendo-me ao verificar a capacidade das pessoas para se dar ou se recusar, dentro dos próprios termos". Mas na meia-idade, quando nossa mãe e nosso pai começam a ficar doentes, podemos rever aqueles... termos de afeição. Pois, agora, o mundo pertence à nossa geração – não à deles –, e vemos como era pouco o poder que possuíam: não conseguiam nos amar com perfeição. Não nos compreendiam completamente. Não nos protegiam da dor e da solidão – e da morte.

Vemos que eles tinham pouco poder, e nós agora, também, para construir pontes resistentes por sobre os abismos que nos separam. Abandonando nossas vãs expectativas, como pais e filhos, esposos e amigos, aprendemos a agradecer até pelas conexões imperfeitas.

PARTE IV

AMAR, PERDER, ABANDONAR, DESISTIR

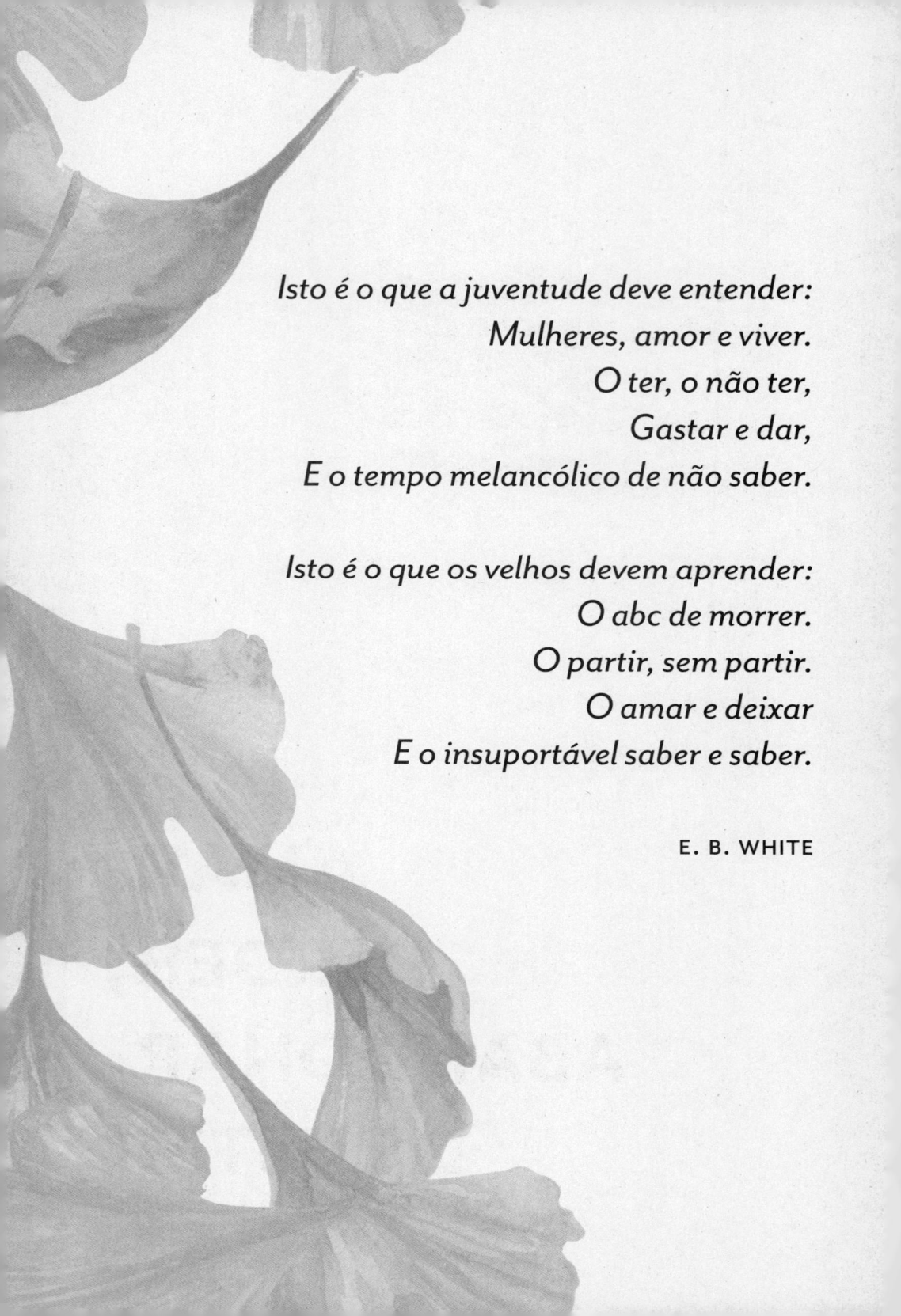

Isto é o que a juventude deve entender:
Mulheres, amor e viver.
O ter, o não ter,
Gastar e dar,
E o tempo melancólico de não saber.

Isto é o que os velhos devem aprender:
O abc de morrer.
O partir, sem partir.
O amar e deixar
E o insuportável saber e saber.

E. B. WHITE

CAPÍTULO 16

Amor e luto

*Alguém já disse que haverá um fim,
Um fim, oh, um fim, para amar e lamentar a perda?*

MAY SARTON

*Esta é a Hora do Chumbo...
Lembrada, quando se sobrevive a ela,
Como pessoas Congeladas lembram-se da Neve...
Primeiro... Frio... depois Letargia... então a desistência...*

EMILY DICKINSON

Somos indivíduos reprimidos pelo proibido e pelo impossível, que procuram se adaptar a seus relacionamentos extremamente imperfeitos. Vivemos de perder e abandonar, e de desistir. E mais cedo ou mais tarde, com maior ou menor sofrimento, todos nós compreendemos que a perda é, sem dúvida, "uma condição permanente da vida humana".

Lamentar é o processo de adaptação às perdas da nossa vida.

"Então", pergunta Freud em *Lamento e Melancolia*, "em que consiste a lamentação pelo que perdemos?" Ele responde que se trata de um processo interior difícil e lento, extremamente doloroso, em que desistimos passo a passo. Ele está se referindo, como farei aqui, à lamentação pela morte das pessoas que amamos. Mas podemos lamentar do mesmo modo o fim de um casamento, o fim de uma amizade especial, a perda do que fomos ou do que um dia esperamos ser. Pois, como vamos ver, há um fim, um fim para muitas das coisas que amamos. Mas pode haver também um fim para a lamentação.

Lamentamos. E *como* ou *se* a nossa lamentação vai terminar depende do modo como sentimos nossa perda, depende da nossa idade e da idade de quem perdemos, depende de quanto estamos preparados para isso, depende de como a pessoa sucumbiu à mortalidade, depende das nossas forças interiores e do apoio externo e, sem dúvida, depende da nossa história – nossa história ao lado da pessoa que morreu e nossa história individual de amor e de perda. Entretanto, parece haver um padrão típico no luto normal do adulto, a despeito das idiossincrasias individuais. E aparentemente todos concordam em dizer que passamos por fases de mudança, fases sobrepostas na nossa lamentação e que depois de mais ou menos um ano, às vezes menos, mas geralmente mais, "completamos" a parte principal do processo.

Muitos podem achar difícil aceitar a ideia de fases na dor da perda e se revoltar, como se uma Julia Child* da dor estivesse tentando lhes dar uma receita detalhada para o sofrimento perfeito. Mas, se pudermos aceitar a ideia das fases não como algo pelo qual nós – ou outras pessoas – *devemos* passar, mas como algo que pode iluminar o que nós – ou os outros – passamos ou estamos passando, talvez seja possível compreender por que "a dor... passa a ser não um estado, mas um processo".

E a primeira fase desse processo, tenha a perda sido antecipada ou não, é de "choque, apatia e uma sensação de descrença". "Isso não pode estar acontecendo!" "Não, não é possível!" Talvez choremos e nos lamentemos em voz alta; talvez fiquemos sentados em silêncio; talvez períodos de dor se alternem com períodos de atônita incompreensão. O choque pode ser menor quando se vive muito tempo com a iminência da morte da pessoa amada. O choque pode ser menor (temos de admitir) do que o alívio. Mas o fato de que alguém que amamos não existe mais no tempo e no espaço não é ainda uma realidade, está além do que podemos aceitar.

Mark Twain, que perdeu a filha Susy – "nossa maravilha e nosso ídolo" – de morte súbita aos 24 anos, escreve na sua autobiografia sobre aquele estado inicial de descrença atônita:

> É um dos mistérios da nossa natureza que um homem, estando completamente despreparado, possa receber um golpe como esse e continuar vivendo. Existe uma única explicação. A mente fica imobilizada com o choque e com dificuldade compreende o sentido das palavras. A capacidade de compreender o significado completo misericordiosamente nos abandona. A mente tem a vaga sensação de uma

---

* Especialista em livros e programas de televisão de receitas culinárias que ficou famosa nos anos 1960 e 1970. (N. da T.)

imensa perda – isso é tudo. Serão necessários meses, talvez anos, para que a mente e a memória reúnam os detalhes e compreendam a verdadeira extensão da perda.

Embora a morte esperada nos abale menos do que aquela para a qual não estamos preparados; embora, no caso de uma doença fatal, o maior choque nos atinja quando sabemos o diagnóstico da doença; e embora, algum tempo antes da morte da pessoa amada, façamos uma preparação de "luto antecipado", no começo é sempre difícil – a despeito de toda a preparação – assimilar a ideia da morte da pessoa amada. A morte é um dos fatos da vida que reconhecemos mais com a mente do que com o coração. E geralmente, enquanto nosso intelecto reconhece a perda, o resto de nós continua tentando arduamente negar o fato.

Um homem que acabara de perder a esposa, Ruth, foi encontrado lavando o chão de sua casa no dia do enterro da mulher; parentes e amigos iam chegar e, "se a casa estiver em desordem, Ruth me mata", disse ele. Quando Tina morreu, o irmão mais novo, Andrew, perguntou: "Por que temos de dizer que ela está morta? Por que não fingimos que foi para a Califórnia?". Quando fui informada, pelo pai desesperado, da morte súbita de uma jovem muito querida, eu grotescamente respondi: "Está brincando!". E às vezes, como na ilusão coletiva da família descrita abaixo, a negação da morte desafia os fatos clínicos.

Uma mulher idosa foi levada às pressas para o hospital com um começo de derrame. Morreu depois de poucas horas, e o interno de plantão apressou-se a informar os filhos adultos que estavam ainda no hospital. A reação imediata foi de incredulidade, e foram todos ver a mãe. Depois de alguns minutos, saíram do quarto dizendo que ela não estava morta e pediram a presença do médico da família. Só depois da confirmação do óbito por um segundo médico é que aceitaram a realidade óbvia...

Alguma incredulidade e negação podem continuar muito depois do choque inicial. Na verdade, pode ser necessário todo o período de luto para que o impossível – a morte – seja aceito como uma realidade.

Depois da primeira fase da dor, que é relativamente curta, passamos para uma fase mais longa, de intenso sofrimento psíquico. Choramos e nos lamentamos. Temos mudanças bruscas de temperamento e nos queixamos de desconfortos físicos. Passamos por fases de letargia, atividade exagerada, regressão (a um estágio mais carente: "Ajude-me!"), ansiedade pela separação e um desespero sem remédio. E raiva também.

Annie, de 29 anos, lembra-se de sua revolta quando o marido e a filha foram mortos por um caminhão. Lembra-se de "como odiei o mundo. Como odiei aquele homem no caminhão. Odiei todos os caminhões. Odiei Deus por fazer caminhões. Odiei todo mundo, inclusive John (o filho de quatro anos), porque eu tinha de continuar viva para ele e, se não fosse isso, poderia morrer também...".

Ficamos zangados com os médicos, porque não foram capazes de salvar a pessoa que amamos. Com Deus, por levá-la de nós. Como Jó, ou o homem no poema abaixo, nos revoltamos contra os que nos confortam — que direito têm eles de dizer que o tempo cura tudo, que Deus é bom, que foi melhor assim, que vamos sobreviver?

> Sua lógica, amigo, é perfeita,
> Sua moral, tristemente verdadeira;
> Mas desde que a terra se fechou sobre o caixão *dela*,
> É isso que eu ouço, não o que você diz.
>
> Console-me, se quiser, posso suportar,
> É uma esmola bem-intencionada de palavras;
> Mas nem todos os sermões, desde Adão,
> Fazem a Morte ser diferente da Morte.

Alguns afirmam que a raiva — dos outros e também do morto — é uma parte invariável do processo.

Na verdade, grande parte da revolta que sentimos contra os que nos cercam é a raiva que temos, mas não queremos sentir, do morto. Entretanto, às vezes é expressa de modo direto: "Maldito seja, maldito seja por fazer isso comigo!", lembra-se uma viúva de ter dito para a fotografia do marido morto. Como essa mulher, amamos a pessoa morta, sentimos falta dela, mas também sentimos raiva por nos ter abandonado.

Sentimos raiva e ódio da pessoa morta como uma criança odeia a mãe que vai embora. E como a criança, tememos que nossa raiva, nosso ódio, nossa maldade a tenham afastado de nós. Sentimo-nos culpados por nossos maus sentimentos e também pelo que fizemos – e pelo que não fizemos.

Sentimentos de culpa – culpa irracional ou justificada – são quase sempre parte do processo de dor pela perda sofrida.

Pois a ambivalência que está presente no mais profundo amor existia também no nosso amor pela pessoa perdida quando ela era viva. Nós a víamos como menos perfeita, e nosso amor era menos do que perfeito; talvez, em algum momento, tenhamos até desejado sua morte. Mas agora que está morta nos envergonhamos dos sentimentos negativos e começamos a nos censurar por nossa maldade: "Eu devia ter sido mais bondosa". "Eu devia ter sido mais compreensivo." "Eu devia ser grato por tudo o que tinha." "Eu deveria ter visitado minha mãe com mais frequência." "Eu devia ter ido à Flórida visitar meu pai." "Ele sempre quis ter um cachorro, eu nunca deixei, e agora é tarde demais."

É claro que às vezes há motivo para sentirmos culpa pelo modo como tratamos a pessoa, uma culpa adequada aos danos causados, por negligência. Mas mesmo quando a amamos bem, muito bem, podemos encontrar motivos para a autorrecriminação.

Aqui está o depoimento de uma mãe que perdeu o filho de dezessete anos:

> Sinto falta dele agora e sou atormentada pelas minhas deficiências, pelas vezes em que falhei com ele. Acho que todos os pais têm uma sensação de fracasso, até mesmo de pecado, só pelo fato de continuarem a viver depois da morte de um filho. Não parece justo viver quando o filho está morto; temos a sensação de que devíamos ter encontrado um meio de dar nossa vida pela dele. Tendo fracassado nisso, as faltas que cometemos durante sua breve vida parecem mais difíceis de ser suportadas e perdoadas...
>
> Eu queria ter amado mais meu filho Johnny quando ele estava vivo. É claro que o amávamos muito. Johnny sabia disso. Todos sabiam. Amar mais o Johnny. Qual é o sentido disso? O que pode significar agora?

Sentimo-nos culpados pelas muitas vezes em que falhamos com a pessoa amada que agora está morta. Sentimos culpa por nossos sentimentos negativos, também. E para nos defender da culpa, ou aliviá-la, às vezes insistimos em dizer que a pessoa morta era perfeita. A idealização – "Minha mulher era uma santa", "Meu pai era mais sábio que Salomão" – permite que nossos pensamentos permaneçam puros e que o sentimento de culpa não nos domine. É também um meio de recompensar a pessoa morta, nos redimirmos de todo o mal que fizemos – que imaginamos ter feito – a ela.

A canonização – idealização – dos mortos é frequentemente uma parte do processo de lamentação.

No seu excelente livro *A Anatomia do Sofrimento*, a psiquiatra Beverley Raphael, falando sobre a idealização, apresenta o exemplo de Jack, um viúvo de 49 anos, que descreve a falecida mulher, Mabel, com termos de evidente adulação. Diz ele: "Ela era a maior das mulheres... a melhor cozinheira, a melhor esposa do mundo. Ela fazia tudo para mim". A dra. Raphael observa:

> Ele não podia dizer nada de negativo sobre ela e insistia em afirmar que a vida dos dois fora perfeita em todos os aspectos. A intensidade dessa insistência era agressiva, como se ele estivesse desafiando alguém a provar o contrário. Só depois de uma exploração cuidadosa revelou todo o seu ressentimento pelo cuidado excessivo da mulher e seu controle sobre sua vida e quanto ele tinha desejado se libertar disso tudo. A partir daí, conseguiu falar sobre ela de modo mais realista, mais descontraído, embora com tristeza, aceitando o bom e o mau...

Raiva, culpa, idealização – e tentativas de reparação – parecem sugerir que na realidade sabemos que a pessoa está morta. Contudo, alternada ou simultaneamente, a morte pode continuar a ser negada. John Bowlby, no seu livro *Perda*, descreve esse paradoxo:

"De um lado está a crença de que a morte ocorreu com toda a dor e desespero que ela traz. Do outro, está a negação da morte, acompanhada pela esperança de que tudo vai ficar bem e pela necessidade urgente de procurar e reaver a pessoa perdida". A criança, quando a mãe sai, nega sua ausência e vai procurar por ela, diz Bowlby. É nesse mesmo estado de espírito que nós – os adultos que ficaram e que sofreram a perda – procuramos nossos mortos.

Essa procura pode se manifestar inconscientemente como uma atividade desordenada e inquieta. Mas alguns procuram seus mortos conscientemente. Beth procura o marido indo repetidamente a todos os lugares que costumavam frequentar juntos. Jeffrey fica no closet entre as roupas da mulher, sentindo seu perfume. Anne, viúva do ator de cinema francês Gérard Philipe, descreve sua procura no cemitério:

...fui procurar você. Um louco encontro... Fiquei fora da realidade, incapaz de enfrentá-la. O túmulo estava lá, eu podia tocar a terra que cobria você e, sem poder evitar, comecei a ter a certeza de que você chegaria um pouco mais tarde que de costume, de que logo iria senti-lo perto de mim...

Não adiantaria dizer a mim mesma que você estava morto... Você não estava se aproximando, não, estava à minha espera no carro. Uma louca esperança, que eu sabia ser louca, mas que tomou conta de mim.

"Sim, ele está esperando no carro." E, quando vi que o carro estava vazio, procurei me proteger, dando-me mais tempo: "Ele está andando um pouco nas colinas". Fui para casa, conversando com amigos, procurando por você na rua. Sem acreditar, é claro.

Nessa procura, muitas vezes evocamos nossos mortos: "ouvimos" seus passos na entrada, a chave na fechadura. Nós os "vemos" na rua e os seguimos ansiosamente por todo o quarteirão; eles viram para trás, e vemos... o rosto de um estranho. Alguns trazem seus mortos de volta por meio de alucinações. Muitos os trazem nos sonhos.

Um pai sonha com o filho: "Certa noite sonhei que meu querido More estava vivo e, depois de envolvê-lo nos meus braços e sentir com certeza que ele estava vivo, começamos a conversar sobre o assunto e chegamos à conclusão de que o enterro em Abinger não tinha existido. Por um segundo, depois de acordar, fiquei alegre – e então ouvi o dobrar dos sinos que me acorda todas as manhãs: More está morto! More está morto!".

A mãe sonha com a filha: "Um sonho muito comum. Ela apenas está ali – e não está morta".

Uma mulher sonha com a irmã: "Ela sempre vem para mim, sabem? E nos divertimos bastante...".

Uma filha (Simone de Beauvoir) sonha com a mãe: "Ela era um misto de Sartre e minha mãe, e vivíamos felizes juntas. Então o sonho se transformava num pesadelo. Por que eu estava vivendo novamente com minha mãe? Como tinha caído em seu poder outra vez? Assim, nosso antigo relacionamento vivia em mim com seu duplo aspecto – uma sujeição que eu amava e odiava".

O filho sonha com o pai: "Eu o carreguei para o oceano. Ele estava morrendo. Morreu tranquilamente nos meus braços".

O filho sonha com a mãe (a primeira vez que sonha com ela depois de sua morte): "Ela ria sadicamente porque eu não conseguia descer de um trem em movimento. Seus dentes estavam à mostra num riso realmente sádico. Acordei chocado, mas disse a mim mesmo que, no meio de todas as minhas lembranças maravilhosas, não devia esquecer esse aspecto de minha mãe".

Alguns meses mais tarde, esse mesmo filho sonha outra vez com a mãe: "Eu estava andando sozinho, não sei onde; na minha frente iam três mulheres com camisola comprida. Uma delas voltou-se; era minha mãe, e com a maior clareza ela disse: 'Perdoe-me'".

A filha sonha com o pai: "Sonhei que ele estava fugindo e eu queria alcançá-lo, foi terrível".

Uma viúva sonha com o marido um mês após o suicídio dele: "Vejo duas escadas em espiral, uma ao lado da outra. Estou subindo por uma, e ele desce pela outra. Estendo a mão para tocá-lo, mas ele não me reconhece e continua descendo".

E o escritor Edmund Wilson frequentemente sonha com sua falecida mulher, Margaret, cheio de saudade:

> *Sonho*: Lá estava ela, viva – qual era o problema? –; ela não devia existir mais – mas lá estava, e o que podia impedir que vivêssemos juntos outra vez?
>
> *Sonho*: Num sonho escuro e cinzento, digo a ela como fui tolo pensando que nunca mais a veria.
>
> *Sonho*: Eu estava indo para a cama com ela – não havia nenhuma razão para não estarmos juntos.
>
> *Sonho*: Ela estava doente e não ia viver muito, deitada numa cama em algum lugar; fomos ver uma médica e, quando estávamos conversando, ocorreu-me que ela poderia ficar boa e que, se eu conseguisse fazer com que ela acreditasse que eu a amava e queria que ficasse boa, o problema desapareceria...

Nos sonhos e nas fantasias, na procura pelos nossos mortos, tentamos negar a realidade da perda. Pois a morte de alguém que amamos faz reviver os temores infantis do abandono, a antiga angústia de nos sentirmos pequenos e abandonados. Evocando os mortos, podemos às vezes nos convencer de que ainda estão conosco, de que não estamos sem eles. Mas às vezes, como nessa história arrepiadora contada por um amigo sensato e de espírito prático, evocar os mortos pode nos convencer de que estão realmente mortos.

Dois anos depois do suicídio da jovem esposa de Jordan, ele estava na cama com Myra, sua nova namorada. Essa mulher tinha sido amiga da falecida Arlene. Ele a considerava uma substituta de Arlene. Procurava fazer com que se parecesse com ela. Era uma mulher encantadora, mas com quem ele não pretendia se casar, simplesmente porque não era Arlene.

Entretanto, naquela noite, na cama, quando ele acordou e olhou para Myra, que dormia ao seu lado, "eu não vi Myra; vi o cadáver de Arlene. Eu não conseguia trazê-la de volta. Não conseguia voltar para a realidade de Myra. Lá estava eu deitado, em pânico, com aquele cadáver".

Finalmente ele se levantou e saiu do apartamento.

Agora, casado com Myra e feliz, Jordan diz que a experiência foi aterradora, mas também libertadora. Permitiu que finalmente ele continuasse sua vida. Fez com que compreendesse que não podia ressuscitar a primeira mulher, que "não podia substituir Arlene por outra Arlene". Ele diz: "Depois disso, consegui deixá-la morrer".

Nessa fase de agudo sofrimento, alguns sofrem em silêncio, outros com palavras – pois não é nosso costume rasgar as roupas e arrancar os cabelos. Mas, cada um a seu modo, todos passam por terror e lágrimas, raiva e culpa, ansiedade e desespero. E cada um a seu modo, depois de conseguir finalmente passar pelos confrontos com as perdas inaceitáveis, pode chegar ao fim do período de lamentação.

Começando com o choque e passando pela fase de dor aguda, seguimos para o que se chama "o final" do luto. E, embora algumas vezes choremos ainda, tenhamos ainda saudade, esse fim significa um grau importante de recuperação, aceitação e adaptação.

Recuperamos a estabilidade, a energia, a esperança, a capacidade para ter prazer e investir na vida.

Aceitamos, apesar dos sonhos e das fantasias, o fato de que os mortos não voltarão para nós nesta vida.

Adaptamo-nos com enorme dificuldade às diferentes circunstâncias da vida, modificando – para sobreviver – nosso comportamento, nossas expectativas, nossas autodefinições. O psicanalista George Pollock, que escreveu extenuantemente sobre o assunto, chama o processo de lamentação "uma das formas mais universais de adaptação e crescimento...". Vencer esse período com sucesso, diz ele, é muito mais do que fazer o melhor possível numa má situação. Lamentar nossos mortos, acrescenta, pode levar a mudanças criativas.

Mas ele e seus colegas advertem que raramente o processo é direto e linear. O mesmo diz Linda Pastan no seu poema cheio de força, que começa dizendo "na noite em que te perdi" e acompanha a longa e árdua subida pelos estágios da dor até se aproximar do último estágio, quando então...

> ...agora vejo em que direção
> estou subindo: *Aceitação*,
> escrita em maiúsculas,
> uma manchete especial:
> *Aceitação*,
> a palavra iluminada.
> Continuo a difícil subida,
> acenando e gritando.
> Lá embaixo minha vida espalha, como ondas na praia,
> todas as paisagens que conheci
> ou sonhei. Lá embaixo
> um peixe salta: o pulso no teu pescoço.
> *Aceitação*. Finalmente
> a alcanço.
> Mas alguma coisa está errada.
> A dor é uma escada em espiral
> Eu te perdi.

Passar pelos estágios da dor, diz Pastan, é como subir uma escada em espiral – é como aprender a subir por ela "depois de uma amputação". Nas suas palavras de dor depois da morte de sua querida esposa, C. S. Lewis usa imagem idêntica:

> Quantas vezes – será para sempre? – quantas vezes o imenso vazio vai me surpreender como uma novidade completa, fazendo-me dizer: "Nunca compreendi minha perda até este momento"? A mesma perna é amputada vezes sem conta. A primeira entrada da faca na carne é sentida outra vez e outra vez.

Mais adiante, ele escreve:

> Estamos sempre saindo de uma fase, mas ela volta. Girando e girando. Tudo se repete. Estarei andando em círculos...?

Às vezes é a impressão que temos. E às vezes é o que estamos fazendo. Mesmo quando, finalmente, aceitamos, nos adaptamos e nos recuperamos, podemos sofrer "reações de aniversário" – chorar outra vez nossos mortos com saudade, tristeza, solidão e desespero no dia que marca seu nascimento ou sua morte ou em outras ocasiões especiais. Mas apesar das recaídas, da sensação de que a dor está sempre se dobrando sobre si mesma, chega o fim do processo, como atesta esta descrição da filha que perdeu a mãe:

> Acordo durante a noite e digo a mim mesma que ela se foi. Minha mãe está morta. Nunca mais a verei. Como vou entender isso?
> Oh, mamãe. Não quero comer, nem falar, nem sair da cama. Nem quero ler, cozinhar, ouvir, tomar conta dos meus filhos. Nada importa. Não quero me distrair dessa dor. Não me importaria morrer também. Não importaria nem um pouco. Acordo no meio da noite, todas as noites, e digo para mim mesma: "Minha mãe está morta!"...
> Lamentar a morte da pessoa amada... É como se tomasse conta de nós. De certo modo, é como uma gravidez. Mas... a gravidez nos dá a sensação de estar fazendo alguma coisa, mesmo quando estamos inativas, ao passo que essa dor traz uma sensação de futilidade e de falta de sentido no meio da atividade... A morte dela é a única coisa que existe em minha mente...
> Minha vida cotidiana partiu-se, e estou de quarentena do mundo. Não quero nada dele, não tenho nada para dar. Quando as coisas ficam tão más, perdemos o mundo todo, o mundo e as pessoas que vivem nele.
> Tudo não passa de um grande logro, esta nossa vida. Vamos do zero para o zero. Para que amar se a pessoa amada vai ser roubada de nós? O resultado do amor é a dor. A vida é uma sentença de morte. É melhor não se entregar a nada...
> Tenho de começar do princípio e repetir: "Ela está morta". Como se só agora compreendesse. E sinto que estou me afogando, sendo devorada pela corrente selvagem, querendo segurar a mão dela para que me leve para a praia. Sentindo tanta saudade...
> Certos dias olho para sua fotografia, e a imagem me faz reviver, reforçando-a para mim. Em outros dias, olho para ela, e as lágrimas me cegam. Outra vez abandonada...

> Essa efusão de sentimento, de autopiedade, é... chorar no ombro de mamãe, é um lamento ao vento, um soluço no meio do choro contra as ondas que batem insensíveis na praia. Um lamento, uma nênia. Você vem. E você vai. Eu a tive, e agora ela se foi. O que há de novo nisso? De que adianta?
>
> Estou começando a me recuperar? Já posso olhar para a fotografia dela sem aquele torniquete no pescoço, apertando a memória... Começo a vê-la em *sua* vida, e não somente a mim privada da sua vida...
>
> Pouco a pouco, volto a entrar no mundo. Uma nova fase. Novo corpo, nova voz. Os pássaros me consolam com seu voo, as árvores com seu crescimento, os cães com a marca morna que deixam no sofá. Pessoas desconhecidas apenas pelo fato de estarem em movimento. É como a lenta convalescença de uma doença, essa convalescença do eu... Minha mãe estava em paz. Ela estava preparada. Uma mulher livre. "Deixe-me partir", ela disse. Certo, mamãe, eu a estou deixando partir.

Em outra passagem, essa filha fala a respeito de ter suplantado a necessidade da presença física da mãe, mas "sinto-me repleta dela como nunca antes". Com suas próprias palavras está descrevendo o processo que os psicanalistas chamam de "internalização". Internalizando os mortos, tornando-os parte do nosso mundo interior, podemos finalmente completar o processo de lamentação.

Devemos lembrar que, na infância, podíamos permitir que nossa mãe se fosse ou podíamos deixá-la, estabelecendo uma mãe permanente dentro de nós. Assim também internalizamos – tomamos em nós – as pessoas que amamos e que perdemos para a morte. "O 'objeto amado' não se foi", escreve o psicanalista Karl Abraham, "pois agora eu o levo dentro de mim..." E, embora ele certamente exagere – o riso se foi, a promessa e as possibilidades se foram, a música, o pão e a cama compartilhados se foram, a presença reconfortante de carne e osso, fonte de prazer, se foi –, a verdade é que, fazendo da pessoa morta uma parte do nosso mundo interior, de certo modo nunca mais a perderemos.

Uma forma de internalização – já falei a respeito disso antes – é a identificação. Por meio da identificação desenvolvemos e enriquecemos o nosso eu nascente. E por meio da identificação podemos abrigar em nós aspectos daqueles que amamos e que estão agora mortos – aspectos quase sempre abstratos, mas, em certos momentos, espantosamente concretos.

A terapeuta Lily Pincus conta o caso de uma mulher que começou a fazer jardinagem depois da morte do irmão, que era apaixonado por essa atividade, e de outra mulher, muito calada, que adquiriu o gosto pela conversa espirituosa depois da morte do marido, que era um grande conversador. Além disso, podemos nos identificar com alguns aspectos menos louváveis, e as identificações podem ser patológicas, também. Mas, tomando para nós a pessoa amada agora morta — fazendo com que seja uma parte do que pensamos, sentimos, amamos, queremos, fazemos —, é possível ao mesmo tempo mantê-la conosco e deixá-la partir.

Afirmam que a lamentação por uma pessoa amada pode terminar em identificações construtivas. Mas o processo geralmente é irregular. Pois, quando morre uma pessoa que amamos, podemos enfrentar essa morte sem conseguir enfrentá-la, ou ficar "presos" no processo da lamentação.

No processo prolongado ou crônico não se passa da segunda fase. Ficamos atolados num estado de dor intensa e irremediável, agarrados sem alívio ao sofrimento, à raiva, à culpa, ao ódio por nós mesmos ou à depressão, incapazes de continuar a viver. É difícil determinar um prazo para se livrar da dor maior; não um ano, mas dois ou mais pode ser o normal para algumas pessoas. Mas chegará o momento em que voluntariamente nos desligamos do relacionamento perdido. O sofrimento pela perda é patológico quando não podemos e não queremos nos libertar dele.

Beverley Raphael descreve uma versão do sofrimento crônico:

> Há choro contínuo, preocupação com a pessoa perdida, um protesto cheio de revolta e a lembrança repetida do relacionamento perdido, quase sempre intensamente idealizada. A dor da perda não caminha para a conclusão natural, e é como se a pessoa tivesse tomado para si um papel novo e especial, o papel do eterno sofredor.

Ela acrescenta que, com essa forma de sofrimento, "é como se o morto continuasse vivendo através dessa mágoa". Os poetas compreenderam isso há muito tempo. Quando o rei Philip de Shakespeare censura Constance: "Você gosta tanto dessa dor quanto do nosso filho", ela oferece a ele a explicação desesperada:

> A dor ocupa o quarto do meu filho ausente
> Deita-se em sua cama, caminha comigo;
> Adota seu rosto lindo, repete suas palavras.
> Faz-me lembrar de todas as suas partes graciosas.
> Enche suas roupas vazias com seu corpo;
> Então tenho razão para amar essa dor.

Outra versão do sofrimento crônico é a chamada "mumificação" do morto, quando se guarda cada objeto que ele possuiu exatamente no lugar e do modo que ele guardava. A rainha Vitória, por exemplo, quando seu amado príncipe Albert morreu, mandava que as roupas dele e o aparelho de barba fossem preparados todos os dias, e todos os seus objetos foram mantidos exatamente como ele os mantinha quando vivo. Mas, quer a dor crônica se expresse por meio de santuários ou por um sofrimento contínuo e lágrimas, a mensagem é a mesma: "Isso não será curado com o tempo. Nunca vou me consolar".

O sofrimento é também desordenado quando está ausente ou é adiado, num esforço de evitar a dor da perda. E, embora a ausência da lamentação possa, se e quando as barreiras são derrubadas, passar para o sentimento oposto – lamentação crônica –, é possível evitar a dor às vezes durante anos, às vezes pelo resto da vida.

Lembrem-se de que estou falando sobre a perda de pessoas que amamos, não de pessoas a quem nada nos liga emocionalmente. Estou falando de perdas que nos dão bons motivos para lamentar. E se, ao invés de nos sentirmos arrasados, suportamos maravilhosamente, sem lágrimas e continuando a vida como se nada de estranho tivesse acontecido, só estamos nos enganando, pensando que estamos "suportando muito bem", pois, na verdade, não podemos aceitar o fato.

É possível, por exemplo, que temamos inconscientemente começar a chorar e jamais parar, ou ter um colapso nervoso, enlouquecer, ou que o peso da nossa dor sobrecarregue ou afaste as pessoas, ou que todas as nossas antigas perdas nos envolvam outra vez. Como saber se estamos afastando a dor e não apenas indiferentes à perda? Bowlby nos diz que há vários indícios: podemos estar tensos ou irritadiços, ou impassíveis e formais, ou com uma alegria forçada, distantes, ou ser levados a beber demais. Podemos ter sintomas físicos, trocando a dor psíquica pela dor física; ou ter insônia e maus sonhos. E podemos não tolerar qualquer conversa ou referência à pessoa morta.

Os psicanalistas e Shakespeare dizem que não lamentar pode ser prejudicial à saúde e que a lamentação pela pessoa perdida é um meio de aliviar a dor:

> Dê palavras ao sofrimento; a dor da perda não fala,
> Murmura dentro do coração dolorido e o faz partir-se.

Mas, quer o sofrimento se manifeste quer não, a morte pode ter efeitos prejudiciais de longo termo sobre a saúde mental e física dos que ficam, os quais — em muito maior número do que os que não perderam uma pessoa amada — morrem ou se matam, ficam doentes, sofrem acidentes, fumam demais, bebem demais, usam drogas ou ficam sujeitos a depressões e a vários outros distúrbios mentais. Uma mulher a quem a morte do marido fazia ver o futuro como um vazio sem cor — "um enorme buraco negro" — disse-me que havia resolvido conscientemente continuar, "que eu iria viver". Ela acredita que, depois de uma perda como a que sofreu, todos têm uma escolha entre morrer e viver, e diz que viu uma amiga "escolher o outro caminho". Enquanto alguns dos que resolvem não continuar podem acalentar a fantasia de uma reunião depois da morte, outros — como o pai de Hans Castorp, no livro de Mann, *A Montanha Mágica* — simplesmente parecem incapazes de continuar a viver.

> O pai, Hermann Castorp, não conseguia entender sua perda. Fora muito ligado à mulher e, como não era muito forte, jamais se recuperou da dor de perdê-la. Seu espírito estava perturbado. Ele parecia ter se recolhido dentro de si mesmo; a mente confusa o fazia cometer erros no trabalho...; e na primavera seguinte, quando estava inspecionando os armazéns, no pátio castigado pelo vento, apanhou uma inflamação nos pulmões. A febre foi demais para aquele coração abalado, e depois de cinco dias, apesar dos cuidados do dr. Heidekind, ele morreu.

Os estudos sobre o estresse quase sempre identificam a perda de um membro próximo da família como o fato mais estressante da vida cotidiana. É um "estresse da vida" que quase todos nós temos de enfrentar. Eis as estatísticas: cerca de 8 milhões de americanos, todos os anos, têm uma morte na família. A cada ano há, portanto, um acréscimo de 800 mil viúvos e viúvas. E aproximadamente 400 mil filhos morrem por ano antes de chegar aos 25 anos.

A perda pela morte é o principal estresse da vida, e todo estressante da vida, segundo centenas de estudos, aumenta o risco de doenças físicas e mentais. Mas nem todos os que sofrem essas perdas são suscetíveis a essas doenças. A questão é: O que estabelece a diferença? O que aumenta a vulnerabilidade?

Aqui estão algumas respostas do Instituto de Medicina que foram aprovadas, de modo geral: as pessoas com histórico de doença física ou mental correm risco mais elevado. Bem como aqueles que perdem a pessoa amada por suicídio. E a mulher ou o marido cujo relacionamento com o morto era especialmente ambivalente e de dependência. Aqueles que enfrentam a perda sem o apoio da sociedade geralmente sentem o trauma com mais intensidade. E os mais jovens sofrem mais que os idosos — os estudos revelam que uma das consequências frequentes de perdas na infância é o alto risco de doença mental na idade adulta.

Este livro começa falando sobre o preço que pagamos pelas primeiras perdas e separações. Vimos que as primeiras perdas são como a morte. Vimos que nos primeiros anos de vida a pessoa pode interpretar a experiência de ser abandonada como resultado do fato de não ser boa nem digna de ser amada. Como reação pode ter sentimentos de desamparo e/ou culpa e/ou completo terror e/ou fúria. Pode também sentir uma tristeza insuportável. E pode não ter os recursos, internos ou externos, para resolver esses sentimentos.

Assim, uma criança pode lamentar a morte de alguém, mas não tem capacidade de compreender a enormidade da perda. Pode não ser capaz de resolver completamente as perdas da infância durante a infância. Ou desenvolver certas táticas, para enfrentar a perda, que são prejudiciais no momento — e mais tarde. Numa família de adultos carinhosos, a criança geralmente encontra apoio e encorajamento para expressar toda uma gama de sentimentos, se lamentar até o fim. Mas, como notei há pouco e como vimos em detalhes no Capítulo 1, as perdas da primeira infância podem permanecer conosco durante toda a vida.

A escritora dinamarquesa Tove Ditlevsen, que perdeu os pais quando era muito jovem, oferece-nos este retrato autobiográfico:

Quando você teve
um dia
uma grande alegria
ela dura para sempre
tremulando levemente
na borda de todos
os inseguros dias de nossa vida
alivia os temores herdados
faz o sono mais profundo.

O quarto era
uma ilha de luz
meu pai e minha mãe
estavam pintados
na parede da manhã.

Estendiam um brilhante
livro ilustrado para mim
sorriam ao ver
minha imensa alegria.

Vi que eram jovens
e felizes
por estarem juntos
vi pela primeira
vi pela última vez.

O mundo tornou-se eternamente
dividido em um antes
e um depois.

Eu tinha cinco anos
desde então tudo
mudou.

Talvez tenha sido aquela "grande alegria" que permitiu a Tove Ditlevsen escrever trinta e dois livros de poesia, e ficção, memórias, histórias infantis e ensaios. Talvez a grande alegria tenha ajudado, mas não a salvou. Ela passou por três casamentos fracassados. Viciou-se em drogas. E em 1976 cometeu suicídio.

Será que todos os que perdem os pais muito cedo são condenados ao desespero pelo resto da vida? A resposta é certamente não, embora muitos estudos provem que o risco é maior. Crianças de constituição forte resistirão à dor da perda. E mesmo as mais frágeis podem ser ajudadas por adultos em sua adaptação à perda, por meio de uma lamentação construtiva.

Alguns analistas argumentam que nenhuma criança tem o ego bastante forte para vencer todo o processo da perda da pessoa amada. Bowlby e outros discordam enfaticamente, afirmando que tudo o que a criança precisa (embora essas condições, eles concordam, dificilmente sejam encontradas) é: um bom relacionamento com a família antes da morte. Informação imediata e exata sobre a morte. E encorajamento para compartilhar a dor da família.

Sem dúvida, essas condições podem fazer uma grande diferença. Mas não devemos esquecer que as crianças vivem tanto no mundo externo quanto no seu mundo mental. Nem todas as crianças bem amadas, convidadas para compartilhar o luto da família, conseguem fazer o que deve ser feito para deixar partir o morto querido, e às vezes isso só é feito na idade adulta e, mesmo assim, somente com ajuda profissional.

Mas às vezes conseguem. Na cena descrita abaixo, a dra. Raphael sugere o tipo de resposta que pode ajudar a criança a lamentar a morte e chegar ao fim do processo.

> Jessica tinha cinco anos. Mostrou à mãe o desenho que havia feito. Havia nuvens negras, árvores escuras e grandes manchas vermelhas. "Ora, ora", disse a mãe. "Fale-me sobre esse desenho, Jess." Jessica apontou para as manchas vermelhas: "Isso é sangue", disse ela. "E estas são nuvens." "Oh", disse a mãe. "Veja", explicou Jessica, "as árvores estão muito tristes. As nuvens são negras. Estão tristes também." "Por que estão tristes?", perguntou a mãe. "Estão tristes porque o papai delas morreu", disse Jessica, as lágrimas correndo lentamente no seu rosto. "Tristes como nós desde que papai morreu", disse a mãe, apertando-a contra o peito e chorando com ela.

Uma perda na infância pode dificultar futuros encontros com a separação e a perda. Porém, mesmo aqueles a quem foram poupadas perdas importantes nos anos de crescimento podem jamais se consolar da morte de um filho. Pais da classe média, que vivem neste mundo moderno e industrial, esperam que os filhos sobrevivam a eles. A morte de um filho é como uma morte fora de tempo, uma monstruosidade, um ultraje contra a ordem natural das coisas.

Contudo, entre meus amigos da classe média posso contar onze crianças – onze! – com idade entre 3 e 29 anos, que encontraram a morte em acidentes, suicídios, doenças. Como os pais choram essas mortes? Como chegam – será que chegam? – ao fim da dor maior?

Parece-me, pelo que tenho lido e pelas lágrimas que já vi derramadas por filhas e filhos mortos há muitos anos, que os pais – incluindo-se homens e mulheres que levam uma vida produtiva e cheia de amor – jamais deixam de chorar a morte dos filhos.

Na verdade, apegar-se à dor pode parecer um ato de fidelidade ao morto, ao passo que ceder ao tempo pode parecer uma traição. "Orgulho-me de mim", diz Vera, que perdeu a filha June, de 29 anos, alguns anos atrás, "quando consigo dizer o nome dela sem tremer." Mas, acrescenta imediatamente, "fico horrorizada quando posso dizer o nome dela sem tremer".

Nos meses decorridos entre o diagnóstico de câncer da filha e sua morte, Vera viveu num estado de "realidade suspensa". Protegeu os quatro filhos mais novos, escondendo a verdade. Cuidou de June, que havia voltado para casa, e "tentou fazer o melhor possível por ela". E Vera representou a esperança e o otimismo – jamais choraram juntas, ela e June, a não ser quando assistiram a uma peça, pela televisão, em que os atores diziam:

"Eu vou morrer?"

"Vai."

"Não quero morrer."

Depois da morte de June, Vera diz que se transformou numa "morta-viva". Ela chorava quando estava sozinha, mas em público continuou a representar. "Eu sentia que minha dor era grande demais", explica ela, "um veneno poderoso que podia matar a todos. E pensei que era minha obrigação mostrar aos meus filhos que é possível sobreviver a uma perda tão grande, para protegê-los do medo mortal de viver."

Entretanto, quando o último filho de Vera saiu de casa, cinco anos e meio mais tarde, ela começou a sentir dores, "que pareciam uma doença cardíaca. Eu estava muito deprimida. Chorava o tempo todo". Ela procurou ajuda.

Hoje diz que se sente melhor, mas ainda diminuída, embora ofereça aos amigos sabedoria, conforto, força e, sim, alegria. Mas suas perdas são muito grandes, pois, segundo ela, não perdeu apenas June, a primogênita muito amada. Perdeu também o senso de si mesma – a definição central do seu eu – como protetora dos filhos.

"Eu imaginava que podia dar segurança aos meus filhos. Meu papel na vida era ser a grande protetora deles todos. A morte de June foi uma derrota para mim; ensinou-me que eu era impotente, impotente, impotente. Não podia salvar ninguém. Não podia dar segurança a ninguém."

Vera chora a filha morta. E chora também aquela parte dela mesma.

O antropólogo Geoffrey Gorer, no seu livro pioneiro, *Morte, Dor e Lamentação*, conclui que a mais profunda e duradoura de todas as dores é a do pai e da mãe pelo filho ou pela filha já crescidos. Mas o lamento pela perda de um filho, ou das esperanças do que o filho seria, pode começar em qualquer estágio do processo de paternidade e maternidade e às vezes precisa ser reconhecido e compreendido pelo mundo exterior, bem como por aqueles que sofrem a perda. Um aborto natural – "Eles dizem que não foi nada... mas era meu bebê, e era importante" – pode ser lamentado como uma perda. Um aborto provocado – por mais sensato e necessário que seja – tem de ser feito, mas será lamentado como uma perda. Uma criança que nasce morta, sem dúvida, deve ser lamentada como uma perda. Bem como a morte do bebê que, ligado a tubos e máquinas, sobrevive apenas alguns dias ou semanas.

Margaret tinha 22 anos quando perdeu seu bebê em parto prematuro. Ele viveu por algum tempo e morreu. E, "então, lá estava o quarto vazio em casa, e uma imensa onda de dor me envolveu. Fiquei tão triste, tão vazia! Pensei que jamais me sentiria completa".

Com a morte de um filho que viveu no meio de uma família, que se tornou uma pessoa, grande ou pequena, conhecida, a perda lamentada não inclui somente as esperanças para o futuro, mas o passado compartilhado. A resposta a essas mortes tão fora de tempo – raiva, culpa, idealização, saudade, ambivalência, tristeza e desespero – "pode alterar para sempre", diz Raphael, "o curso da vida dos pais e até mesmo o relacionamento que existe entre eles".

Entre meus amigos, os pais das onze crianças que morreram não representam monumentos de dor. Eles riem, fazem amor, planos, fazem o que deve ser feito. Sei que uma delas acredita que encontrará o filho em algum lugar do além. Mas a maioria deles, tenho a impressão, consegue sobreviver sem esse tipo de consolo. E a maioria deles, tenho a impressão, jamais conseguirá assimilar completamente sua perda.

No dia em que sua falecida filha Sophie teria completado 36 anos, Sigmund Freud escreveu para um amigo:

> Mesmo sabendo que depois dessa perda a fase aguda da dor vai passar, sabemos também que ficaremos para sempre inconsoláveis e nunca encontraremos uma substituta. Não importa o que venha preencher o vazio, mesmo que seja preenchido completamente, sempre será algo diferente.

Para a criança é muito traumática a perda de um dos pais. Para os pais é muito traumática a perda de um filho. Mas a perda do marido ou da mulher é um compêndio de várias perdas diferentes.

Pois, na morte do marido ou da mulher, pode-se chorar o companheiro, o amante, o amigo íntimo, o protetor, o provedor ou o parceiro na criação dos filhos. Pode-se chorar o fato de não ser mais parte de um par. E nos casamentos vividos completamente em função do cônjuge, quando ele desaparece, pode-se chorar a perda terrível de um modo de vida. Algumas mulheres – cujo papel era cozinhar para o marido, tomar conta dele, estar com ele – podem lamentar a perda do objetivo de sua vida. E outras pessoas – cujo senso de individualidade foi criado em função da presença aprovadora do companheiro ou companheira – podem sentir que estão lamentando a perda do próprio eu.

"Nossa sociedade está organizada de tal modo que muitas mulheres perdem a própria identidade quando perdem o marido", escreve Lynn Caine na sua autobiografia dolorosamente franca, *Viúva*. Diz que, depois da morte do marido, "sinto-me como uma concha espiralada atirada à praia pelo mar. Enfie um graveto no túnel espiralado, vire para um lado e para o outro e não encontrará nada lá dentro. Nenhum corpo. Nenhuma vida; seja o que for que viveu ali, secou e morreu".

Vicky, mulher de um ator que morreu no auge da carreira, levava uma vida maravilhosa como Mulher do Astro, sempre entre pessoas famosas e interessantes, viagens, festas, belas noites e... de repente está passando as noites sozinha. "Eu gostava do que tinha", ela me diz, inconsolável, quase dezoito meses depois da morte dele. "Não quero nada diferente. Quero aquilo que eu tinha."

Elaine tinha 45 anos quando o marido morreu e havia tratado ternamente dele durante vários anos. Sua existência era toda em função do marido. Quando ele morreu, Elaine sentiu "que sua vida não tinha mais nenhuma razão de ser, que não podia ter outro papel ou outra utilidade no mundo".

Fern, com uma carreira e filhos crescidos que a amam e gostam da sua companhia, sente pouco prazer na vida depois da morte de Dan. Diz que só ele podia fazer com que se sentisse uma mulher de valor, desejável, que não pode amar a si mesma a não ser por intermédio de um homem. Está procurando esse homem freneticamente, freneticamente.

O fato de ser famosa, com uma identidade independente, autônoma, evita que a viúva seja atingida pela dor extrema? Não necessariamente. A atriz Helen Hayes, descrevendo os dois anos depois da morte do marido, diz: "Eu estava tão louca quanto é possível estar sem ser trancada num hospital. Não tive nenhum minuto de normalidade durante aqueles dois anos. Não era só a dor. Eu estava completamente confusa, pirada".

Mesmo as viúvas que não ficam "piradas" podem sentir uma dolorosa desorientação. "Deus me promoveu para uma classe mais adiantada", disse uma mulher depois da morte do marido. "As carteiras são ainda um tanto grandes para mim."

A morte do cônjuge destrói uma unidade social, impõe novos papéis e obriga as pessoas a enfrentar uma solidão terrível. O futuro pode parecer sem valor, ao passo que o passado está sempre envolto num brilho rosado. Pode-se desejar ficar preso ao passado, mas aos poucos, depois de sentir cada emoção terna – e desagradável –, é preciso lamentar a morte do companheiro ou companheira e terminar o luto.

Embora esteja focalizando a morte de pessoas amadas, devo mencionar outra morte, a que se chama divórcio. Pois o fim de um casamento é uma perda como a perda de um dos cônjuges e geralmente é lamentado e sofrido de modo paralelo. Existem diferenças essenciais: o divórcio provoca mais raiva que a morte e é, naturalmente, muito mais opcional. Mas o sofrimento, a saudade, a falta podem ter a mesma intensidade. A negação e o desespero são enormes. Assim como o sentimento de culpa e a autocensura.

E a sensação de abandono pode ser até mais intensa: "Ele não precisava me deixar; ele quis me deixar".

O divórcio, tal como a viuvez, pode roubar ao que foi abandonado a sensação da própria individualidade. Vejam o que diz Monique: "Certa vez um homem perdeu a própria sombra. Não me lembro o que aconteceu com ele, mas sei que foi terrível. Quanto a mim, perdi minha imagem. Eu não olhava para ela com frequência, mas estava ali, no fundo de cena, exatamente como Maurice a havia desenhado para mim. Uma mulher sincera, genuína, 'autêntica', sem mesquinhez, sem fraqueza moral, mas ao mesmo tempo compreensiva, indulgente, sensível, capaz de sentir profundamente, muito interessada nas coisas e nas pessoas... Está escuro: não consigo me ver mais. O que os outros veem? Talvez uma coisa horrível".

Monique é conhecida de todos nós, *A Mulher Desiludida* do conto de Simone de Beauvoir. Maurice é seu marido, que a abandona depois de 22 anos de casados. Perdendo o marido, Monique perde também uma imagem vital de si mesma. O que sobra, como sugere a fotografia da capa do livro, é uma figura nua na posição fetal, encolhida no chão de um apartamento vazio.

De acordo com estudos recentes, o preço do divórcio — tanto o preço físico quanto o emocional — pode ser maior que aquele imposto pela morte de um dos cônjuges. Pode ser mais difícil também chegar ao fim do luto. Pois o problema com o divórcio é que ambos estão vivos, embora o casamento não exista mais, e isso, como observa a psiquiatra Raphael, faz com que "a pessoa lamente a perda de alguém que não morreu...".

Tenho ouvido muitas mulheres dizerem — e alguns homens também — que prefeririam ter ficado viúvas a se divorciar, pois a morte não lhes traria discussões constantes sobre propriedades e filhos, nem sentimentos de ciúme ou de fracasso. Nos dois casos, a perda do companheiro ou companheira com quem compartilhamos uma história abala as condições de nossa vida. "O mundo derrota a todos", escreve Hemingway, "e depois muitos são fortes nos pontos mais frágeis." Alguns são. Outros, não.

Algumas pessoas, quando perdem o companheiro ou companheira, podem sofrer um dano que se torna permanente.

Alguns — como Hermann Castorp — podem não sobreviver.

Alguns — como a viúva que escolheu não morrer — dirão: "Tenho muito o que fazer, estou feliz por estar viva, mas nada que eu fizer será tão bom como era com ele".

Alguns – muito mais os viúvos que as viúvas, muito mais – casam-se novamente.

Algumas viúvas conseguem seu primeiro emprego e aprendem novamente a sair com homens.

E alguns, não sendo mais a metade de um todo num casamento complementar, adotarão as qualidades do companheiro morto, encontrando em si mesmos talentos e forças que haviam delegado ao companheiro ou companheira e – atônitos, e talvez até sentindo-se desleais – renascem para uma nova vida.

A lista deve incluir também a perda de um irmão ou irmã, um sofrimento – especialmente na infância – provavelmente combinado com triunfo e culpa. Triunfo por ter se livrado finalmente do rival. Culpa por ter desejado se livrar do rival. Dor pela perda do companheiro de brinquedos, de quarto. A dor de ter perdido – e de ter ganho.

Lembrança: nossa família está fazendo uma viagem de navio. Minha irmã mais nova, Lois, desaparece. O navio é revistado. Nada de Lois. Procuram novamente. Nem sinal de Lois. Minha mãe, convencida de que a filha de dois anos e meio se afogou, fica paralisada de dor. Mas eu, a grande rival de quatro anos e meio, perco-me num misto de emoções diferentes.

Será que meus mais ardentes e malvados desejos se realizaram? Será que meu mais querido – e mais terrível – desejo se tornou realidade? Será que eu, graças aos terríveis poderes mágicos da minha mente, consegui afinal me livrar de minha irmã? Oh, que horror! Oh, quanta culpa! E, oh, quanta alegria!

Entretanto, depois de algumas horas, minha irmã – que, afinal, não se afogara – foi encontrada. Minha mãe, livre do terror, desmaia. Eu também sinto um alívio enorme, pois até então estava me considerando uma assassina. Sinto um grande alívio e... um grande desapontamento.

Mas agora somos as duas de meia-idade e somos amigas muito queridas, minha irmã e eu. E agora ela está com câncer no seio, nos ossos e no pulmão. Examinando as fotografias da família, rimos e choramos juntas com as lembranças. E quero que ela faça toda a viagem comigo; não quero que minha irmã caia do navio.

Quando irmãos e irmãs crescem e saem de casa, descobrem que seu relacionamento é opcional. Alguns estabelecem elos fortes que duram até a idade adulta; outros mantêm o mínimo de contato. Outros ainda, como eu, ao ficar adultos, libertam-se e veem os irmãos como pessoas que podem ser seus amigos. E com o passar do tempo e a morte dos pais, os irmãos são tudo o que resta da família, e começamos a vê-los como camaradas e como guardiães do passado. E, quando eles morrem, nós lamentamos, como este poeta lamenta a morte do irmão mais velho.

> Quando soubemos o que a doença podia fazer,
> mentindo, como um conselho de homens decididos,
> nós todos juramos desempenhar nossa parte
> no ato final sob seu comando.
>
> O primeiro foi fácil. Você desistiu da mão esquerda
> e a direita ficou mais esperta, um bobo para seu rei.
> Quando a pobre perna insensível começou a falhar
> você arranjou um cajado para andar
> usado antigamente aos domingos por nosso falecido pai.
> A cada mês o campo de batalha ficava mais magro.
> Quando você não podia mais engolir carne
> cozinhamos e trituramos seu jantar
> e dobramos o canudinho dos *milk-shakes*.
> E, quando você não podia mais falar, ainda podia escrever
> perguntas e respostas numa lousa mágica,
> depois erguia a folha, como roupa para secar ao vento.
> Tirei o espinho da memória da sua espinha
> enquanto brincávamos de ser normais, nós
> que havíamos brincado no frio zoológico
> da infância. Três meses antes de sua morte
> eu o levei na cadeira de rodas pelas ruas
> de Palo Alto para captar
> a primavera nas suas trilhas coloridas.
> Você escreveu o nome de cada flor idiota
> Que eu não conhecia. Yuca choveu.
> Mimosa brilhou. A cavalinha pegou fogo
> enquanto você lutava para manter sua grande cabeça na sua haste.
> *Lillás*, você escreveu, *Magnóllia, Lírio*
> E depois, *olleandro, Dellphinium*.

> Ó homem de muitos eles, irmão, meu esperto
> fantasma residente, que eu nunca soletre
> essas palavras rainúnculo, apócino novamente
> essas palavras coloridas e espalhafatosas outra vez
> a não ser para dizê-las sob seu encanto.

As mortes que supostamente são mais suportáveis são as dos nossos pais idosos. Mas, quando eu disse a uma amiga cuja mãe tinha morrido com 89 anos: "Bem, pelo menos ela teve a chance de uma vida longa", minha amiga respondeu, zangada: "Fico furiosa quando dizem que ela viveu bastante, como se por isso eu não devesse sentir sua morte. Porque estou muito triste. E vou sentir muita falta dela".

Meu amigo Jerome, que perdeu o pai — depois de uma vida cheia e vigorosa, aos 78 anos — em casa, disse-me: "Há algum tempo eu vinha me preparando para a morte dele, mas, quando afinal chegou, eu não estava preparado". Mesmo sabendo que a morte do pai chegara no tempo certo, "ainda não me conformo, não estava preparado".

Jerome disse o *kaddish*, a prece judaica para os mortos, todas as manhãs e todas as noites durante onze meses, "para reafirmar a crença do meu pai na divindade. Para mim era reconfortante, pois tinha um momento todos os dias para pensar no meu pai". Diz que ainda pensa muito nele e que "todos os anos, na festa da Páscoa, sinto muito sua falta".

Às vezes, é mais fácil suportar a morte quando se sabe que a pessoa teve uma morte calma, com aceitação, uma "boa" morte. Pois, embora se sinta sua falta, é mais doloroso vê-la lutar em vão contra a morte. Sentados ao lado dela, podemos dizer: "Não lute tanto. Desista da luta. Vá docilmente".

> Nasceram em você asas de dor
> que tatalam em volta da cama como uma gaivota ferida
> pedindo água, pedindo chá, pedindo uvas
> cuja pele você não pode penetrar.
> Lembra-se de quando me ensinou
> a nadar? Relaxe, você disse,
> O lago vai manter você na tona.

> Tenho vontade de dizer: Desista, meu pai,
> que a morte o sustentará...

Às vezes pode servir de consolo na morte do pai ou da mãe o fato de se ter tido oportunidade de dizer adeus – de expressar nosso amor e gratidão, terminar assuntos não terminados, conseguir uma espécie de reconciliação. "Eu me afeiçoei muito àquela mulher agonizante", escreve Simone de Beauvoir sobre a morte da mãe. "Enquanto conversávamos na semiobscuridade, aliviei uma antiga infelicidade; eu estava reencetando o diálogo interrompido na minha adolescência, que as diferenças e as semelhanças que havia entre nós jamais permitiram que fosse recomeçado antes. E a antiga ternura que eu pensava estar morta para sempre viveu outra vez..."

Dizem que a morte dos pais durante a vida adulta pode servir de incentivo para o desenvolvimento, impulsionando os filhos para um crescimento completo, impondo uma nova maturidade àqueles que, enquanto eram filhos de fulano ou de fulana, não podiam consegui-lo. Na verdade, muitos estudiosos da dor da perda de uma pessoa amada afirmam que em qualquer tipo de morte "não existe perda que não possa levar a um ganho". E, embora a maioria de nós preferisse de boa vontade desistir do ganho se pudesse desistir da perda, a vida não oferece essa doce opção a ninguém.

Quando nasceu seu primeiro filho, Aaron, o rabino Harold Kushner foi informado de que o menino sofria de uma doença rara que produzia o envelhecimento rápido da criança, que ele seria calvo, muito pequeno, teria as feições de um homem velho e que morreria na adolescência. Escrevendo sobre essa morte injusta e inaceitável, Kushner aborda outra vez o assunto das perdas:

> Sou uma pessoa mais sensível, um pastor melhor, um conselheiro mais compreensivo por causa da vida e da morte do Aaron do que poderia jamais ser se ele não tivesse existido. E eu devolveria imediatamente tudo isso que ganhei se pudesse ter meu filho vivo outra vez. Se pudesse escolher, eu desistiria de todo o crescimento espiritual e profundeza de sentimento que ganhei por meio de nossa experiência, para ser o que era há quinze anos, um rabino comum, um conselheiro indiferente, ajudando alguns e incapaz de ajudar outros, e pai de um garoto feliz e inteligente. Mas não posso escolher.

Assim, talvez a única escolha seja a do que fazer com nossos mortos: morrer quando eles morrem. Continuar vivendo como incapacitados. Ou forjar, com a dor e a lembrança, novas adaptações. Por meio do nosso lamento reconhecemos a dor, sentimos a dor, passamos por ela. Com nosso lamento libertamos os mortos e os guardamos dentro de nós. Com nosso lamento chegamos a aceitar as dificuldades que a perda pode criar – e então começamos a chegar ao fim do luto.

CAPÍTULO 17

Mudanças de imagem

> *...descobri um processo de chorar por nós mesmos à medida que envelhecemos e precisamos aceitar a mudança resultante dessa inevitável progressão. O processo pode ser definido como lamento pelos antigos estados do indivíduo, como se eles representassem objetos perdidos.*
>
> Dr. George Pollock

Choramos a perda de outras pessoas. Mas vamos chorar também a perda de nós mesmos – das antigas definições das quais nossa imagem dependia. Os fatos da nossa história pessoal nos redefinem. O modo como os outros nos veem nos redefine. E em vários pontos de nossa vida teremos de abandonar a autoimagem antiga e seguir em frente.

As idades e fases do homem – as tarefas e o caráter dos sucessivos estágios da vida – foram anotadas (sem que isso, de modo algum, esgote a lista) por Confúcio, Sólon, o Talmude, Shakespeare, Erikson, Sheehy, Jaques, Gould e Levinson. As pesquisas modernas sugerem estágios normais previsíveis no desenvolvimento adulto – embora as pessoas passem por eles de modos drasticamente diversos. Os estudos propõem também que – na estrutura geral dentro da qual se desenrolam os diferentes destinos das pessoas – existem períodos de estabilidade alternados com períodos de transição.

Nos períodos de estabilidade, armamos uma estrutura de vida – fazendo escolhas essenciais, procurando atingir certos objetivos. Nos períodos de transição, questionamos as premissas dessa estrutura – fazemos perguntas, exploramos novas possibilidades. Cada transição leva ao término de uma estrutura prévia, e cada término – escreve o psicólogo Daniel Levinson – "é um fim, um processo de separação ou perda". Ele diz ainda:

A tarefa da transição, no desenvolvimento, consiste em pôr fim a um tempo da vida; aceitar as perdas que esse término implica; rever e avaliar novamente o passado; resolver quais os aspectos do passado que devem ser mantidos, quais devem ser rejeitados; e considerar os desejos e as possibilidades para o futuro. O indivíduo está suspenso entre o passado e o futuro, lutando para transpor a distância que os separa. Muita coisa do passado deve ser abandonada – separada, cortada da vida da pessoa, rejeitada com raiva, repudiada com tristeza e pena. E muita coisa pode ser usada como base para o futuro. Mudanças devem ser tentadas, quer no eu quer no mundo.

No curso dessas mudanças, o indivíduo passa de bebê e criança a adolescente e entra, então, nos estágios da vida adulta. Desliga-se do mundo pré-adulto – a Primeira Transição Adulta – entre 17 e 22 anos. Assume, aos vinte e poucos anos, os primeiros compromissos de um emprego, um estilo de vida, um casamento. As seleções são revistas aos trinta ou trinta e poucos anos – a Transição dos Trinta Anos –, quando ele acrescenta o que faltava, faz modificações e exclusões. Ele determina um modo de vida, durante os trinta anos, e investe na própria pessoa, no trabalho, amigos, família, comunidade etc. Mais ou menos aos quarenta, chegam aqueles anos que levam da fase inicial até o meio da vida adulta. Levinson chama essa época de Transição da Meia-Idade. Para a maioria das pessoas é um tempo de crise – a crise da meia-idade. Eu passei por ela:

O que estou fazendo nesta crise da meia-idade?
Esta manhã eu tinha dezessete anos.
Mal comecei a dança e
Já é hora de acabar o baile.

Enquanto estava resolvendo quem eu iria ser
Quando crescesse algum dia,
Minha acne desapareceu e aqui estão
Os joelhos enrugados.
Por que pareço me lembrar de Pearl Harbor?
Certamente devo ser muito jovem.
Quando foi que os rapazes com quem eu saía
Começaram a ficar calvos?
Por que não posso passear descalça no parque

> Sem prejudicar meus rins?
> Existe ainda poesia em mim, e isso
> Não parece justo.
>
> Enquanto eu pensava que era ainda uma menina
> Meu futuro virou meu passado.
> O tempo dos beijos ardentes passa depressa
> E está na hora do Sanka.
> Já?

Algumas pessoas insistem em falar de modo otimista sobre esse tempo da vida em que nossa pele e nosso casamento começam a empalidecer, em que a maior parte dos sonhos da juventude desceu pelo cano, e — embora bem no fundo do coração tenhamos só dezessete anos — o resto de nós está tristemente despencando para baixo. A vida começa aos quarenta, dizem alguns; estamos ficando melhores, não mais velhos; se Sofia Loren representa a meia-idade, não é tão ruim. Mas, antes de conseguir uma visão positiva do outro lado da montanha, é preciso reconhecer que a meia-idade é triste, porque — não de repente, mas aos poucos, dia a dia — perdemos e abandonamos nosso eu jovem.

Podemos tentar dizer que não mudamos nem um pouco desde a universidade, mas é difícil. Pois o fato é que na universidade não tínhamos as pálpebras caídas, nem as linhas do riso permaneciam no rosto quando acabávamos de rir. Podemos tentar dizer a nós mesmos que somos tão jovens quanto nos sentimos, mas esse chavão idiota apenas foge ao questionamento. Pois, se tomamos café antes de ir para a cama, ficamos acordados até as duas da manhã com insônia. Se comemos pizza no jantar, ficamos acordados até as duas da manhã com indigestão. Como sentir-se jovem desse modo? Finalmente, podemos dizer a nós mesmos que, na meia-idade, nos sentimos mais sexy do que nunca. Realmente, isso pode ser verdade. Mas outro fato que deve ser enfrentado é que, à medida que caminhamos na vida, cada vez despertamos menos desejo do que respeito. E ainda não estamos preparados para despertar somente respeito.

> Quando eu era jovem, infeliz e bonitinha
> E pobre, eu desejava

> O que todas as jovens desejam: um marido,
> Uma casa e filhos. Agora que sou velha, meu desejo
> É de feminilidade.
> Que o garoto que está carregando as compras até meu carro
> Me veja. Espanta-me perceber que ele não me vê.

Ao citar esse poema num ensaio intitulado "A Idade da Maturidade", o autor, Charles Simmons, acrescenta: "Eu também". A caixa do supermercado, nota ele, não continua flertando com um homem para sempre. Chega o momento em que ela não flerta mais com você. Chega o tempo também, queixa-se ele, em que você é "selecionado" sexualmente, quando a jovem que o interpela na rua, procurando se orientar, o escolhe "porque você é seguro, não por sua beleza".

Mas, a despeito do desânimo de Charles Simmons, o declínio da beleza da juventude é muito mais contundente para as mulheres do que para os homens, pois os homens podem ser enrugados e calvos, maltratados pelo tempo e ainda assim ser vistos como sexualmente atraentes. Um homem que se aproxima dos cinquenta anos pode despertar o interesse de mulheres de trinta; ele tem dinheiro e poder, coisas que não tinha quando jovem e, embora demonstre ter idade, talvez seja mais atraente agora com seu ar confiante, rugas em volta dos olhos e costeletas levemente grisalhas. Para a mulher, diz Susan Sontag, é diferente.

"Ser fisicamente atraente é muito mais importante para a mulher que para o homem", diz ela, "mas a beleza feminina, identificada com juventude, não resiste muito à idade... As mulheres tornam-se sexualmente inelegíveis muito mais cedo do que os homens."

Assim sendo, a mulher pode temer o envelhecimento porque significa a perda do poder – o poder sexual de atrair os homens –, uma perda que ouvi uma mulher de 45 anos, não mais atraente, definir com amargura como uma castração. Porém, nem o poder nem a competição acirrada – Quero ser a mulher mais bonita desta sala – explicam o sentimento de desgraça com que muitas mulheres veem empalidecer a própria beleza da juventude.

Pois, se a juventude está ligada à beleza e a beleza, à atração sexual da mulher, e essa atração sexual é importante para conquistar e segurar um homem, então o assalto da idade à beleza pode lançá-la num terror de abandono.

"Meu marido vai me trocar por uma modelo mais jovem e mais bonita", dizem seus pesadelos. "E como nenhum outro homem vai me querer, vou passar o resto da vida sozinha."

Esse é um dos pesadelos da meia-idade que frequentemente se tornam realidade.

"A maioria dos homens", diz Sontag, "envelhece sentindo pesar e apreensão, mas a maioria das mulheres envelhece mais dolorosamente: sentindo vergonha. Envelhecer é o destino do homem, algo que deve acontecer ao ser humano. Para a mulher, envelhecer não é só seu destino... é também sua vulnerabilidade."

Porém, mesmo sem abandono, o desaparecimento progressivo da beleza da juventude é sentido — e na verdade o é — como uma perda. Perda de poder. Perda de possibilidades. É possível sonhar com uma sala cheia de gente e um estranho atravessando a multidão para nos reclamar como sua propriedade. Mas essa fantasia pertence à Julieta de Romeu, não à mãe da Julieta. Devemos desistir dela.

Começamos a sentir que esse é um tempo de contínuas desistências, uma coisa depois da outra. A cintura. O vigor. O senso de aventura. A visão 20 por 20. A confiança na justiça. O entusiasmo. O espírito alegre. O sonho de ser campeã de tênis, estrela da TV, senadora, a mulher pela qual Paul Newman finalmente abandona Joanne. Desistimos da esperança de ler todos os livros que queríamos ler, de ir aos lugares que tencionávamos visitar. Abandonamos a esperança de poder salvar o mundo do câncer ou da guerra. Abandonamos até a esperança de conseguir emagrecer ou ser... imortais.

Sentimo-nos abalados. Assustados. Inseguros. O centro não está resistindo, e as coisas estão desmoronando. De repente nossos amigos, e talvez nós também, estão tendo "casos", estão se divorciando, tendo enfarte, câncer. Alguns deles — homens e mulheres da nossa idade! — morreram. E, enquanto adquirimos novas dores e desconfortos físicos, nossa saúde é necessariamente mantida por cardiologistas, dermatologistas, urologistas, periodontistas, ginecologistas, psiquiatras e outros de cujos diagnósticos sempre queremos uma segunda opinião.

Queremos uma segunda opinião, alguém que nos diga: Não se preocupe, você vai viver para sempre.

Um homem de quarenta e poucos anos confessou-me que, ao ficar com um problema no cotovelo, mostrou-se logo preocupado, insone, extremamente abatido. "O que me preocupava", explica ele, "era o medo de que meu corpo estivesse se deteriorando. Primeiro era o braço – o que viria depois?" Ficou tão preocupado, diz ele, "que me dei o trabalho de atualizar meu seguro de vida, mesmo sabendo que o problema no cotovelo não é fatal". Mas ele começou a reconhecer também que, embora uma inflamação no cotovelo não seja fatal, a vida é.

Em cada dor, em cada mudança no nosso corpo, em cada diminuição de nossa capacidade, vemos indicações da nossa mortalidade. E, vendo o declínio sutil, ou não tão sutil, dos nossos pais, entendemos que estamos prestes a perder o escudo que nos separa da morte e que, depois que eles se forem, será a nossa vez.

Além disso, nossos pais, sucumbindo aos poucos às fraquezas físicas, sobrecarregam nosso tempo e nossa tranquilidade com suas necessidades. Mais uma vez somos envolvidos por sua vida e fala-se muito sobre dinheiro e saúde ao telefone. Nossos filhos, agora crescidos, podem se cuidar sozinhos, mas uma viúva ou um viúvo pode morar sozinho? Com impaciência e ressentimento, acompanhados de pena e culpa e, às vezes sobrepujando nosso amor, física e emocionalmente nos acomodamos à dependência cada vez maior dos nossos pais.

Na meia-idade descobrimos que estamos destinados a ser pais dos nossos pais. Poucos incluem esse fato nos seus planos de vida. Como adultos responsáveis, tentamos fazer o melhor possível, embora achando que seria muito melhor sermos pais dos nossos filhos. Mas vamos descobrindo – com um misto de intensas emoções – que isso também está terminando. Pois os filhos gradualmente se afastam para outra casa, outra cidade, outro país. Estão vivendo fora do nosso controle e do nosso cuidado. E, embora existam certas vantagens no ninho vazio, precisamos nos adaptar à condição de ser apenas parte de um casal, não mais donos de uma casa que pulsa, que floresce, com sapatos e tênis espalhados por toda parte, não mais – nunca mais – aquela única e especial mamãe do "vou perguntar à minha mãe".

Com o colapso das realidades passadas, questionamos as autodefinições que nos mantiveram até então, descobrimos que tudo está à nossa disposição, questionamos quem somos e o que estamos tentando ser e se nesta nossa vida, a única que temos, nossas realizações e objetivos têm ainda algum valor. Nosso casamento faz sentido? Nosso trabalho vale a pena ser feito? Amadurecemos... ou simplesmente nos acomodamos? As nossas conexões com a família e os amigos são intercâmbios de amor ou dependências desesperadas? Até que ponto desejamos, ou ousamos, ser fortes e livres?

E, se for para ousar, o melhor é começar agora, pois passamos a medir o tempo em função do que nos resta de vida. Sabemos que o taxímetro está funcionando e que, embora exista ainda o desejo de muita coisa e tenhamos muito para dar, algumas partes preciosas da nossa vida se foram para sempre. A infância e a juventude se foram, e devemos fazer uma pausa para lamentar essas perdas antes de continuar nosso caminho.

A caminhada pode não ser fácil. Embora Dorothy Dinnerstein argumente que "a renúncia do que já foi inexoravelmente vivido é por definição afirmativa" e que "abandonamos a excitação intensa e esperançosa da juventude pela riqueza de sensibilidade, o exercício fácil da força alimentadora que vem com a meia-idade", raramente desistimos sem alguma luta. Enfrentando as perdas que a meia-idade já nos impôs, ou que logo vai nos impor, enfrentando a ideia de fim e de mortalidade, poucos renunciam à juventude com a expectativa de ganhar alguma coisa. E muitos lutarão até o fim.

Assim, fincam os pés no chão com rigidez, mantendo o *status quo*, resistindo a qualquer mudança. Ou fazem tentativas desesperadas para ser jovens outra vez. Ou então são presas de distúrbios psicossomáticos. Ou ainda procuram se ocupar intensamente com causas, cursos e projetos de autoaperfeiçoamento.

Os que resistem às mudanças desafiam as realidades do tempo, agarrando-se ao próprio poder e ao seu modo não negociável de fazer as coisas. Insistem em que os filhos continuem obedientes aos seus desejos, que os companheiros de trabalho mais jovens – "coisinhas insignificantes", como um homem os classifica – "conheçam seu lugar", que o marido ou a mulher não comece a sair – como diz outro homem – "em busca de coisas idiotas". Como o carvalho que se recusa a curvar-se à força da tempestade, são facilmente abatidos por qualquer alteração na saúde, no estado conjugal ou na carreira. Não podem, não querem, recusam-se ferozmente a qualquer adaptação.

Os que procuram a juventude não querem ficar parados; eles querem voltar no tempo. Gostavam do que tinham e desejam tê-lo outra vez. Assim, um grande número de homens casados há vários anos, e um número cada vez maior de mulheres, está procurando companheiros e companheiras mais novos. Eles procuram casos de amor/sexo que pelo menos por algum tempo os ajudem a esquecer os seios caídos e o pênis impotente. Ou a restauração com cirurgiões plásticos, ginástica, clínicas de repouso e cosméticos. Não estamos falando da tentativa comum das pessoas de meia-idade de se manterem saudáveis e com boa aparência. Estamos falando de algo mais, pois os caçadores de juventude querem a aparência e a vida de vinte anos atrás.

Os que sofrem de distúrbios psicossomáticos trocam a perturbação psíquica por doenças físicas, inclusive enfartes e até mesmo câncer. David Gutmann, em um excelente artigo sobre psicanálise e envelhecimento, argumenta que o homem de meia-idade, ao sentir o desconforto de certas necessidades passivas e dependentes, pode exteriorizá-las na forma de doenças físicas, que o levam "a uma das instituições da nossa sociedade que reconhece e até insiste em uma situação de dependência – o hospital. Tornando-se um paciente, o homem de meia-idade diz: 'Não sou eu que preciso de ajuda, mas sim os meus órgãos doentes. Meu espírito ainda está muito bem, mas meu coração, fígado ou estômago está fraco'".

Os que procuram se aperfeiçoar buscam distrações para encher o tempo; correm tanto que não notam o que perderam. E, embora adquirir novas aptidões e voltar a estudar possam ser experiências positivas, a atividade exagerada tem seu preço. Pode servir como um meio de se evitar o confronto com a meia-idade através da busca de desenvolvimento externo e não interno. Pode também, como veremos, ser algo por demais exaustivo.

> Terminei seis almofadas bordadas,
> Estou lendo Jane Austen e Kant,
> E já cheguei ao porco com feijão-preto no Curso Superior de Culinária Chinesa.
> Não preciso lutar para me encontrar,
> Pois já sei o que quero. Quero ser saudável, instruída e extremamente bela.
>
> Estou aprendendo novos métodos na aula de cerâmica,
> E novos acordes no violão.
> Na ioga começo a dominar a posição do lótus.
> Não preciso meditar sobre prioridades,

> Pois já sei quais são:
> Ter boa aparência, ser saudável e instruída,
> E também adorada.
>
> Estou melhorando meu saque com um instrutor de tênis,
> E aprendendo formas de verbo em grego,
> E na terapia seletiva todas as minhas frustrações são reveladas.
> Não preciso perguntar o que estou procurando,
> Pois já sei o que é:
> Ter boa aparência, saúde e instrução.
> Ser adorada
> E satisfeita.
>
> Estou perita em Jardinagem Orgânica,
> Com a dança consegui tornar mais firmes minhas coxas,
> Em Despertar da Consciência sou a melhor.
> Trabalho o dia todo e a noite toda
> Para ter boa aparência, saúde e instrução.
> E ser adorada
> E satisfeita.
> E corajosa.
> E ler muito.
> E ser uma anfitriã maravilhosa.
> Fantástica na cama,
> Bilíngue,
> Atlética,
> Artística...
> Alguém quer, por favor, me fazer parar?

Há outras reações à meia-idade, menos frenéticas, que refletem o caos e a angústia dessa fase, quando, mesmo em ótimo estado, sabemos que estamos nas garras do tempo, que "nossa escala em terra", como nos advertem um poeta e muitas comissárias de bordo: "Será muito breve". Isso pode provocar uma profunda depressão. Ou amargura: "Será que isso é tudo?". Ou um doloroso desapontamento por não termos realizado nossos ideais, alcançado certos objetivos. Ou tédio e inquietação — "E agora?" — se os ideais e os objetivos foram alcançados. Ou autodestruição – bebida, comprimidos, dirigir em alta velocidade ou a tentativa direta de suicídio. Ou inveja dos jovens, até mesmo dos filhos e filhas que começam a florescer sexualmente. Ou ainda um sentimento de culpa pelos males causados e pelo bem que não foi feito. Ou desespero – como errantes num "bosque escuro... selvagem, primitivo e impiedoso" imaginando se chegarão ao fim da trilha.

Os psicanalistas admitem que não é possível dizer com certeza como as pessoas vão reagir à crise da meia-idade. Todos nós temos fraquezas desconhecidas – e forças. Mas se chegarmos a esse ponto decisivo com grandes conflitos não resolvidos, ou com a fase anterior de desenvolvimento incompleta, provavelmente, dizem eles, repetiremos nas experiências do presente as ansiedades e as soluções falhas do passado. Por exemplo:

A perda dos filhos e filhas quando crescem e saem de casa ou a perda – por morte ou divórcio – do companheiro ou companheira podem fazer reviver antigas ansiedades quanto à separação.

A perda ou a iminência da perda, na meia-idade, da beleza, do vigor, da potência, pode ser quase fatal para o narcisista patológico.

A perda ou modificação das definições externas – Mãe ou Pai Perfeito, o Mais Jovem Reitor da Universidade – pode criar pânico e confusão na mente daqueles que nunca estabeleceram um centro interior de identidade.

Mas mesmo as almas fortes (com trabalho, amor, consciência do eu e uma história com dano mínimo) não conseguem passar ilesas pela crise da meia-idade.

"Deus ordena", escreveu certa vez George Bernard Shaw, "que todos os gênios tenham alguma doença aos quarenta anos." Os não gênios, também. Alguns secam e fenecem, mas mesmo aqueles que conseguem prevalecer devem, antes da vitória, infligir grande sofrimento a si mesmos e às pessoas que amam, antes de começar a mudar e a crescer.

Randy, que destruiu seu casamento depois que perdeu os pais, nos diz: "É isso; eu também vou morrer". Assim, depois de, por quase quatro décadas, ter vivido como um bom menino, fazendo tudo o que devia fazer, descobriu que, com a morte dos pais "partiram-se os elos de responsabilidade. Fui completamente libertado do passado e da necessidade de continuar a ser bom".

Resolveu então que "tem de haver algo melhor do que essa rotina de trabalho e dever". Achou que, se não houvesse uma mudança, ele iria morrer.

Estava pronto para se apaixonar por outra mulher. E logo, sem nenhuma dificuldade, encontrou uma mulher encantadora e instável, Marina, por quem se apaixonou "perdidamente".

Recordando o passado, Randy diz que ainda reconhece Marina como "a grande paixão da minha vida. Era brilhante, encantadora, espirituosa, educada, inteligentemente sedutora e" – lembra ele com orgulhoso prazer – "ela me queria. Era como ser levado para uma sala iluminada por milhares de estrelas. Eu fiquei... obcecado por ela".

Dizendo a si mesmo que, com 37 anos, "essa era minha última chance de obter a felicidade sexual", esse advogado muito respeitado, com mulher e duas filhas, "que jamais deixei de amar", deixou a família para viver com aquela... aquela "cigana".

Randy acredita ainda que "a despeito da dor, a despeito do preço, a despeito das lágrimas derramadas, foi a experiência mais encantadora da minha vida... Ensinou-me muito sobre a vida, sobre viver, dor, prazer, solidão... Ensinou-me a compreender a medida completa da minha sexualidade... Ensinou-me a encontrar novas dimensões em mim". E finalmente, depois de um ano de ausência, ensinou também que o lugar dele era em casa com a mulher e as filhas.

Pois na verdade, diz Randy, ele aprendeu que não fora feito para um relacionamento de êxtase e tormento. Que preferia a mulher calma e amorosa que havia abandonado. Que, afastando-se da rotina cotidiana e estável de calor e do compartilhar generoso, ele se sentia, sem dúvida, cheio de vida, mas muito desamparado. Havia abandonado o papel do marido responsável, do marido pode-sempre-contar-comigo, para aprender que era exatamente assim que queria ser. "Adquiri", diz ele, "uma dolorosa e difícil clareza de espírito. Descobri que não podia ser feliz sem minha mulher. Descobri que a amo incondicionalmente. Descobri que a vida sem ela não era vida."

Randy disse à mulher que, se ela permitisse sua volta para casa, ele jamais a abandonaria. Ela permitiu.

Sobre seu casamento hoje, Randy diz: "Oh, é claro, eu gostaria que ela fosse melhor em certas coisas. Mas eu também poderia ser melhor. E não me esqueci do passado; lembro-me de algumas daquelas noites – e de alguns dias – com todas as estrelas". Mas acrescenta: "Vivo agora com um conhecimento muito mais claro do que eu e minha mulher possuímos. E vivo com o desejo de guardar e preservar esse tesouro".

Como no caso de Randy, a mudança importante que resulta de uma rebelião na meia-idade está no modo como se percebe a vida levada até então. O conhecimento mais claro de quem somos e do que realmente queremos permite que voltemos aos compromissos com as antigas escolhas. Mas às vezes só podemos continuar a viver com nossas antigas escolhas em termos novos e dramaticamente diferentes. E, às vezes, abandonamos por completo as antigas escolhas.

Muitos casamentos se desfazem na meia-idade porque alguém sente, como Randy, uma urgência de "fazer ou morrer". Fale agora, saia agora, ou então cale-se para sempre. E, uma vez que o divórcio deixou quase por completo de desqualificar o indivíduo para a aprovação e as recompensas da sociedade, não existem sanções sociais, apenas nossas sanções últimas assaltadas pela meia-idade. Assim, se achamos que nosso casamento não realiza todas as nossas expectativas, ou que é bom, mas desejamos que seja melhor, ou ainda — mesmo reconhecendo que casamento significa ambivalência — sentimos muito menos amor do que ódio, podemos nos perguntar por que não procurar um novo relacionamento antes de ficar menos animados, menos potentes, mais assustados. E a resposta, como parece sugerir o grande número de divórcios, talvez seja: por que não?

Por que não terminar um casamento — agora que os filhos estão quase todos crescidos — no qual faltam interesses comuns, paixão, excitação, prazer? Por que não tentar um casamento com mais gratificação emocional? O tempo está passando depressa.

A sensação da velocidade do tempo pode também provocar algumas das colusões entre casais que comentamos no Capítulo 13, aquele eu-serei-o-filho-você-o-pai (ou a mãe) e eu-serei-o-capacho-você-o-dono, eu-serei-o-doente-você-o-saudável. Quando essas colusões entram em colapso, quando uma das partes deixa de desempenhar o papel combinado, a outra parte pode sair à procura de outro companheiro ou companheira. Mas às vezes o casamento sobrevive ao fim dessas conspirações matrimoniais. Às vezes, os casais podem — na câmara de pressão da meia-idade — renegociar os termos do seu casamento.

Roger Gould descreve as grandes recompensas — para alguns maridos e mulheres de sorte — da renovação do casamento na meia-idade.

> As antigas conspirações são abandonadas. No seu lugar surge um relacionamento baseado na aceitação do parceiro autêntico, que não é um mito, nem um

deus, nem mãe, nem pai, nem protetor, nem censor. Em vez disso, apenas outro ser humano com uma gama completa de paixões, aptidões racionais, forças e fraquezas, tentando descobrir o meio de conduzir uma vida significativa, com amizade real e companheirismo. Essa nova dinâmica pode dar origem a várias formas de casamento: duas vidas muito separadas, na qual marido e mulher estão juntos apenas periodicamente, de acordo com seu ritmo de relacionamento; uma vida de trabalho e lazer completamente compartilhada; ou variações entre os dois extremos. De qualquer modo, é um relacionamento de iguais, sem hierarquia, posição ou autonegação.

Crescer e mudar na meia-idade pode significar renovação, aceitação ou o fim de arranjos prévios. Mas, seja qual for a abordagem escolhida, a vida não será a mesma. Externa ou internamente, os anos da meia-idade expressarão as perdas e ganhos da crise da meia-idade.

No trabalho, por exemplo, o homem pode começar a aceitar pesarosamente os limites e os desapontamentos das suas realizações. Ou, se desejar maior satisfação ocupacional, pode deixar o trabalho e iniciar uma nova carreira. Ou reservar um espaço menor para o trabalho na sua agenda e no seu coração e um espaço maior para seus assuntos particulares ou da comunidade. Ou ainda, diminuindo a intensidade do impulso para o poder e o sucesso, ficar livre para ajudar na carreira dos mais jovens – ser, na meia-idade, um mentor generoso e criador.

As mulheres que sempre trabalharam e, ao mesmo tempo, formaram sua família, podem também fazer uma alteração na sua carreira. Mas as pesquisas não têm ainda muitos dados a esse respeito. Pois até pouco tempo atrás, o trabalho remunerado não obrigava as mulheres casadas da classe média, em sua maioria, a fazer essa revisão. Entretanto, o movimento feminista alterou drasticamente essa situação; assim, em meados dos anos 1970, todas as mulheres de meia-idade que eu conhecia na época estavam fazendo planos para reentrar no mercado de trabalho. Havia motivos negativos para que o fizessem, como: "Preciso ter um emprego, do contrário quem vou dizer que sou quando for a uma festa?". Mas havia também razões positivas: as mulheres sentiam-se incentivadas por uma sanção social a dar vazão a seus talentos e a suas aptidões.

Porém, muitos maridos não viam – e alguns ainda não veem – essa volta ao trabalho como algo vantajoso sob todos os aspectos.

Na verdade, muitos maridos de meia-idade, cujas mulheres recentemente começaram a trabalhar, sentem-se abandonados, ignorados, isolados. "É o mesmo que viver com um companheiro de quarto", queixam-se alguns. O TRABALHO DA MULHER FORA DE CASA PODE DEIXÁ-LO SOZINHO NOS SEUS MOMENTOS DE MAIOR LAZER, diz a manchete do *Wall Street Journal*. Pois, no momento em que esses maridos estão diminuindo seu ritmo de trabalho e se voltando mais para o lar, as mulheres estão se afastando à procura de uma carreira.

Os psicólogos chamam a isso "defasagem" ou "problema da trajetória de carreira".

A troca masculino-feminina está ligada ao fato de que, segundo alguns pesquisadores, as mulheres tornam-se mais "masculinas" na meia-idade, ao passo que os homens podem se tornar menos agressivos, menos pressionados para o sucesso e, de vários outros modos, mais "femininos". Essa mudança no equilíbrio sexual, quer as mulheres iniciem nova carreira ou não, pode levar a tensões destrutivas no casamento. Mas há também grandes vantagens para o indivíduo e para os relacionamentos na unificação dos polos da nossa natureza sexual.

Isso não significa que os homens se tornam mulheres, que as mulheres se tornam homens ou que os dois sexos ficam iguais, unissexuais. Significa simplesmente que na meia-idade podemos acrescentar à nossa autodefinição aquilo que a psicóloga Carol Gilligan chama de "vozes".

No Capítulo 8 vimos a diferença entre o desenvolvimento feminino e o masculino e verificamos que as mulheres tendem mais para as relações íntimas do que os homens e que estes tendem mais para a autonomia. Gilligan concluiu que até mesmo as mulheres bem-sucedidas em sua carreira descrevem a si mesmas num contexto de relacionamento, ao passo que os homens percebem a própria identidade em termos de poder e separação. Gilligan diz que vivemos num mundo onde a autonomia masculina é muito mais valorizada do que a conexão feminina. Mas argumenta que essas duas vozes — a voz do relacionamento e a voz do eu separado — são necessárias para definir a maturidade adulta.

Homens e mulheres, diz Gilligan, registram suas experiências de modos diferentes. Na meia-idade, alguns pensadores acreditam, esses dois modos opostos começam a convergir.

David Gutmann sugere que essa convergência é favorecida pelo declínio das funções de progenitores na meia-idade, pelo fim do que ele chama de "a emergência crônica da paternidade". Como pais jovens, diz ele, criamos filhos cujas exigências por dois tipos de cuidados, o físico e o emocional, levam a uma divisão de trabalho. Tipicamente, o marido deixa o papel de realmente criar os filhos para a mulher (e ela, então, expressa os anseios mais passivos e menos rigorosos dele). E, tipicamente, a mulher deixa o papel agressivo para o marido (que se torna o representante da agressividade dela). "Durante o período ativo e crítico de pais jovens", escreve Gutmann, "cada sexo concede ao outro o aspecto da sua bimodalidade sexual, que pode interferir com sua responsabilidade especial na criação dos filhos." Assim, as exigências da criação dos filhos nos obrigam a uma polarização dos papéis sexuais.

Mas, diz Gutmann, esse não é nem precisa ser um arranjo permanente. Quando os pais chegam à meia-idade, e os filhos tomam o comando da própria segurança, as restrições impostas pelos pais diminuem gradualmente. Na meia-idade é menor a exigência de repressão à feminilidade do homem e à masculinidade da mulher. A expressão direta, diz Gutmann, da parte do sexo oposto que existe em nós é uma das consequências positivas da meia-idade. Escreve ele:

> Assim, os homens começam a viver diretamente, a possuir como parte de sua personalidade, algumas das qualidades de sensualidade e ternura – na verdade, a "feminilidade" – antes reprimidas... Sentem-se atraídos por contatos humanos que tenham calor e qualidades de apoio... Do mesmo modo, as mulheres descobrem em si mesmas uma capacidade executiva e "política" até então desconhecida e não cultivada. (...) Mesmo em determinadas culturas patriarcais, as mulheres idosas são mais integradas, mais dominadoras, mais "políticas" e menos sentimentais. Como os homens, começam a viver a dualidade até então não admitida da sua natureza.

Outra dualidade importante que deve ser enfrentada na meia-idade é a dicotomia criatividade/destrutividade. Nós a enfrentamos no mundo externo e dentro de nós. A luta para reconciliar esses dois polos é uma das tarefas finais que devem ser realizadas nesse movimento gradual de afastamento do que Roger Gould chama de "consciência da infância".

A essência dessa consciência é a ilusão, argumenta Gould, de ser possível viver num estado de absoluta segurança. E viver para sempre num estado de absoluta segurança é uma ilusão irresistível e dificilmente abandonada.

Mantemos essa ilusão na infância, diz ele, acreditando em quatro pressupostos que, mais ou menos no fim do ensino médio, descobrimos não serem verdadeiros. Mas até ser possível repudiá-los emocionalmente, bem como intelectualmente, eles continuarão vivos no inconsciente, exercendo grande influência na vida adulta.

O primeiro pressuposto falso, que vem à tona e deve ser emocionalmente questionado mais ou menos entre 19 e 22 anos, é o seguinte: "Sempre pertencerei aos meus pais e sempre acreditarei na sua versão da realidade".

O seguinte (questionado entre 22 e 28 anos) é: "Fazendo as coisas do modo deles com força de vontade e perseverança, conseguirei resultados, mas, quando (eu) estiver frustrado, confuso, cansado ou incapaz, eles virão me mostrar o caminho".

O terceiro pressuposto falso (questionado na segunda metade dos vinte anos e primeira metade dos trinta) diz: "A vida é simples, não complicada. Não existem importantes forças internas desconhecidas no meu íntimo; não há realidades múltiplas e contraditórias coexistentes em minha vida".

O quarto (questionado na meia-idade) é o seguinte: "Não há maldade em mim nem morte no mundo; o mal foi expulso".

Gould quer dizer que na meia-idade aprendemos finalmente que, por melhores que sejamos, vamos morrer. Finalmente aprende-se que não existe segurança lá fora. Abandona-se a crença infantil de que, sendo bons meninos ou meninas, sempre seremos protegidos e resguardados. Desastre e morte, descobre-se então, atingem pecadores e santos, puros e impuros. E mesmo não decidindo viver como pecadores e impuros, essa descoberta pode significar a libertação para enfrentar o que Freud chama de id e que Gould descreve como "nosso centro escuro e misterioso" – e para fazer uso de algumas das energias e paixões que encontramos então, para dar maior expansão e revitalizar nossa existência.

A questão central é que, quando crianças, podemos esconder a raiva, a cobiça e o espírito competitivo, com medo de que nos carreguem para longe, levando também a segurança. Quem vai amar e proteger uma criança tão malcomportada e voraz? Com o crescimento vem o temor de não poder controlar esses sentimentos pouco civilizados, que são, então, reprimidos. E quem vai nos amar, nos proteger dos perigos? Mas na meia-idade, sabendo que ninguém vai nos proteger dos perigos, não existem mais restrições à exploração do nosso íntimo, do nosso id. E uma vez iniciada essa exploração cheia de riscos e tão excitante, fazemos descobertas que nos transformam:

Descobre-se, por exemplo, que é possível conhecer os próprios sentimentos sem automaticamente agir de acordo com eles.

Descobre-se também que sentimentos conhecidos e reconhecidos são mais fáceis de ser controlados do que os sentimentos negados.

E descobre-se ainda que é possível reconhecer, afirmar e reforçar alguns sentimentos não domados da nossa infância, que é possível tornar-se, na meia-idade, mais compreensivo, mais sensual, mais ousado, mais eclético, mais honesto e mais criativo.

Num belo ensaio sobre os aspectos vitalizantes do nosso "centro misterioso", nosso id, ou inconsciente dinâmico, Hans Loewald adverte contra "a loucura da racionalidade desenfreada", afirmando que "nos perderemos num caos... se perdermos nossas amarras no inconsciente..." Gould acrescenta sua voz a esse tema quando fala em fazer a "conexão com o que há de insano em nós, antes de chegarmos a uma sanidade mais abrangente". Diz que, fazendo uso de nossas paixões originais e primitivas, começamos, na meia-idade, a ser completos e totalmente vivos.

O tema da conexão construtiva com as trevas do nosso íntimo é repetido por outros estudiosos da meia-idade. O analista Elliott Jaques, ao estudar o desenvolvimento dos artistas criativos, descobre na obra daqueles que continuam sua carreira além dos anos da juventude uma crise da meia-idade e uma transformação. Descreve a passagem da criatividade escaldante, "precipitada", para a criatividade elaborada, modificada, "esculpida". E vê o aparecimento de "um conteúdo trágico e filosófico", contrastando com as criações mais líricas do artista jovem.

Essa criatividade esculpida e esse conteúdo trágico e filosófico, escreve Jaques, derivam do reconhecimento da mortalidade e da "existência do ódio e de impulsos destrutivos no íntimo de cada pessoa". Jaques diz que esse reconhecimento pode produzir tanta ansiedade que a resposta é uma interrupção no desenvolvimento. Diz também que um trabalho criativo maduro, ou, para os não artistas, uma vida madura criativa, depende da "resignação construtiva" ao ódio e à morte na meia-idade.

Levinson fala também sobre o conhecimento do homem, na meia-idade, das forças destrutivas da natureza e dentro dele mesmo.

> A Transição da Meia-Idade ativa a preocupação com a morte e com a destruição. O homem tem a sensação mais profunda da própria mortalidade e da morte iminente de outros. Conscientiza-se melhor de que modo as outras pessoas, mesmo as que ama, agiram destrutivamente em relação a ele (com a intenção de ferir ou, muitas vezes, com boas intenções). Compreende também aquilo que talvez seja o pior, que praticou atos irrevogavelmente danosos contra os pais, amantes, mulher, marido, filhos, amigos, rivais (aqui também com a melhor das intenções, às vezes). Ao mesmo tempo sente um desejo urgente de ser mais criativo, de criar coisas que tenham valor para ele e para os outros, participar de empreendimentos coletivos para o bem-estar da humanidade, contribuir de modo mais completo para as gerações futuras. Na meia-idade o homem pode reconhecer, mais do que nunca, que as forças poderosas da destruição e as forças da criatividade coexistem na alma humana – na minha alma! – e que pode se integrar a elas de novos modos.

A integração – unificação de tendências aparentemente opostas – é vista como a grande conquista da meia-idade. Mas evidentemente é um processo que já vimos antes. Começa com a luta, na infância, para fechar o abismo que separa a mãe boa e a má, o abismo entre o demônio e o anjo do próprio eu, para equilibrar o desejo de união com o desejo de liberdade e separação. A luta – agora em nível mais alto – continua.

Assim, o homem esforça-se para integrar o eu masculino com o eu feminino.

Esforça-se para integrar o eu criativo com o eu que conhece a destruição interna e a externa.

Esforça-se para integrar o eu vivido de meia-idade com o eu jovem e cheio de entusiasmo que está deixando para trás.

Mas, a despeito do entusiasmo jovem, deve ser abandonada, na meia-idade, a antiga autoimagem. Sua estação é o outono; sua primavera e seu verão já passaram. E, apesar dessa imagem de calendário, não será preciso, quando se chegar ao fim, passar novamente por todas as estações.

Nem se pode parar o tempo.

"Com muitas lágrimas, consegui aceitar as perdas da meia-idade", ouvi recentemente uma amiga cinquentona dizer. "Na verdade, sou suficientemente madura e ajustada para gostar do que sou. Só queria que as Forças Dominantes permitissem que eu ficasse aqui."

Todos os que sobreviveram à crise da meia-idade sentem-se agradecidos por "estarem aqui" também – aqui com seu senso experiente das coisas, com paixão e perspectiva, com as pessoas amadas e o trabalho que gostam de fazer. Libertando afinal o eu antigo, sem rugas e imortal, sentem que fizeram o bastante e gostariam que essa desistência, essa perda, essa partida terminassem.

Mas não terminaram ainda.

CAPÍTULO 18

Envelheço... envelheço

Envelheço... envelheço
Passarei a dobrar para cima a bainha da minha calça.

T. S. ELIOT

Um homem idoso é uma coisa reles,
Um casaco rasgado sobre uma vara, a não ser
Que a alma bata palmas e cante em voz alta
Para cada rasgão na sua vestimenta mortal.

W. B. YEATS

É difícil cantar para a alma que envelhece. A *Angst** da meia-idade parece, em retrospecto, uma brisa. Quer esteja envelhecendo a contragosto ou suavemente, o homem acaba aprendendo que cinquenta anos era uma ótima idade e que, quem morreu aos sessenta, morreu cedo. E aprende que, mesmo tendo uma ou duas canções para cantar antes do apagar das luzes, os anos o levaram às cenas finais da peça – e que a morte espreita nos bastidores.

A velhice traz muitas perdas: muitos são contra essas perdas. Mas outra opinião mais animadora diz que, se as perdas são realmente lamentadas, esse lamento nos liberta e pode nos conduzir a "liberdades criativas, desenvolvimento, prazer e aptidão para abraçar a vida".

Mas vamos primeiro às más novas – às vezes exaustivamente documentadas no livro de Simone de Beauvoir, *A Chegada da Velhice*, no qual ela descreve o sofrimento de envelhecer desde o primeiro lamento registrado até o presente. O mais antigo texto sobre o assunto, diz ela, é do filósofo-poeta egípcio Ptá-hotep, que, em 2500 a.C., desenvolveu um tema que ecoou através dos séculos:

---

* O medo, a angústia. Em alemão, no original. (N. da E.)

> Como são difíceis e dolorosos os últimos dias de um velho! Fica mais fraco a cada dia; os olhos quase não veem; os ouvidos ficam surdos; a força desfalece; o coração não conhece mais a paz; a boca silencia e não diz palavra. O poder da mente diminui e hoje não pode lembrar como foi ontem. Todos os ossos doem. Coisas que até há pouco tempo eram feitas com prazer são dolorosas agora, e o paladar desaparece. A velhice é a pior desgraça que pode afligir o homem.

A velhice é a pior das desgraças, pior mesmo que a morte, argumenta De Beauvoir, porque mutila aquilo que fomos. E ela apresenta uma coleção de distintas testemunhas para provar sua afirmação:

Ovídio: "Tempo, ó grande destruidor, e velhice invejosa, juntos, arruinais todas as coisas..."

Montaigne: "Nenhuma alma se vê, ou muito poucas, que, ao envelhecer, não adquira um cheiro azedo e bolorento".

Chateaubriand: "A velhice é um naufrágio".

Gide: "Há muito tempo deixei de existir. Preencho apenas o espaço de alguém que todos imaginam ser eu".

"A velhice", diz De Beauvoir, fazendo um resumo da evidência, "é a paródia da vida."

Evidentemente, ninguém pode negar que a velhice significa o peso de profundas e várias perdas – da saúde, das pessoas que amamos, de um lar que foi nosso refúgio e nosso orgulho, de um lugar na comunidade familiar, de trabalho, status, propósito e segurança financeira, do controle e das escolhas. O corpo nos informa o declínio das forças e da beleza. Os sentidos ficam menos aguçados, os reflexos, lentos. A concentração diminui, novas informações são processadas com menos eficiência, e há lapsos... – Como é o nome dela? Sei qual é... – na memória a curto prazo.

A velhice, muitas pessoas concordam, é o que temos de supor se quisermos uma longa vida. E, como observa uma amiga com mais de oitenta anos, "a maior parte de nós nela claudica em vez de dançar pela vida".

Contudo, não se pode falar da velhice como uma entidade isolada, uma doença, o término, a espera do fim. Pois, embora a aposentadoria compulsiva, o tratamento médico, o seguro social e descontos para pessoas de idade nos cinemas marquem tecnicamente o começo da velhice, experiências de perdas importantes relacionadas com a idade avançada podem ocorrer apenas muitos anos mais tarde. Os estudiosos do processo de envelhecimento tendem atualmente a subdividir a velhice em "velho jovem" (de 65 a 75 anos), "velho médio" (de 75 a 85 ou 90 anos) e "velho velho" (de 85 ou 90 até seja lá que idade for), considerando que cada um desses grupos tem problemas diversos, bem como diferentes necessidades e aptidões. Reconhecem também que, embora boa saúde, bons amigos e boa sorte – e uma boa renda – sem dúvida facilitem a aceitação da velhice, é a atitude em relação às perdas, bem como a natureza dessas perdas, que determina a qualidade da velhice.

Existem velhos, tanto homens quanto mulheres, por exemplo, para os quais cada dor, cada mal-estar, cada declínio físico ou limitação representam um ultraje, um assalto, uma humilhação, uma perda intolerável. Mas há também os que conseguem uma visão mais positiva do assunto e que podem dizer, como o escritor francês Paul Claudel: "Oitenta anos: sem olhos, sem ouvidos, sem dentes, sem pernas, sem fôlego! E, no final das contas, é espantoso como se pode passar bem sem eles!".

A diferença entre essas duas atitudes é a diferença, diz o cientista social Robert Peck, entre "preocupação com o corpo" e "transcendência do corpo", entre tratar o envelhecimento físico como inimigo e senhor absoluto... e fazer as pazes relativas com ele. Foi observado também que, dado o declínio físico descrito por Paul Claudel, um tipo de pessoa (o pessimista saudável) vê a si mesmo como semimorto e incapaz de qualquer coisa; outro tipo de pessoa (o otimista saudável) vê-se em plena forma, capaz de tudo, e um terceiro tipo de pessoa (realista saudável) verá claramente seus déficits e também o que ainda pode fazer a despeito deles.

No seu livro *Irmã Velhice*, a elegante, realista e transcendentalista Mary Frances Kennedy Fisher defende a ideia de tratar sensatamente a velhice, de reconhecer e atender a "todos os tediosos sintomas físicos da nossa desintegração final". Mas apressa-se a acrescentar que "o importante é que a aceitação desapaixonada do atrito seja acompanhada pelo uso de tudo o que aconteceu em todos esses anos maravilhosos-terríveis para libertar a mente do corpo... usar a experiência, tanto a grandiosa quanto a pecadora, para que os desconfortos físicos sejam sobrepujados numa apreciação alerta e até mesmo humorística da própria vida".

Ela pede desculpas por parecer "sentimental e banal", mas diz, ainda: "Acredito nisso".

Outra mulher magnífica, atriz, escritora e psicóloga, Florida Scott-Maxwell, assim se expressa sobre os desconfortos dos seus oitenta e tantos anos: "Nós que somos velhos sabemos que a idade é mais do que uma invalidez. É uma experiência intensa e variada, quase além da nossa capacidade, às vezes, mas é algo para ser carregado bem alto. Se é uma longa derrota, é também uma vitória...".

Ela acrescenta: "Quando aparece uma nova incapacidade, olho em volta para ver se a morte já chegou, e digo em voz baixa: 'Morte, é você? Você está aí?' Até agora a incapacidade tem respondido: 'Não seja boba. Sou eu'".

Embora envelhecimento não seja doença, há um retardamento das funções físicas e um aumento das vulnerabilidades que podem fazer com que uma pessoa ativa e cheia de vida aos 65 anos caia de joelhos aos oitenta. Certos danos físicos podem tornar a pessoa dependente contra sua vontade. Existem doenças orgânicas e irreversíveis do cérebro que nem coragem nem força de vontade podem sobrepujar. E, mesmo que não sejamos atormentados pela artrite, pela doença de Alzheimer, por catarata, doenças cardíacas, câncer, derrame e todo o resto, o corpo tem meios sem conta para lembrar ao octogenário: "Você está velho".

Malcolm Cowley, no seu livro *The View from 80*, diz que tais mensagens são enviadas à pessoa:

- quando se torna um grande feito para ela fazer, passo a passo, aquilo que antes fazia instintivamente;
- quando sente dor nos ossos;
- quando aumenta o número de frascos no seu armário de remédios;
- quando ela se atrapalha e deixa cair a escova de dentes (dedos de manteiga);
- quando hesita no patamar antes de descer um lance de escadas;
- quando passa mais tempo procurando objetos perdidos do que fazendo uso deles depois que ela (ou geralmente outra pessoa) os encontra;
- quando adormece durante a tarde;
- quando sente mais dificuldade para pensar em duas coisas ao mesmo tempo;
- quando esquece o nome das pessoas;
- quando resolve não mais dirigir à noite;
- quando tudo demora mais para ser feito – banho, barba, vestir-se ou despir-se –, mas quando o tempo passa correndo, como que ganhando velocidade na descida da montanha...

Um gerontólogo acrescenta isto: "Ponha algodão nos ouvidos e pedras nos seus sapatos. Calce luvas de borracha. Passe vaselina nas lentes dos seus óculos e pronto, terá o envelhecimento instantâneo".

É um fato da vida que a maioria das pessoas velhas tem problemas crônicos de saúde e que não responde ao tratamento com a rapidez dos jovens. Mas, doentes ou saudáveis, algumas pessoas mergulham na velhice aos 65 anos, condenando a si mesmas a uma morte em vida. E, doentes ou saudáveis, algumas pessoas aos oitenta anos – ou até o último suspiro – vivem o máximo possível.

Porém, mesmo recebendo a velhice com a saúde e a esperança intactas, todos têm de enfrentar a visão que a sociedade tem da velhice. Pois, embora atualmente nos Estados Unidos haja 27 milhões de pessoas com mais de 65 anos, e embora a expectativa de vida tenha passado de uma média de 47 anos, em 1900, a 74,2 em 1981, esses velhos são na sua maioria vistos como assexuados, inúteis, sem força, fora do jogo.

"Nos Estados Unidos, a velhice é quase sempre uma tragédia...", escreve o famoso gerontólogo Robert Butler. "Fala-se muito sobre a imagem idealizada dos avós amados e tranquilos, dos sábios avós, patriarcas e matriarcas de cabelos brancos. Mas a imagem oposta repele os idosos e relaciona a idade com decadência, decrepitude, uma dependência nojenta e sem dignidade."

Podemos fazer exceção a certos políticos, artistas e atores do cinema. Mas a maioria dos velhos é tratada com pena ou condescendência. Malcolm Cowley nota tristemente: "Começamos a envelhecer nos olhos das outras pessoas, e então, lentamente, passamos a pensar como elas".

É difícil não fazer isso.

Pois sexualmente os velhos são neutralizados pela mensagem silenciosa de que o desejo sexual na velhice é inconveniente, de que as chamas da paixão devem ser extintas ou disfarçadas. Todos sabem – ou deviam saber – que não só os velhos "sujos" mas os "limpos" também podem desejar e ter sexo nas suas últimas décadas. Mas a imagem da carne envelhecida juntando-se no ato sexual ainda parece repulsiva para muita gente.

Num delicado estudo sobre a idade avançada, um inglês eloquente, Ronald Blythe, descreve como a sociedade anula sexualmente os velhos, notando que "se uma pessoa idosa não consegue reprimir completamente seus impulsos sexuais é vista como perigosa ou patética, prejudicial, nos dois casos. Os velhos geralmente vivem meia vida, porque sabem que despertarão sentimentos de repulsa e medo se tentarem viver completamente. Nem todas as paixões estão necessariamente ausentes aos oitenta anos, mas para os velhos é conveniente fingir que estão".

Minha exceção favorita sobre essa visão da sexualidade é a de uma senhora de 75 anos que conheci; segundo ela, continuava fazendo o que a mãe a mandara fazer havia muitos anos: "Seja cozinheira na cozinha, uma dama na sala e *tahka* (que em iídiche quer dizer 'também') uma prostituta na cama".

Quando desistimos da nossa sexualidade, desistimos de todas as riquezas que ela nos traz — prazer sensual, intimidade física, maior autoestima. E quando sabemos que no mundo todos os velhos são diminuídos de vários modos, torna-se cada vez mais difícil lutar contra esse processo de desprestígio.

Deixar de trabalhar, o que quase sempre obrigam o "velho jovem" a fazer, pode contribuir para esse sentimento de desprezo.

"Fiquei deprimido com a ideia de me aposentar", diz um médico de 79 anos, "porque não sabia ao certo o que ia acontecer na minha vida. Você compreende, ocupei aquela posição por tanto tempo... minha especialização, minha equipe no hospital, minhas viagens profissionais, as aulas que eu dava. Abandonar tudo isso que eu tinha, que eu *era*, aos 66 anos, deixava-me com algo irreconhecível para mim."

O trabalho é o esteio da nossa identidade, a âncora do eu social e privado, define esse eu para si mesmo e para o mundo. Se não tivermos um local de trabalho, um círculo de colegas para manter contato, uma tarefa para confirmar nossa competência, um salário que determine o valor dessa competência, uma descrição profissional que é como uma mensagem taquigráfica que informa aos estranhos quem somos, pode acontecer de passarmos a perguntar, no momento de nos aposentarmos: "Quem sou eu?"

Esse é ainda um problema maior para os homens do que para as mulheres. Pois o sentido do trabalho sempre foi psicologicamente diferente para homens e para mulheres; o trabalho do homem sempre o definiu de modo mais completo do que o trabalho da mulher. E, embora a diferença psicológica esteja diminuindo a passos largos com a entrada no mercado de trabalho de um número cada vez maior de mulheres, o trabalho dos homens continua sendo menos opcional porque – vou me arriscar – eles não podem ter filhos.

Privado da sua definição profissional e da justificativa social, o aposentado geralmente perde status e autoestima. E, embora muitos aproveitem para viajar, iniciar novos projetos, passar mais tempo com a família, realizar antigos sonhos, outros, inclusive os que trabalham em tempo integral voluntariamente, podem se sentir, segundo os padrões da sociedade, socialmente inúteis.

Para aqueles que tiveram uma longa história de perdas nunca absorvidas nem resolvidas, a aposentadoria pode reviver antigos temores e sofrimentos. Porém, mesmo sem essa história, a perda da renda e do status, o isolamento e o tédio podem levar ao desespero. O fim do trabalho é um exílio, se não houver nada para absorver os interesses e as energias da pessoa. E os velhos vivem numa sociedade na qual geralmente não existe nada disso.

O símbolo do aposentado talvez seja aquele extremamente trágico Rei Lear, que dá suas terras e seu poder para duas das suas filhas, confiando em que tomarão conta dele com o amor e o respeito devidos a um pai – e a um rei –, "enquanto nós, sem preocupações, nos arrastamos para a morte". Mas, destituído assim de "poder, interesse territorial, negócios de Estado", Lear é desdenhado e maltratado pelas filhas. Pois é agora um homem desamparado e velho, incapaz de realizar a ameaça: "Retomarei a forma que vocês pensam que abandonei para sempre".

Antigamente, certas sociedades garantiam aos velhos poder, honra, respeito. E os moralistas têm elogiado através dos séculos a nobreza da velhice. Mas frequentemente há um subtexto que descreve a idade avançada como desprovida de força, incapaz de prazer, solitária e repleta de amargura. E Homero faz Afrodite afirmar com certeza que os próprios deuses desprezam a velhice.

Numa visão moderna, os velhos são encarados como um peso para a sociedade. Pessoas que recebem e não têm nada para dar. Pessoas cuja sabedoria da vida não é tão sábia e que não podem nos ensinar a viver. Pessoas cuja conversa se resume a tediosas inutilidades. Geralmente os velhos evocam aquilo que Ronald Blythe chama de "desagrado crescente" – e "um recuo físico e espiritual". Como um ataque adicional à autoimagem do velho, há o "problema profundo e abrangente", diz um especialista, "... os velhos não são amados".

Não amados e tratados com condescendência, suas palavras não ouvidas e vistos como uma espécie à parte, os velhos são isolados e geralmente ignorados. Pois vivemos numa sociedade que adora a juventude e na qual os velhos são (não muito discretamente) detestados. Ao envelhecermos, a sociedade nos elimina do jogo da vida, ensinando-nos a compartilhar essa atitude de rejeição. Ela nos ensina, a não ser que procuremos nos defender, a detestar a nós mesmos.

Sem otimismo e energia para resistir ao ponto de vista da sociedade, podemos também pensar, aos 65 anos, que estamos acabados, que nesse ponto da nossa história o melhor ficou para trás e o pior ainda está para vir, que estamos encurralados neste "absurdo... nesta caricatura,/Nesta decrepitude que pregaram em mim/Como na cauda de um cão".

É uma visão da velhice que podemos adquirir muito antes dos 65 anos.

Na verdade, eu acreditava, até há algum tempo, que envelhecer só me traria perdas. Cheguei a pensar que o melhor papel na vida era o de Coisinha Bonita e Jovem. Pensava que o tempo ia me levar da luz do sol para as trevas. A única estação que eu desejava era a primavera. Ainda acho difícil imaginar que, se ficar por aqui muito tempo, serei uma mulher velha. Mas isso tudo não me parece tão terrível agora. Pois as pessoas com quem falei a esse respeito e tudo o que eu li – depoimentos públicos, outros, privados – me mostraram que a vida humana pode ser extremamente rica. No fim dos sessenta. Aos oitenta. Até mesmo depois dos noventa.

Minha amiga Irene é uma das mais jovens dessas pessoas; ela tem "apenas" 68 anos e diz que não é tarde para começar a jogar tênis. Mas, na verdade, nunca é tarde demais para Irene, que recentemente começou a escrever um livro. E há poucos anos começou a aprender canto. E antes disso fez curso de ciências em Harvard. E sonha ainda em aprender a pintar, tocar algum instrumento, visitar a Islândia e aprender sapateado.

"Meu problema", diz Irene, "é que sou muito ambiciosa, quero fazer tudo." Às vezes penso que ela já fez. Empregou toda a vida em causas para melhorar o mundo. Construiu uma família, foi casada durante 43 anos. Já leu mais livros, assistiu a mais filmes e peças e leu mais poesia do que dez mulheres juntas. Está sempre viajando, é feminista, anda de bicicleta, escreve poesia, é amiga leal de homens e mulheres de idade e experiências de vida as mais variadas.

É também completa, declaradamente sensual.

"Agora que está mais velha", perguntei certa vez a Irene, "não sente falta dos homens que antes a olhavam com desejo?" Ela olhou para mim por um momento e depois respondeu, indignada: "Sentir falta? O que está querendo dizer com 'antes olhavam?'".

Mas será que ela não sente um aperto na garganta quando vê um casal de jovens namorados e sabe que aquilo ela jamais terá outra vez? Será que nunca deseja ser capaz de ter um filho? A resposta é "sim", às vezes ela sente tudo isso, "mas a maior parte do tempo sinto-me completa – não me sinto privada de coisa alguma". E, embora seja realista demais agora para se entregar a sonhos e devaneios românticos, não sente muito a perda, porque a "realidade", diz ela, "está cheia de maravilhas".

E há também a professora inglesa com oitenta e poucos anos, aposentada e que mora sozinha, cujos prazeres consistem na companhia dos amigos, dos livros, nas boas refeições no Clube dos Docentes, e que chama a si mesma – numa carta alegre para um ex-aluno – de "uma velha de sorte". No meio das suas observações inteligentes sobre o que lê e sobre seus companheiros, ela diz o seguinte sobre sua idade:

"Não permita que ninguém diga que a velhice é só perda. Às vezes é extremamente solitária, um pouco sem amor também. Mas a perspectiva de um passado longo com experiência para avivar e focalizar essa perspectiva... é a dádiva positiva e sem paralelo da velhice".

As dádivas da juventude, entretanto, podem continuar conosco na velhice. E podemos continuar a aprender e a criar. Pois, como nos faz lembrar delicadamente o poema de Longfellow "Morituri Salutamus", "nunca é tarde demais/até o coração cansado deixar de bater". Ele continua citando alguns exemplos significativos:

> Catão aprendeu grego aos oitenta; Sófocles
> Escreveu seu grande Édipo, e Simonides
> Ganhou o prêmio de poesia, derrotando seus pares,
> Quando cada um deles tinha mais de oitenta anos...
> Chaucer, em Woodstock com seus rouxinóis,
> Aos sessenta escreveu *Contos de Canterbury*;
> Goethe, em Weimar, trabalhando até o fim,
> Completou o Fausto quando tinha mais de oitenta anos.

Existem outras pessoas idosas, algumas vivas, algumas já mortas, que nos oferecem ricas visões do amanhã, afirmando – entre suas perdas e limites e múltiplas enfermidades – que a existência é boa.

Vejamos o que diz a mãe do mineiro, que aos 82 anos ainda esfrega os degraus da entrada e toma conta do filho: "A vida é tão doce... para mim ainda é doce".

O artista Goya fez o retrato de um homem velho, muito velho – pintado aos oitenta anos, quando ele já estava com a visão bastante prejudicada – e que traz a triunfante inscrição: "Ainda estou aprendendo".

O professor da Escola Montessori, cheio de vida, bem-humorado e alerta, diz: "Tenho quase 91 anos e sofro de artrite da cabeça aos pés...", mas "enxergo bem e leio. Cheio de gratidão, eu leio. Oh, livros, como eu os amo!".

Um estudante de 72 anos que trabalha em seu Ph.D. de psicologia diz: "Tenho mais projetos do que poderei realizar nos próximos cinquenta anos. Não tenho tempo para morrer".

A escritora Colette, embora tenha passado os últimos anos cheia de dores numa cama-divã, organizou – e viveu – estes planos para sua sétima década: "Estou planejando viver um pouco mais, continuar a sofrer honrosamente, o que significa sem protestos ruidosos e sem rancor... rir só para mim mesma das coisas e rir abertamente quando tiver motivo para isso e amar quem me ama..."

Lady Thelma, noventa anos, acorda todas as manhãs cheia de planos e diz que embora seja "bem velha... existem ainda coisas que preciso fazer – muitas coisas. Você aí em cima, está ouvindo?".

Devo mencionar mais uma mulher, uma mulher memorável, psicanalista e professora, amante de cinema e dos livros, dos museus e de uma boa risada, que manteve durante toda a vida aquela doce avidez – sua curiosidade – e cujo maior interesse na vida era gente.

O sentimento era mútuo.

Na verdade, quando completou oitenta anos, foi formado um Comitê dos Oitenta Anos para atender a todos os que desejavam homenagear seu aniversário, e foram necessárias cinco festas separadas – como fazem com as rainhas do Oriente – para comemorar.

Mas ela jamais dominou alguém; era sempre a ouvinte ativa, sentada na ponta da cadeira com "ahs" encorajadores, e na presença daquela mulher bondosa e nada sentimental as pessoas sentiam-se engrandecidas.

"Ela não elogiou meu trabalho, ajudou-me a dizer a mim mesma que tinha trabalhado bem", disse um dos seus alunos. E um ex-paciente lembra que "ao invés de ser uma mãe para mim, ensinou-me a ser minha própria mãe". Um amigo dela, tentando descrever a magia especial que todos sentiam na sua presença, explica: "Ela sempre nos fazia sentir que estávamos recebendo alguma coisa. Ninguém deixava sua presença de mãos vazias".

Eu a encontrei uma única vez; era uma senhora pequena e frágil e estava assistindo a uma palestra na sua cadeira de rodas. Respirava com dificuldade e estava extremamente viva. Durante os breves momentos da nossa conversa, senti-me envolvida por seu encanto; eu me apaixonei, precisava conhecê-la. E pensei: "Amanhã vou até a casa dela e deixo uma rosa à porta, talvez ela goste, talvez me permita conhecê-la".

Ela morreu antes que eu tivesse essa oportunidade.

Mas entre seus muitos legados está o sonho que contou para um amigo e que este compartilhou comigo. Como a poesia, ele capta sua essência em poucas e impressionantes imagens.

No sonho ela está sentada a uma mesa. Janta com amigos. Está comendo com prazer do seu prato e do prato deles. Antes, porém, de terminar o jantar, um garçom começa a tirar a mesa. Ela ergue a mão em protesto. Quer evitar que leve a comida.

Mas então reconsidera. E lentamente abaixa a mão. Deixa que o garçom tire a mesa, não pretende mais impedi-lo. Ela não terminou, a comida ainda está saborosa e ela gostaria de comer mais. Mas já comeu bastante e está pronta para deixar que o resto seja levado da mesa.

Esse é o sonho de uma mulher completamente viva até o momento de sua morte, o sonho que eu gostaria de ter no fim dos meus dias. É um sonho que me diz que a vida pode ser suavemente posta de lado quando é vivida completamente, não só na primavera, mas no inverno também.

Entretanto, não existe um modo "certo" de viver completamente a velhice. As pessoas envelhecem de vários modos. E, às vezes, caminhos opostos podem levar ao que os sociólogos chamam de alta satisfação na vida.

O bom envelhecimento é visto, por exemplo, entre os chamados "reorganizadores", que continuam a lutar contra o encolhimento do seu mundo, mantendo uma vida extremamente ativa, substituindo por novos relacionamentos e novos projetos seja o que for que a idade lhes roubou.

Mas há também outros que sabem envelhecer, como os tipos chamados "concentrados", que demonstram apenas níveis médios de atividade, substituindo um vasto espectro de participação e interesses por um ou dois interesses especiais, como jardinagem ou trabalho de casa, ou os netos.

E envelhecem bem, do mesmo modo, os chamados "desligados" – introspectivos, mas não alheados –, que aceitam a diminuição do seu mundo, adaptando-se a ela, e que encontram grande satisfação numa vida contemplativa, isolada, de pouca atividade.

Há aqueles para quem envelhecer bem consiste em olhar serenamente o mundo conturbado e imperfeito que habitam, em contraste, digamos, com os Panteras Cinzentas, que gozam sua velhice lutando "pela iniciativa social, justiça e paz para todos no mundo inteiro". Há também os que se orgulham de manter as maneiras e a moral em face do mais cruel golpe da idade e aqueles que nas suas últimas décadas abandonam a pose e os fingimentos de uma vida inteira.

A velhice pode ser ativa ou desligada, rabugenta ou serena, a conservação da fachada ou a retirada da máscara, a consolidação do que se aprendeu e do que se fez antes, ou uma nova – até mesmo não convencional – exploração. Consideremos, por exemplo, a "Advertência" de Jenny Joseph:

> Quando eu for velha, vou usar roxo
> Com chapéu vermelho que não combina e não fica bem em mim,
> E vou gastar minha pensão em conhaque e luvas de verão
> E sandálias de cetim e dizer que não tenho dinheiro para a manteiga.
> Vou me sentar na calçada quando ficar cansada
> E comer vorazmente amostras grátis nas lojas e apertar botões de alarme
> E passar minha bengala pelas grades de ferro dos parques
> E compensar a sobriedade da minha juventude.
> Vou sair na chuva de chinelos
> E colher as flores dos jardins dos outros
> E vou aprender a cuspir.

Velhas senhoras menos rebeldes talvez prefiram se balançar na cadeira de balanço. Isso também, é claro, significa uma boa velhice.

É mais fácil envelhecer quando não somos entediados nem tediosos, quando temos interesse por pessoas e projetos, quando temos o espírito aberto, flexível e maduro o bastante para nos submeter, quando necessário, às perdas imutáveis. O processo, começado na infância, de amar e deixar partir pode nos preparar para essas perdas finais. Mas privados, pela idade, de alguma coisa que amamos em nós mesmos, podemos descobrir que o envelhecimento exige uma capacidade para aquilo que chamamos "transcendência do ego".

Capacidade de sentir prazer com o prazer dos outros.

Capacidade para se preocupar com fatos não diretamente ligados aos nossos interesses.

Capacidade para investir muito de nós mesmos (embora sabendo que não veremos os resultados) no mundo de amanhã.

A transcendência do ego nos permite, dando-nos a ideia da mortalidade, uma conexão com o futuro por meio de pessoas ou de ideias, ultrapassando os limites pessoais através de um legado que podemos deixar para as futuras gerações. Como avós, professores, mentores, reformadores sociais, colecionadores — ou criadores — de arte podemos estabelecer um contato com aqueles que estarão aqui quando partirmos. Esse esforço para deixar um traço — intelectual, espiritual, material, até mesmo físico — é um modo construtivo de enfrentar o sofrimento da perda de nós mesmos.

O investimento no futuro por meio desse legado pode ajudar a melhorar a qualidade da velhice. Mas o mesmo acontece com uma intensa ênfase nos prazeres do momento e na capacidade de viver o aqui e o agora. Numa pessoa que envelhece bem não há a obsessão da passagem rápida do tempo e aprende-se a habitar por completo o presente, adquirindo o que Butler chama de "um senso de presença ou de elementaridade" e o que Fisher chama daquela recompensa da idade, "quando o som do riso de uma criança ou um raio de sol na pétala de uma flor é tão enternecedor quanto era antes uma voz jovem para os ouvidos adolescentes ou a batida da bola de golfe no buraco para um banqueiro calvo".

Quando o presente e o futuro são valiosos, a velhice pode ser bem melhor. Mas naturalmente o passado tem grande importância também. Por meio da memória somos sustentados pelas "grandes cenas" da nossa história, por uma "geografia desaparecida" pela qual sempre podemos caminhar. Podemos também fazer o que Butler chama de "revisão da vida" — um inventário, um sumário, uma integração final do passado.

Examinando o passado, estaremos realizando a tarefa central que Erikson determina para a oitava idade do homem. E, se o exame não for conduzido pelo desgosto e pelo desespero, mas pela "integridade", teremos de aceitar nosso "único ciclo de vida", considerá-lo nossa propriedade e – com as imperfeições e tudo mais – encontrar valor e significado nele.

Teremos de aceitar, diz Erikson, "o fato de que nossa vida é nossa responsabilidade".

A velhice é também nossa responsabilidade.

Tem sido argumentado que os velhos bastante saudáveis não devem ser isentos do julgamento do mundo, e, se são tediosos, briguentos, egocêntricos, fúteis, rabugentos ou obcecados com o estado do estômago e dos intestinos, às vezes temos de dizer a eles: "Tome jeito!", ou, como Ronald Blythe, dizer friamente: "Como espera que nos interessemos por essa insignificância que é você, com seus maus dias e seus resmungos?".

Butler diz que os velhos não devem ser tratados como eunucos moralmente. Diz que podem ainda fazer mal e ainda pagar pelo que fazem. Diz que os velhos continuam capazes de crueldade, avidez e más ações e que isentá-los da responsabilidade e da culpa "ofende sua condição de humanos".

Diz também que os velhos "contribuíram" e continuam a contribuir para o próprio destino. "Essas contribuições para um caráter específico na velhice podem começar na infância."

A experiência diária nos mostra que os velhos tornam-se, cada vez com mais clareza, aquilo que foram. E o modo como cada um envelhece – com autopiedade, com amargura ou galantemente – é em grande parte preparado muito antes. Todos conhecem o tipo que Fisher chama de "alma luminosa" – alegre, cheio de vida, sereno, tanto na juventude quanto na velhice. Mas, uma vez que as maiores tensões da vida ocorrem geralmente mais tarde e uma vez que os traços mais perturbadores são acentuados pela tensão, os maus podem ficar piores, os medrosos, mais apavorados, e os apáticos podem mergulhar numa semiparalisia.

Muitos estudiosos da velhice concordam em dizer que o centro da personalidade tende a permanecer constante durante a vida, concluindo que, na velhice, a pessoa é aquilo que sempre foi... exceto que talvez mais intensamente. No estudo *Personalidade e Padrões de Envelhecimento*, os autores concluíram que, defrontando-se com "um largo campo de mudanças biológicas e sociais", o indivíduo que começa a envelhecer

> continua a exercer seu poder de escolha e faz a seleção, dentro do ambiente, de acordo com suas necessidades há muito estabelecidas. Envelhece de acordo com um padrão que tem uma longa história e que se mantém igual, com adaptações, até o fim da vida... Há considerável evidência de que, em homens e mulheres normais, não há uma acentuada descontinuidade da personalidade com a idade e sim uma consistência crescente. As características centrais da personalidade parecem delineadas com mais clareza...

Porém, embora o presente seja formado pelo passado, é possível uma mudança de personalidade, mesmo na sétima, oitava ou nona década. O homem nunca é "um produto acabado" – ele se refina, se rearranja, se modifica. O desenvolvimento normal não acaba, e, no curso da vida de cada um, novas e importantes tarefas, ou crises, sempre aparecem. É possível mudar na velhice porque cada estágio da vida, incluindo-se o último, dá oportunidade para mudanças.

"Tudo é não mapeado e incerto", escreve a octogenária Florida Scott-Maxwell, "é como caminhar para o desconhecido. Podemos sentir que em toda a nossa vida estivemos presos a personalidades, circunstâncias e crenças absurdamente pequenas. Nossa carapaça parte-se aqui e ali, e aquela pessoa extremamente rígida que supúnhamos ser alonga-se e se expande..."

Entre os grandes expansionistas do nosso tempo está o internacionalmente famoso dr. Benjamin Spock, um vigoroso octogenário que viajou para muito longe das suas origens conservadoras, republicanas e WASP* da Nova Inglaterra. Além disso, embora tenha provavelmente deixado de acreditar muito cedo que Calvin Coolidge foi o maior presidente dos Estados Unidos, todas as espantosas mudanças na vida de Spock ocorreram quando ele tinha entre sessenta e setenta anos.

Pois durante esses anos o respeitado autor de *Como Cuidar do Bebê e da Criança*, um livro que vendeu mais de 30 milhões de exemplares e cujo bom senso granjeou a afeição e a gratidão de mães do mundo todo, colocou em fogo sua reputação, repouso, conforto e meio de vida porque sua consciência o exigiu. Moralmente ofendido com a guerra do Vietnã, Spock gradativamente envolveu-se no movimento antibélico dos anos 1960, tomando parte em demonstrações, sendo preso por desobediência civil e, em 1968, acusado,

---

* WASP = *White Anglo-Saxon Protestant* (Branco, Anglo-Saxão, Protestante). Nos Estados Unidos, antes, membro da classe alta, conservadora e rica. (N. da E.)

julgado e condenado por conspiração por ajudar e concordar com a resistência ao alistamento militar. (Mais tarde, entretanto, uma corte mais alta não só anulou a sentença como também ordenou o perdão total.)

As consequências de seu ativismo político, Spock me contou, foram muitas vezes dolorosas, pois muitos que antes o admiravam passaram a repudiá-lo como comunista, traidor ou coisa pior. Mas, uma vez convencido da correção moral de sua posição, não havia como voltar atrás, explica ele, porque "não se pode dizer ao povo, bem, acho que já fiz bastante, ou estou ficando assustado, ou, posso perder algumas vendas do meu livro *Como Cuidar do Bebê e da Criança*".

Sem voltar atrás, Spock candidatou-se à presidência na chapa do Partido do Povo, em 1972, e a vice-presidente, em 1976. Tornou-se também feminista, conscientizado por críticos como Gloria Steinem, que o censurou chamando-o de "um grande opressor das mulheres, na mesma categoria de Sigmund Freud". Spock diz jocosamente que "tentei tirar o máximo de satisfação do fato de ser comparado a Sigmund Freud", mas encarou seriamente essa e outras críticas sobre seu sexismo e é hoje[*] um decidido defensor dos direitos da mulher.

Outra mudança importante na década de 1970 foi o fim do seu casamento com Jane, uma união de quase meio século. Contudo, quando perguntei a Spock se ele se sentia culpado por ter abandonado a mulher, ele respondeu que não, sem hesitar, explicando que o divórcio foi precedido de cinco anos de terapia num esforço para resolver as diferenças conjugais.

"Sou uma pessoa extremamente dada a sentir culpa, uma pessoa que se sente culpada por quase... tudo", diz Spock. Mas exatamente por causa dessa dádiva foi levado a tentar arduamente e por um longo tempo – longo demais, ele pensa agora – reconstruir seu casamento. Como o ativismo político, a decisão de se divorciar foi muito pensada – intelectual, não emocionalmente – e, uma vez alcançada, não mais sujeita a novos estudos nem a ansiedades. Divorciar-se de Jane, ele sentiu então e continuou sentindo, foi "a coisa certa".

Em 1976, Benjamin Spock casou novamente, com uma mulher de temperamento exaltado – quarenta anos mais nova do que ele – chamada Mary Morgan, que o iniciou na massagem, na Jacuzzi e na experiência (a princípio

---

[*] Spock faleceu em 1998, aos 94 anos. (N. da E.)

muito difícil) de ser padrasto de uma adolescente. Spock diz que ficou caído por Mary porque ela era "enérgica, cheia de vida, determinada e bela — e gostei do seu entusiasmo por mim, deliciei-me com ele". Com sua fala arrastada do Arkansas (ela o chama de "Bin"), seu jeito atrevido e seu físico, ela em nada se parece com a senhora de 65 anos, educada em Vassar, com quem, ele suspeita, os filhos gostariam que se casasse. Mas Mary — além de convidar ao aconchego — é uma mulher astuta e muito competente, que agora trata dos detalhes da vida profissional de Spock, preocupa-se com ele, toma conta dele... e lhe dá a adoração que ele ama. As diferenças entre os dois são as tensões normais do casamento, não têm nada que ver, diz Spock, com a diferença de idade. E em resposta à minha pergunta ele descreve a si mesmo, seriamente, como "um homem muito bem casado... com certas reservas".

Os Spock moram parte do tempo no Arkansas e a outra parte em dois veleiros — um nas Ilhas Virgens, outro no Maine —, e ele continua a falar de política e uma vez ou outra comete um ato de desobediência civil e escreve uma coluna sobre cuidados com crianças na revista *Redbook*. Além disso, no momento está fazendo terapia individual, terapia para casais e terapia de grupo, porque, diz ele com tristeza, com duas mulheres, dois filhos e alguns terapeutas, percebeu, ao longo dos anos, que é um homem que não está em contato com os próprios sentimentos.

Entretanto, Spock não parece nem um pouco preocupado com isso. Na verdade, parece muito satisfeito consigo mesmo. Diz que uma fotografia tirada quando ele tinha um ano pode explicar isso.

Na fotografia, ele está sentado numa cadeirinha para criança com chapéu, vestido, um casaco elegante com gola de renda, meias brancas e sapatos de pulseira. Os pés não chegam ao chão, mas as mãos seguram com firmeza os braços da cadeira. E no rosto belo e simpático há um sorriso de confiante expectativa, o sorriso de uma criança que sabe, diz Spock, "que o mundo é a sua ostra".

Evidentemente ele ainda acredita que o mundo é a sua ostra. E por que não? Chegou aos oitenta anos com a inteligência, a aparência e as paixões intatas. Em qualquer lugar que se apresente, é infalivelmente o mais notado (um metro e setenta, magro, ereto), o mais encantador (gosta de abraçar, beijar, de contar histórias), o mais alegre (olhos azuis cintilantes, riso fácil) e o mais atraente. É um marinheiro ardoroso, rema com entusiasmo todas as manhãs bem cedo, dança até tarde da noite. É também, diz ele, beneficiário de bons genes ("acho que minha boa disposição aos oitenta anos deve-se, em parte, ao fato de minha mãe ter vivido até os noventa e três") e de um otimismo permanente que deriva do fato de sua mãe – rigorosa e crítica como era – "ter-me dado a sensação de ser muito amado".

Spock descreve a si mesmo como um homem cujo espírito, "com o passar das décadas, foi ficando mais jovem", bem como menos disposto a julgar, mais flexível, menos reservado e mais demonstrativo. Diz ele: "Reconheço que estou velho e não me sinto embaraçado por isso, mas nunca me sinto velho!". Entretanto, concorda que "não posso esperar ter a mesma disposição e vigor de agora, aos oitenta, quando chegar aos noventa. Mais cedo ou mais tarde começamos a descer a ladeira". Sua preocupação, quando começar a descida, é não ser patético, continuar com sua dignidade e – diz em tom de brincadeira, mas sem estar realmente brincando – "examinar minha roupa cuidadosamente para verificar se não está manchada e ter o cuidado de me certificar, quando saio do banheiro num lugar público, de que fechei o zíper da calça".

Quanto à morte, Spock diz que não o preocupa – "provavelmente", acrescenta com um largo sorriso, "porque não estou em contato com meus sentimentos". Mas, apressa-se a prometer, vai continuar tentando entrar em contato com eles: "Vou continuar tentando até o fim".

A história antiga da vida de cada um é importante para determinar sua capacidade de mudar e crescer na velhice. Mas a própria idade pode dar origem a novas forças e aptidões não acessíveis nos outros estágios. Podemos adquirir mais sabedoria sobre a vida, mais liberdade, mais perspectiva e mais força. Podemos ter mais candor com os outros, mais honestidade para conosco. Pode haver também uma mudança no modo como são encarados os tempos difíceis da vida – uma mudança da "tragédia" para a "ironia".

Por tragédia quero dizer uma percepção que não deixa espaço para nenhuma outra possibilidade. A tragédia é completamente abrangente e totalmente negra. Não há ontem. Não há amanhã. Não há esperança. Não há consolo. Só há o terrível, completamente irreparável agora. A ironia vê o mesmo fato escrito em letras menores. A cor negra não enche toda a tela. A ironia oferece um contexto no qual é possível se dizer que podia ter sido pior. Oferece também um contexto no qual até se pode imaginar que as coisas vão melhorar. Essa mudança da percepção da tragédia para a ironia pode ser a dádiva especial dos últimos anos de vida; ela nos ajuda a enfrentar as perdas cumulativas e, às vezes, a crescer.

Com flexibilidade e talvez um toque de ironia, é possível continuar a mudar e a crescer na velhice. Mas é possível também mudar e crescer na velhice — embora Sigmund Freud tenha dito o contrário — por meio da psicanálise e da psicoterapia.

Uma determinada psicoterapia pode aliviar os problemas emocionais iniciados ou intensificados pela idade: ansiedade, hipocondria, paranoia e especialmente depressão. Mas, além do alívio que a psicoterapia pode dar, o trabalho psicológico com os idosos pode ter como efeito uma mudança notável, provocando transformações vitais através do processo que Pollack chama de "liberações lamentosas". Ele diz:

> A percepção básica consiste em reconhecer que partes do nosso eu que existiam antes, ou que se esperava possuir, não são mais possíveis. Libertando-se da lamentação pelo eu mudado, pelas pessoas perdidas, pelas esperanças e aspirações não realizadas, bem como dos sentimentos por outras perdas e mudanças, aumentamos a aptidão para encarar a realidade como ela é e como pode ser. "A liberação" do passado e do inatingível ocorre, então. Surgem novas sublimações, interesses e atividades. Pode haver novos relacionamentos... O passado pode se tornar realmente passado, distinto do presente e do futuro. Surgem sentimentos de serenidade, alegria, prazer e entusiasmo.

Os psicanalistas afirmam que a psicanálise ajuda as pessoas idosas a recuperar o senso de autoestima, a perdoar aos outros e a si mesmas; ajuda a encontrar novas adaptações quando a idade torna impossível o uso das antigas adaptações; ajudou até uma mulher de setenta e poucos anos a sentir orgasmo pela primeira vez! Nesse mesmo relatório encontramos o caso de uma mulher que, sessenta anos depois do fato, conseguiu se livrar da revolta contra a morte da mãe, libertando-se assim para escrever, para estabilizar seu casamento e para aceitar a ideia da própria mortalidade. Encontramos também um homem que, depois de seis anos de análise, aos 65 anos, experimentou uma nova sensação de força vital. E, embora tenha morrido com setenta anos, considerou os últimos onze anos os mais felizes da sua vida.

Perguntaram a uma mulher de 76 anos por que queria fazer terapia nessa idade. Refletindo sobre suas perdas e esperanças, ela respondeu: "Doutor, tudo o que me resta é o meu futuro".

Alguns velhos se sentam e esperam, diz Blythe, por Refeições sobre Rodas ou pela morte – o que chegar primeiro. Alguns velhos, como meu amigo de 72 anos e candidato ao Ph.D., têm tantos projetos que não lhes sobra tempo para morrer. Alguns falam da morte, alguns pensam na morte, alguns sofrem o bastante para desejar a morte. E outros negam e negam, convencendo-se realmente de que a morte fará uma exceção no seu caso.

Mas ao que parece não há provas de que os velhos sejam especialmente atormentados pela ideia da morte. Na verdade, talvez tenham menos medo que os jovens. Além disso, as condições da própria morte – costuma-se dizer – os preocupam muito mais do que a morte propriamente dita.

Entretanto é verdade, como acentua Sófocles comovedoramente numa peça escrita quando estava com 89 anos, que

> Embora tenha visto passar uma idade decente
> O homem às vezes pode ainda desejar o mundo.

E é verdade também que com o modo de morrer e a morte – seja como for que se dê, seja o que for que morte signifique – chegamos ao momento de enfrentar a separação final.

CAPÍTULO 19

O ABC da morte

> *Uma pessoa passa anos formando-se como indivíduo, desenvolvendo seu talento, seus dons singulares, aperfeiçoando suas discriminações do mundo, ampliando e aprimorando seu apetite, aprendendo a suportar os desapontamentos da vida, amadurecendo, refinando-se — até chegar a ser finalmente uma criatura única na natureza, com dignidade e nobreza, transcendendo a condição animal: não mais agindo por impulso, não mais só um reflexo, não feita em qualquer outro molde. E então a verdadeira tragédia: são necessários sessenta anos de esforços e sofrimentos incríveis para se fazer esse indivíduo, e então ele só serve para morrer.*
>
> ERNEST BECKER

Quando eu era pequena, fechava os olhos à noite e imaginava o mundo continuando a existir para sempre. Imaginava, com completo terror, o mundo continuando para sempre e sempre... sem minha presença. Freud diz que somos incapazes de imaginar nossa própria morte, mas estou aqui para dizer que não é verdade. Por favor, Deus, eu rezava então, sei que não pode afastar a morte. Mas não pode dar um jeito para eu deixar de pensar nela?

Seja ou não o medo da morte um medo universal, é sem dúvida um sentimento que a maioria das pessoas não pode suportar. Consciente ou inconscientemente, afastamos a ideia da morte. Vivemos uma vida na qual a morte é negada. Isso não quer dizer que negamos o fato de que todos os homens e todas as mulheres, inclusive nós mesmos, são mortais. Nem significa que evitamos artigos, seminários, programas de TV, agora em moda, que tratam da Morte. Significa, isso sim, que, a despeito de tudo o que se diz, continuamos a viver, deixando de lado a questão da nossa mortalidade. Negar a morte significa jamais permitir a nós mesmos o confronto com a ansiedade provocada por visões dessa última separação. Podem perguntar: Que mal há nisso?

Pois como nós, as únicas criaturas na Terra que *sabem* que vão morrer, podemos viver como animais completamente conscientes? Como seria possível, nas palavras impressionantes de Ernest Becker no seu livro *Negação da Morte*, suportar a certeza de que somos "alimento para os vermes"? A negação da morte facilita a caminhada através dos dias e das noites sem que pensemos no abismo aos nossos pés. Mas a negação da morte, como afirmam convincentemente Freud e outros, empobrece nossa vida.

Porque consumimos um excesso de energia mental procurando afastar nossos pensamentos — e nosso temor — da morte.

Porque substituímos o medo da morte por outras ansiedades.

Porque a morte é parte tão integrante da vida que fechamos partes da vida quando afastamos os pensamentos da morte.

E porque o conhecimento emocional de que certamente morreremos um dia pode intensificar e refinar o senso do momento presente.

"A morte é a mãe da beleza", escreve o poeta Wallace Stevens.

"A vida sem a morte não tem sentido... um quadro sem moldura", diz o físico dos buracos negros, John A. Wheller.

"E quem não é capaz de morrer, será capaz de viver?", pergunta o famoso teólogo Paul Tillich.

E a escritora Muriel Spark, no seu perturbador livro sobre a morte, *Memento Mori*, põe nos lábios de um dos seus personagens as seguintes palavras:

"Se eu pudesse tornar a viver, criaria o hábito de todas as noites pensar sobre a morte. Praticaria, por assim dizer, a lembrança da morte. Nenhuma outra prática intensifica tanto a vida. A morte... devia ser parte da expectativa da vida. Sem o sentido sempre presente da morte, a vida é insípida. É como viver só de clara de ovos".

Na primavera de 1970, em seis semanas chocantes, a filha adolescente de uma amiga morreu de embolia, o melhor amigo do meu marido morreu de câncer com 39 anos, e o coração de minha mãe deixou de bater, um pouco antes de ela completar 63 anos. Naquela primavera perdi o medo de voar — hoje posso voar em qualquer coisa —, pois voltei a me relacionar com a mortalidade e compreendi que, mesmo ficando no chão a vida toda, eu iria morrer. E, como a morte de Jodi, a de Gersh, de minha mãe e a morte que algum dia seria a minha envolveram-me em ansiedade e confusão, o que eu desejava era alguém que me dissesse o que fazer com tudo aquilo.

Que me ensinasse a conhecer a morte e a continuar vivendo.

Que me ensinasse a amar a vida e a não temer a morte.

Que me ensinasse, antes de chegar minha vez de fazer o exame final, o abc da morte.

Pois a conscientização da nossa mortalidade pode enriquecer nosso amor pela vida sem fazer da morte – a nossa morte – algo aceitável. Olhar a morte nos olhos pode fazer com que a odiemos. E, embora o senso da mortalidade possa ser a mãe da beleza, a moldura do quadro e até mesmo a gema do ovo, pode fazer do nosso trabalho e dos nossos dias objetos do ridículo.

Atacando nossos sentimentos de autoestima.

Tornando sem sentido todos os nossos empreendimentos.

Maculando nossos elos mais profundos e mais queridos com a transitoriedade.

Atormentando-nos com as perguntas: Por que nascemos se não foi para viver para sempre? Por que existe a morte?

Alguns filósofos nos dizem que não pode haver nascimento sem morte, que a procriação impossibilita a imortalidade, que a Terra não poderia conter a reprodução e seres que vivessem eternamente, que precisamos desaparecer dando lugar às novas gerações. Alguns teólogos nos dizem que Adão e Eva somente seriam capazes de compreender o bem e o mal comendo o fruto proibido e assim trocando a imortalidade pelo conhecimento, pela escolha moral, pela humanidade adquirida. O *Eclesiastes* nos diz que "para tudo há o tempo certo", inclusive "tempo para nascer e tempo para morrer". E, seguindo uma resposta menos especulativa para a pergunta "Por que a morte?", alguns cientistas aventam a teoria de que nossas células têm um limite máximo de vida, de que o ser humano é geneticamente programado para morrer.

Existem muitas outras respostas, mas, para os que acham a morte inaceitável, qualquer justificativa é também inaceitável. Eles veem a morte como o mal, como uma maldição sobre nossa vida. E outros, rejeitando a opinião dos cientistas, afirmam que a morte não é "natural", mas uma doença que finalmente terá cura. Na realidade, certas pessoas estão procurando empresas criônicas para que seu corpo seja congelado e mais tarde descongelado, enquanto outros se convencem de que com megadoses de nutrientes podem aumentar seu tempo de vida... talvez até a eternidade. É possível que algumas das pessoas que procuram a imortalidade física sejam movidas por seu amor à vida e sua imensa confiança na ciência. Mas suspeito de que a maioria seja incentivada por um imenso terror – o terror da morte.

Na verdade, é difícil encarar a própria morte sem ficarmos apavorados.

Temos medo do aniquilamento e do não ser. Temos medo de ir rumo ao desconhecido. Temos medo de uma vida depois desta, em que vamos pagar pelos nossos pecados. Temos medo de ficar sozinhos e desamparados. Muitos temem a agonia de uma doença terminal e têm medo de morrer, e não da morte. Mas dizem também que levamos dentro de nós, durante toda a vida, o medo do abandono.

As primeiras separações, argumentam alguns, são os primeiros exemplos amargos da morte.

E o encontro com a morte, mais tarde – com a morte no caminho ou batendo à nossa porta – revive os terrores dessas primeiras separações.

Uma das melhores descrições do confronto angustiado de um homem com a própria mortalidade está em *A Morte de Ivan Ilitch*, de Tolstói, em que um homem doente compreende afinal que "algo terrível, novo e mais importante do que tudo o que conhecia antes estava acontecendo...".

Ele compreende que está morrendo.

"Meu Deus! Meu Deus!... Estou morrendo... pode acontecer neste momento. Havia luz, e agora só há trevas. Eu estava aqui e agora estou indo para lá!... Não vai haver nada... Será que isso é morrer? Não, eu não quero morrer!"

Ivan Ilitch fica gelado, suas mãos tremem, sua respiração cessa, e ele sente apenas o pulsar do coração. Sufocado pela raiva e pela dor, ele pensa: "É impossível que todos os homens tenham sido condenados a sofrer esse imenso horror!".

Mais especificamente, ele pensa que é impossível para ele sofrer esse horror.

> O silogismo que havia aprendido na Lógica de Kiesewetter ("Caio é homem, todo homem é mortal, logo Caio é mortal") sempre lhe parecera correto quando aplicado a Caio, mas não a ele mesmo. Que Caio – um homem abstrato – fosse mortal era perfeitamente certo, mas ele não era Caio, não era um homem abstrato, mas uma criatura, um indivíduo separado de todos os outros. Fora o pequeno Vânia, com mamãe e papai... e com todas as alegrias, sofrimentos e prazeres da infância e da juventude. O que Caio sabia do cheiro de couro da bola listrada de que Vânia

gostava tanto? Caio alguma vez beijou a mão de sua mãe daquele modo e a seda do seu vestido tinha alguma vez farfalhado para ele?... Caio havia amado desse modo? Caio podia presidir a uma reunião como ele fazia? "Caio realmente era mortal, e era certo que tivesse de morrer, mas eu, o pequeno Vânia, Ivan Ilitch, com todos os meus pensamentos e emoções, para mim é completamente diferente."

Embora Ivan Ilitch diga: "Não é possível que eu tenha de morrer. Isso seria terrível demais", compreende também que a morte está perto. *Ela* chega no meio do dia de trabalho e fica "a sua frente, olhando para ele". Ivan Ilitch fica paralisado. Ela junta-se a ele no escritório onde "fica sozinho com *Ela*: face a face com *Ela*". Ele estremece de medo.

Ele medita: "Por que e para que existe todo este horror?"
"Agonia, morte...", ele se pergunta. "Para quê?"

A família e os amigos não podem aliviar a solidão angustiada de Ivan Ilitch, pois nenhum deles fala, nem deixa que ele fale, sobre o fato de estar morrendo. Na verdade, não só evitam qualquer menção ao terrível assunto, como também fingem que ele não está morrendo.

Essa atitude o torturava – o fato de ninguém admitir o que todos sabiam e o que ele sabia, todos procurando mentir sobre sua terrível condição e forçando-o a participar dessa mentira. Essas mentiras – mentiras vividas ao seu lado às vésperas da sua morte, destinadas a degradar aquele ato terrível e solene... – eram uma agonia para Ivan Ilitch. E muitas vezes, por mais estranho que pareça, teve vontade de gritar: "Parem de mentir! Vocês sabem e eu sei que estou morrendo. Então, pelo menos parem de mentir!"

Esses tabus que nos impedem de falar da morte, essas mentiras e enganos que cercam a morte têm sido vigorosamente questionados nos últimos anos em livros como o de Elisabeth Kübler-Ross, extremamente influente, *Sobre a Morte e Morrer*, incentivando-nos a abrir o diálogo com os doentes terminais. A psiquiatra Kübler-Ross descreve o enorme alívio dos pacientes que estão morrendo quando os convidamos a compartilhar seus temores e suas necessidades. Ela argumenta que esses diálogos podem facilitar a jornada para a morte, uma jornada que ela divide em cinco estágios, apresentados a seguir.

A *negação*, diz ela, é a primeira resposta à notícia de uma doença fatal: "Deve haver algum engano! Não pode ser!".

A *raiva* (contra os médicos, contra o destino) e a *inveja* (dos que não estão morrendo) vêm em seguida, com a clássica pergunta: "Por que eu?".

A *negociação* é a terceira resposta, uma tentativa de adiar o inevitável, promessas em troca de mais algum tempo — embora a mulher que jura que estará pronta para morrer se viver até o casamento do filho possa voltar atrás e dizer: "Agora, não esqueça que tenho outro filho!".

A *depressão*, o quarto estágio, é o sentimento de pesar pelas perdas do passado e pela grande perda que se aproxima. E, para alguns, a necessidade de uma lamentação preparatória para a própria morte consiste em juntar-se à tristeza e ficar triste.

A *aceitação*, o estágio final, "não deve ser considerada", diz Kübler-Ross, "como uma fase feliz". É quase "isenta de sentimento"; parece ser um tempo em que a luta já terminou. Ela conclui que, quando as pessoas são ajudadas na passagem pelos estágios anteriores, não mais ficam deprimidas, invejosas, zangadas ou inconformadas, mas contemplam o fim próximo "com um certo grau de tranquila expectativa".

Todos passam inevitavelmente por esses cinco estágios do processo de morrer? Os críticos de Kübler-Ross dizem que não e não. Nem todos querem encarar a própria morte; algumas pessoas sentem-se melhor agarrando-se, até o fim, à negação da morte. Outras, revoltadas sempre "contra a morte da luz", morrem como Dylan Thomas diz que se deve morrer: "Não entre docilmente...". Nem todos os que chegam a aceitar a morte percorrem o caminho dos cinco estágios que ela descreve. E alguns críticos temem que um modo "certo" de morrer, o modo de Kübler-Ross, seja impensadamente imposto aos que estão morrendo.

O dr. Edwin Shneidman, que tem trabalhado extensivamente com agonizantes, diz que "minha experiência leva-me a conclusões radicalmente diferentes" das conclusões de Kübler-Ross. E continua:

> ...rejeito a ideia de que os seres humanos, ao morrer, sejam de certo modo dirigidos por meio de uma série de estágios do processo de morrer. Muito ao contrário... os estados emocionais, os mecanismos psicológicos de defesa, as necessidades e os impulsos são tão variados nos que vão morrer como nas outras pessoas... Incluem reações como estoicismo, raiva, culpa, terror, servilismo, medo, rendição,

> heroísmo, dependência, tédio, necessidade de controle, luta pela autonomia e pela dignidade, e negação.

Questionando também a teoria de Kübler-Ross de que a aceitação ocorre no último estágio, argumenta que não é necessariamente assim. Diz que não existe "nenhuma lei natural... ordenando que o indivíduo alcance um estado de graça psicanalítica ou qualquer outro tipo de ato final antes de a morte depositar seu selo. O fato real é que a maioria das pessoas morre muito cedo ou muito tarde, com fios soltos do plano de sua vida por completar".

Porém, mesmo criticando corretamente os cinco estágios de Kübler-Ross, todos parecem concordar com seu tema central: só nos aproximando dos que vão morrer, só não fugindo da morte, podemos descobrir o que cada Ivan Ilitch realmente precisa. Pode ser silêncio, conversa, liberdade para chorar ou ter acessos de raiva, o toque das mãos numa comunicação sem palavras. Podem precisar, e geralmente precisam, ser bebês outra vez. Podemos nos fazer acessíveis para sermos usados por eles como desejam nos usar, mas não podemos ensinar como morrer. Entretanto, se estivermos lá e se prestarmos atenção, talvez eles nos ensinem.

Em 1984, vi morrer de câncer três mulheres a quem eu amava muito. Todas com cinquenta e poucos anos, todas antes cheias de vida – todas, prematura e cruelmente, morreram. Uma enfrentou o fato: sabia que estava morrendo, falava sobre a morte, aceitou-a calmamente. Outra, ao saber que a morte estava próxima, quis escolher o momento final: tomou uma superdose de pílulas, cometendo suicídio. E outra, a intrusa loura de olhos azuis que eu conhecia desde que nasceu – minha irmã Lois –, lutou contra a morte até o momento de fechar os olhos, com espantosa ferocidade.

Lois – a grande rival da minha infância, aquela pestinha que estava sempre grudada a mim e que aprendi a amar tão profundamente – morreu de câncer no outono deste ano terrível, quando comecei a escrever este capítulo. Morreu na própria cama, em casa e, observando-a durante aquelas últimas horas, acredito que sem dor e sem medo. Mas, enquanto esteve consciente, conservou a atitude de desafio à morte – estava disposta a sair vencedora.

Pois embora Lois soubesse muito bem que tinha uma doença fatal, não pretendia se entregar a ela. Assim, fez o testamento, pôs em ordem seus negócios, conversou algumas vezes com o marido e os filhos e, então, tendo atendido devidamente aos detalhes administrativos, deu as costas à morte, voltando-se para a vida. Não se concentrou na simples sobrevivência, mas procurou aproveitar tudo o que podia ser aproveitado, recusando-se a permitir que os limites impostos pelo corpo cada vez mais enfraquecido interferissem nos seus prazeres ou nos seus relacionamentos.

Quando o tênis, sua grande paixão, tornou-se impraticável, mordeu o lábio e guardou a raquete, dirigindo o corpo atlético para atividades mais sedentárias, tricotando com entusiasmo, lendo, escrevendo. Nos últimos meses, com as energias quase esgotadas, pesando quarenta e sete quilos, a vista fraca, planejou novas adaptações – quem sabe poderia aprender uma língua estrangeira com cassetes? Na última semana de vida mandou-me sua receita para macarrão à moda chinesa (com um macarrão seco dentro do envelope, para que eu pudesse comprar o tipo certo) e por meio da névoa dos remédios que tomava para a dor lembrou-se ainda de perguntar sobre *minha* saúde. Jamais ficou obcecada por ela mesma, nem na última semana – obcecada com a doença, o sofrimento, o destino. E nunca, até o coma do último dia de vida, interrompeu as conexões com as pessoas que ela amava.

Também não se despediu, porque não tinha intenção de partir; planejava – ou pelo menos tentava arduamente – viver. "Se alguns de nós sobrevivem", disse-me ela certa vez, "por que não me fixar na esperança e não no desespero?" E durante os quatro anos em que lutou contra o câncer que se alastrava, ela se fixou na esperança.

Mas não se enganem. Minha irmã não era santa nem foi mártir. Tinha seus momentos de terror e desespero, momentos em que não podia fazer coisa alguma, porque seu corpo estava abalado pela náusea e pela dor, momentos em que se revoltava, chorava e gemia e, só em parte zombando, perguntava: "O que foi que eu fiz? O que eu fiz para merecer isso?". Mas a maior parte do tempo ela não chorava e não se afundava pensando na morte. Estava lutando para viver, e lutando para ganhar. Até o fim acreditou que, se a pessoa tentar realmente, o espírito humano pode triunfar sobre a biologia. E, embora não tenha vencido a morte, nós a vimos disputar – realmente disputar – um jogo de campeonato.

Muitas pessoas como Lois, em qualquer idade, com qualquer tipo de doença fatal, agarram-se à esperança, lutam para continuar vivas, confiando na vontade, no espírito, em remissões da doença, em novas drogas milagrosas ou... em milagres. "Será que não sabem que não vão conseguir?", podemos perguntar, conhecendo as tristes estatísticas. Mas elas também as conhecem e o que estão nos dizendo e a si mesmas é: "Não sou uma estatística".

Um médico de 39 anos, que morria dolorosamente de câncer, gravou em videoteipe seu relato, bem como o de sua mulher, de um irmão e de médicos e homens da igreja, sobre sua luta tenaz para continuar vivo. Nas últimas semanas, recusando-se a dar-se por vencido, insistiu para que o alimentassem através de uma veia do pescoço e, com o aumento das dores, ficou tão dependente dos narcóticos que sofreu – todos concordam – uma mudança de personalidade. Alguns médicos afirmaram que, com sua insistência para dirigir o próprio caso, esse homem prolongou sua vida "desnecessariamente". Mas um pouco antes de morrer, quando sua mulher perguntou se achava que tinha valido a pena aquela luta, ele respondeu com um enfático "sim".

Minha amiga Ruth teve uma morte diferente. Sabendo que tinha perdido o jogo, sabendo que só a dor e a morte a esperavam agora, preparou uma noite perfeita para ela e o marido amante e muito amado e, no dia seguinte, quando ele saiu para o trabalho, tomou uma dose excessiva de medicamentos. Com seu senso artístico e estético e o hábito, de uma vida inteira, de manter o controle, Ruth não podia permitir que o câncer a dominasse, que a destruísse (era uma bela mulher), que lhe impusesse mais sofrimento (tinha sofrido demais), que a privasse (como ela temia) do próprio eu.

Em todos os empreendimentos de sua vida árdua e às vezes trágica, Ruth sempre fora decidida e brava, uma lutadora. Com os cabelos vermelhos soltos e os olhos verdes chamejantes, havia suportado perdas brutais... e saíra vencedora. Mas em face daquela doença, depois que os tratamentos quimioterápicos falharam e ela foi mandada para casa, para esperar uma morte difícil, preferiu escolher a hora e o lugar do encontro. E, embora eu saiba que o suicídio pode ser considerado um crime ou um pecado, uma covardia, uma fraqueza, uma manifestação patológica, acredito que o suicídio de Ruth – o suicídio da minha triste e sofredora amiga – foi um ato de coragem e de consumada racionalidade.

Talvez o suicídio de Ruth seja o que o psicanalista K. R. Eissler chama de revolta contra a morte, um modo pelo qual o "condenado engana o carrasco". Mas é também um suicídio que me parece saudável, não doentio, certo, e não errado. Apresso-me a esclarecer que acredito que, em sua maior parte, os suicídios são, sem dúvida, patológicos e que a maioria dos suicidas em potencial deve ser ajudada a viver, que não se deve permitir que morram. Mas, acredito também que em certas condições o autoassassinato pode ser uma opção sã e legítima, a melhor resposta aos horrores da doença terminal ou à dependência e à deterioração da idade.

Mas seja o que for que pensemos dos suicídios, as pessoas continuam a cometê-los. Em 1982, por exemplo, para cada 100 mil homens o índice de suicídios foi de 28,3% para as idades de 65 a 69 anos; 43,7% para as idades de 75 a 79 anos e 50,2% para as idades de 85 anos ou mais. Nessas faixas etárias – e, na verdade, em todas as outras –, o índice de suicídios para cada 100 mil mulheres é mais baixo, às vezes espantosamente mais baixo: 7,3% para as idades de 65 a 69 anos; 6,3% para as de 75 a 79 anos e 3,9% para as de 85 ou mais!

Às vezes, casais muito velhos, quando sua competência começa a diminuir, tomam a comovedora decisão de morrer juntos para não se separar e não ficar na dependência das enfermidades crescentes. Assim, Cecil e Julia Saunders – de 85 e 81 anos, respectivamente – almoçaram cachorro-quente com vagem, foram com seu Chevrolet para um lugar tranquilo, levantaram os vidros, puseram algodão nos ouvidos, e depois Cecil deu dois tiros no coração da mulher e mais um no próprio coração. O bilhete que deixaram era endereçado aos filhos:

> Sabemos que isto vai ser um choque terrível e constrangedor. Mas para nós é uma solução para o problema da velhice. Apreciamos muito a boa vontade de vocês de tomar conta de nós.
>
> Depois de sessenta anos de casamento, para nós só faz sentido deixar juntos este mundo, porque nos amamos muito.
>
> Não chorem por nós, porque tivemos uma boa vida e vimos nossos dois filhos crescer e se tornar duas ótimas pessoas.
>
> Amor, Mãe & Pai.

Quanto aos casos terminais, há um interesse crescente na ideia do suicídio. O desejo de não sofrer, de manter o controle, de ser lembradas pelas pessoas que as amam como eram antes, tudo isso motiva algumas pessoas a escolher a hora da própria morte. E, embora nosso instinto nos leve a estender a mão salvadora e exclamar: "Não faça isso", embora sabendo que muitos que desejam morrer hoje podem desejar viver amanhã, se tiverem paciência de esperar mais uma semana, embora nos preocupemos com o efeito sempre traumático na família de um suicida, devemos também — como um escritor — ponderar: "Quem sabe como poderá ser tentado a isso? Agora é ele, podia ser você".

Certamente há pessoas que jamais escolheriam o suicídio, mas que recebem a morte de braços abertos, pessoas para quem a morte é a libertação, o alívio, o resgate, o fim desejado. A morte não é um inimigo. Transforma-se num amigo. Ela nos oferece a oportunidade de nos descartarmos do peso que carregamos, seja esse peso a agonia de uma doença fatal, a impotência, a inutilidade, a solidão da velhice, os sofrimentos, em qualquer idade, depois de uma perda insuportável, ou a luta para viver num mundo que nos agride, como escreve Mark Twain, com "preocupações, dor e perplexidade". A razão, explica Twain numa autobiografia em que relata muitas perdas terríveis, pela qual "o aniquilamento não me apavora" é que

> já tentei antes de nascer — há 100 milhões de anos — e sofri mais em uma hora, nesta vida, do que me lembro de ter sofrido em todos esses milhões de anos juntos. Havia uma paz, uma serenidade, a ausência de qualquer noção de responsabilidade, ausência de preocupação, ausência de cuidados, dor, perplexidade: e a presença de um profundo contentamento, uma satisfação contínua naqueles 100 milhões de anos de férias dos quais me lembro com saudosa ternura e com um desejo agradecido de voltar quando chegar a hora.

Essa saudosa ternura pela morte, essa recepção agradecida da morte é uma das muitas versões da aceitação. Pois existem também a aceitação resignada ("Os homens devem suportar a partida, assim como sua vinda para a Terra"), a aceitação prática ("Quando me surpreendo, ressentido pelo fato de não ser imortal, contenho-me perguntando a mim mesmo se gostaria de passar a eternidade fazendo todos os anos a declaração do imposto de renda"), a aceitação prazerosa ("Sem pesar por pai, mãe, irmã/ Ou qualquer lembrança deste mundo aqui embaixo!/Minh'alma alegre abraça sua redentora"), a aceitação democrática ("Descansarás/Com patriarcas do mundo infante – com reis./Os poderosos da Terra – os sábios, os bons/ Belas formas e videntes grisalhos das eras passadas/Todos em um imponente sepulcro") e o que acho que deve ser chamado de aceitação criativa.

Esse foi o tipo de aceitação demonstrado por minha amiga Carol em relação à sua morte. Aceitação do destino, sem amargura. Aceitação de si mesma como um ser humano imensamente valioso, de um valor único. Uma aceitação que lhe permitiu, nas tardes outonais da sua caminhada para a morte, conversar com o mesmo interesse sobre a música que gostaria que tocassem no seu enterro e sobre como fazer uma maravilhosa *ratatouille*.

Sem acreditar na outra vida, sem nenhuma expectativa de adiamento e – como Ruth e Lois – com momentos terríveis de dor física, passou as últimas semanas no quarto, despedindo-se da família e dos amigos e esperando, com uma calma espantosa, a morte. Convidava a todos para uma conversa extremamente racional sobre sua mortalidade, mas a morte não era o único assunto em sua mente. Queria falar de nós, sobre a eleição que se aproximava, sobre as últimas fofocas e continuou a oferecer seus comentários inteligentes, bem-humorados e extremamente irreverentes... sobre tudo. Não, não estava sendo inflexivelmente corajosa; às vezes, precisava chorar por toda a doçura que ia deixar. E certa vez resumiu seus sentimentos sobre aquela partida prematura, citando estes versos de Robert Louis Stevenson:

> E não te parece difícil,
> Quando o céu está todo claro e azul
> E eu gostaria tanto de brincar,
> Ter de ir para a cama antes da noite?

Parecia difícil, mas à medida que Carol conhecia mais intimamente a própria morte, ia aceitando ir para a cama durante o dia.

Em uma das minhas visitas, Carol disse: "Nunca morri antes", e acrescentou, "por isso não sei como se faz".

Mas tendo assistido à morte dessa mulher serena, sem desespero, dessa mulher notável, quero dizer a todos: Ah, sim, ela sabia.

O que sabemos sobre como as pessoas morrem? Não muito, embora muitos digam que as realizações durante a vida facilitam a morte, que as pessoas que conseguiram o que desejavam morrem mais satisfeitas do que as que não alcançaram seus objetivos. O filósofo Walter Kaufmann, afirmando que a satisfação pelo que realizamos na vida "faz toda a diferença no modo como enfrentamos a morte", ilustra seu argumento com o poema de Friedrich Holderlin:

> Um único verão me seja concedido, grandes poderes, e
> Um único outono para a canção completamente madura
> Que, saciado com a doçura da minha
> Música, possa meu coração contente morrer.
> A alma que, em vida, não alcançou seu divino
> Direito não pode repousar no outro mundo.
> Mas uma vez minha tarefa, o que é sagrado,
> Minha poesia, esteja terminada,
> Seja bem-vinda, então, imobilidade do mundo das sombras;
> Estarei satisfeito embora minha lira não
> Me acompanhe na descida. Uma vez eu
> Vivi como os deuses, e mais não preciso.

Kaufmann argumenta que, se alcançamos – "em face da morte, na corrida com a morte" – um projeto que seja unicamente nosso e real, nosso "coração mais contente pode morrer", porque teremos, de certo modo, triunfado contra a morte. Hattie Rosenthal observa também na sua *Psicoterapia para os que Estão Morrendo* que "a pessoa convencida de ter tido uma boa vida está preparada para morrer e sofre menos ansiedade em face da morte".

Em várias dissertações sobre como se morre, afirmam também que morremos de acordo com o que somos, morremos tal como vivemos: o corajoso morre com coragem. Os estoicos submetem-se sem protesto a essa necessidade final. Os que negam a realidade continuam a negá-la até a morte. Aqueles que guardam com excesso de zelo a independência arduamente conquistada sentem-se envergonhados e arrasados pela dependência trazida pelo processo de morrer. E para aqueles para quem a separação sempre foi uma viagem cheia de terror para dentro das trevas, a separação última é o maior de todos os terrores.

Mas observem também que o processo de morrer pode às vezes oferecer uma nova oportunidade, permitir às vezes – sim! – crescimento e mudança, que a proximidade da morte pode precipitar um novo estágio de desenvolvimento emocional até então muito além das nossas capacidades. Eissler escreve que "a certeza ou a vaga sensação de que o fim se aproxima pode fazer com que certas pessoas deem, por assim dizer, um passo para o lado e examinem a si mesmas e a própria vida com humildade e também com a percepção da futilidade de se levar a sério tanta coisa sem importância, desde que o mundo esteja próximo e o homem vivendo apaixonadamente nele". Diz ele que esse estágio final pode dissolver certas maneiras de ser, permitindo o que ele chama de "um último passo à frente".

O conceito do "último passo à frente" ajuda-me a compreender como Lois, sempre considerada a "mais fraca" da nossa família, tornou-se tão forte e corajosa – uma lutadora. Explica também a "morte perfeita" descrita por Lily Pincus, a morte de sua sogra, até então muito dependente e dominada pela ansiedade.

Aquela mulher, depois de um derrame, acordou, sentou-se na cama e pediu para ver todas as pessoas da casa e, então, serena e amorosamente, despediu-se de cada um. Fechou os olhos calmamente e disse: "Agora, deixem-me dormir". E, quando o médico chegou para arrancá-la do último sono com uma injeção, ela ergueu-se o tempo suficiente para convencê-lo a deixá-la em paz, a deixá-la morrer tranquilamente.

"Que forças secretas", pergunta Pincus, "nessa mulher delicada e assustada, que durante toda a vida sempre evitou enfrentar qualquer dificuldade, que sempre foi incapaz de tomar uma decisão, permitiram a ela não só morrer desse modo, como também garantir que seu sono final não seria perturbado?" Sua resposta, como a de Eissler, é que a proximidade da morte pode provocar transformações notáveis, completamente inesperadas.

Eissler vai ao ponto de dizer que a experiência da própria morte pode ser a realização "que coroa" nossa vida. Ele afirma:

> A consciência de cada passo que aproxima da morte, a experiência inconsciente da própria morte, até o último segundo que permite conhecimento e consciência, seria o triunfo maior da vida individual. Seria considerada o único modo como um homem devia morrer, se a individualidade fosse aceita realmente como a única forma adequada de se viver e se a vida em todas as suas manifestações fosse integrada, incluindo-se naturalmente a morte e toda a tristeza do fim do caminho.

Mas nem todos terão a oportunidade de refletir sobre a própria morte quando estiverem morrendo. Acidentes e doenças levam muitas vidas instantaneamente. Nem todos vão desejar refletir sobre a morte quando estiverem morrendo. Na verdade, muitos vão preferir não estar presentes, psicologicamente, quando isso acontecer. Segundo Philippe Ariès, no seu estudo da morte ao longo da história, o conceito de "boa morte" foi redefinido, de modo que, ao invés de uma partida consciente, esperada e ritual, como era antes, a boa morte hoje "corresponde exatamente ao que era no passado uma morte maldita": a morte súbita. A morte que ataca sem avisar. A morte que leva o indivíduo silenciosamente no seu sono.

Comparada com a morte lenta, quase sempre solitária, num leito de hospital — quando a pessoa está ligada a tubos e máquinas e sujeita a falhas burocráticas ou coisas piores —, a morte súbita pode nos parecer uma bênção, uma morte muito boa. Porém, talvez as novas abordagens do processo de morrer — estou pensando especialmente no movimento crescente de atendimento domiciliar especializado que dispensa bom tratamento e alívio da dor sem extensões artificiais da vida — venham novamente redefinir a boa morte como aquela na qual temos tempo para experimentar a própria morte.

Mas tenhamos ou não a oportunidade de experimentar nossa própria morte, seja ou não nossa morte "um último passo à frente", um instrumento de crescimento, podemos — muito antes de chegar ao mês, à semana, ao dia, à hora da nossa morte — enriquecer nossa vida lembrando-nos de que vamos morrer. Muitos acreditam, como La Rochefoucauld, que mesmo o bravo e o inteligente devem "evitar encarar a morte". Talvez tal coisa só seja possível quando a morte não significa o fim de tudo o que somos. Talvez seja possível somente quando vemos nossa morte dentro de um contexto de continuidade após a morte.

Na verdade, foi argumentado que existe em todos nós uma necessidade de conexões que ultrapassa nosso tempo de vida, uma necessidade de sentir que nosso eu finito é parte de algo maior que permanece. Existem vários contextos nos quais podemos experimentar, ou procurar alcançar, essa conexão. E cada um desses contextos oferece uma imagem do que podemos chamar de... imortalidade.

A imagem de imortalidade mais familiar é a religiosa, com uma alma indestrutível e vida após a morte, além da promessa de que a última separação levará à reunião eterna, com a garantia de que nem tudo será perdido, mas encontrado. Entretanto, como acentua Robert J. Lifton na sua brilhante exposição sobre os tipos de imortalidade, nem todas as religiões se baseiam numa vida literal depois da morte, nem numa alma imortal. O que é mais universal na experiência religiosa, diz ele, é um senso de conexão com uma força espiritual: uma força "derivada de uma fonte mais-do-que-natural", uma força por meio da qual podemos renascer – espiritual e simbolicamente – num reino de "verdades que transcendem a morte".

Freud argumenta que essas crenças religiosas são ilusões criadas pelo homem para tornar suportável seu desamparo neste mundo. Diz ele que, assim como as crianças dependem dos pais para obter proteção, os adultos ansiosos dependem dos deuses e de Deus. Diz que criamos a religião para "exorcizar os terrores" da natureza e compensar o sofrimento imposto pela civilização. E diz ainda que usamos a religião para nos reconciliar com a crueldade do destino, "especialmente como ele se apresenta na morte".

Mas a religião é o único contexto no qual podemos evocar imagens da continuidade depois da morte. Podemos concordar com Robert Lifton em que a morte traz "aniquilamento biológico e psíquico" e, ao mesmo tempo, concordar com ele quando diz que a morte não precisa significar o fim absoluto. Existem outros meios para se imaginar como podemos continuar – além da morte, além do aniquilamento. Existem outros meios para se imaginarem conexões imortais e continuações.

Viver ligado à natureza, por exemplo – por meio dos oceanos, montanhas, árvores, estações do ano –, pode servir para alguns como uma imagem de imortalidade. Nós morremos, mas a terra continua para sempre. Além disso, voltando à terra, como diz o poema "Thanatopsis", somos literalmente parte dessa continuidade sem fim:

> ...A terra que te nutre vai reclamar
> Teu crescimento, para se transformar outra vez em terra,
> E, perdido todo traço humano, com a rendição
> Do teu ser individual, irás
> Te misturar para sempre com os elementos...

Para outros, a imortalidade reside nos trabalhos e nos atos que poderão causar impacto nas gerações futuras – nas causas que defendem (pelas quais às vezes se morre), nas descobertas que fazem, no que se constrói, se ensina, se cria.

Aqui o imperador Adriano, descrito por Marguerite Yourcenar, medita, quando está próximo da morte, sobre a relação entre suas realizações e a imortalidade:

> A vida é atroz, nós sabemos. Mas precisamente porque espero pouco da condição, os períodos de felicidade, os progressos parciais, os esforços para recomeçar e para continuar parecem-me tão prodigiosos que quase compensam a quantidade monstruosa de males, derrotas, indiferença e erro. Virá a catástrofe, virá a ruína, a desordem triunfará, mas de tempos em tempos a ordem será triunfante... Nem todos os nossos livros serão destruídos; nossas estátuas quebradas serão restauradas; outras cúpulas e outros frontões nascerão das nossas cúpulas e dos nossos frontões; alguns homens pensarão, trabalharão e sentirão como nós, e aventuro-me a contar com esses continuadores, que aparecerão a intervalos irregulares através dos séculos e com esse tipo de imortalidade intermitente.

Certas pessoas certamente podem contar com a continuação da vida por meio das suas obras, que modificam civilizações — Adrianos e Homeros, Michelangelos e Voltaires, os Einsteins (e os Hítleres). Mas não é preciso aparecer nos livros de história nem se entregar a empreendimentos que abalem o mundo para se considerar o que se faz uma obra de impacto contínuo. O trabalho de todos os dias e as ações privadas podem trazer consequências significativas que continuarão a ecoar através dos tempos.

E há também a imagem da continuidade biológica, a imagem de vivermos por intermédio de nossos filhos e netos, ou uma imagem mais ampla — biossocial — a de vivermos por meio da nossa nação, raça ou da humanidade. Alguns sentem-se como um elo na corrente da vida que se alonga, sem interrupções, do passado até o futuro, ligando-nos para sempre às vidas que passaram e às que virão depois, oferecendo-nos — enquanto o homem viver — a imortalidade.

Mas além das quatro imagens descritas da continuidade depois da morte existem experiências diretas e intensas de transcendência — experiências que repetem o eco daquela união extasiante com nossa mãe, experiências de unidade nas quais as fronteiras, o tempo e a própria morte desapareçam. Essas experiências de unidade sem limites podem ocorrer, como já vimos, por meio da união sexual, das drogas, da arte, da natureza, de Deus. Dão-nos uma sensação de "elo indissolúvel... com o mundo exterior como um todo", a sensação de que "não podemos sair deste mundo".

Entretanto, nem todo adulto pode experimentar essa unidade. "Não consigo descobrir", escreve Freud, "essa sensação oceânica em mim." Assim, também, nem todos encontrarão – na religião, na natureza, nas obras dos homens ou na conexão biológica ou biossocial – visões de imortalidade que lhes facilitem o confronto com a morte. Simone de Beauvoir diz: "Quer pensemos nela como celestial ou terrena, quando se ama a vida, a imortalidade não é consolo para a morte". Woody Allen é da mesma opinião: "Não quero conquistar a imortalidade com meu trabalho, quero imortalidade não morrendo". E, quando perguntam ao jovem acometido de uma doença fatal se lhe servirá de consolo saber que o amigo vai chorar sua morte, ele dá uma resposta que claramente rejeita as versões abstratas de imortalidade: "Só se eu estiver consciente e ouvir seu choro".

Algumas pessoas insistem em afirmar que qualquer esperança de continuidade depois da morte – mesmo sem outros mundos ou almas imortais – é sempre a negação da morte, nada mais do que uma defesa contra a ansiedade. Lifton, entretanto, diz que um senso de imortalidade é "um corolário do conhecimento da morte...", do conhecimento de que, a despeito das nossas conexões com o passado e o futuro, nossa existência é finita.

Nossa existência é finita. O eu que criamos em tantos anos de esforço e sofrimento morrerá. E por mais que nos apoiemos na ideia, na esperança, na certeza de que uma parte de nós viverá para sempre, temos de reconhecer também que esse "eu" que respira, ama e trabalha, que conhece a si mesmo, será obliterado para sempre... para todo o sempre.

Assim, tenhamos ou não imagens de continuidade – de imortalidade –, teremos também de viver com um senso de transição, conscientes de que, por mais que amemos tudo o que amamos, não temos o poder de fazer com que isso tudo, nem nós próprios, permaneça. Centenas de poetas têm falado sobre a brevidade da existência, e o que suas imagens elaboradas têm a dizer é que tudo é vaidade, que temos apenas uma hora para nos exibir no palco, que os dias de vinho e rosas desaparecem rapidamente, que devemos morrer. Os poetas também nos oferecem – em cada voz, em cada sonoridade emocional – as palavras com que se despedem os que vão morrer. E, considerando minha finitude, planejando o que, espero, esteja ainda muito distante, uso este poema de Louis MacNeice para as palavras que eu gostaria de dizer na minha última partida:

A luz do Sol no jardim
Perde a suavidade e fica gelada,
Não podemos capturar o minuto
Dentro da sua rede de ouro,
Quando tudo já foi dito
Não podemos implorar perdão.

Nossa liberdade como *freelancers*
Caminha para o fim;
A terra atrai impiedosa
Sonetos, e pássaros descem;
E logo, amigo,
Não teremos tempo para danças.
O céu era bom para voar
Desafiando os sinos das igrejas
E todas as cruéis sereias
de ferro e o que eles dizem:
A terra chama,
Estamos morrendo, Egito, morrendo.

E sem esperar perdão
De novo enrijecido em terra,
Mas feliz por ter se sentado sob
Trovões e chuva com você,
E agradecido também
Pela luz do Sol no jardim.

CAPÍTULO 20

Reconexões

> *Mas, quando ela cresceu, seu sorriso ficou mais largo com a sugestão de medo e o olhar, mais profundo. Agora ela está consciente de algumas das perdas que sofremos por estarmos aqui — o aluguel extraordinário que se paga durante toda a permanência.*
>
> ANNIE DILLARD

Meu filho mais novo está esperando resposta da universidade que escolheu. Vai sair de casa. Minha mãe, minha irmã, muitos amigos queridos, estão mortos. Estou tomando cálcio para evitar que meus ossos envelhecidos fiquem com osteoporose. Estou vivendo da Cozinha Elegante num último esforço para evitar o aumento de peso da meia-idade. E, embora meu marido e eu tenhamos mantido nossa imperfeita conexão por 25 anos felizes, as bombas de divórcios e viuvez estão caindo à nossa volta. Vivemos com a perda.

Tanto em minha vida quanto neste livro tentei falar sobre perdas em muitas linguagens diferentes: a acadêmica e a coloquial, a linguagem subjetiva e a objetiva, a privada e a pública. Com humor e com tristeza. Encontrei esclarecimento e consolo nas teorias da psicanálise, na intensidade vívida e compacta dos poemas, nas realidades ficcionais de Emma Bovary, Alex Portnoy, Ivan Ilitch, e nos segredos de estranhos e de amigos que me foram contados. Encontrei luz e consolo também nas explorações subterrâneas da minha experiência. Eis o que aprendi:

Aprendi que, no curso de nossa vida, abandonamos muito do que amamos e somos abandonados também. Perder é o preço que pagamos para viver. É também a fonte de grande parte do nosso crescimento e dos nossos ganhos. Ao trilhar o caminho do nascimento até a morte, temos de passar também pela dor de renunciar, renunciar e renunciar a uma parte do que amamos.

Temos de enfrentar nossas perdas necessárias.

Devemos entender como essas perdas se ligam aos nossos ganhos.

Pois, ao deixar a beatífica união total mãe-filho e cruzar as fronteiras imprecisas, transformamo-nos em um eu separado, consciente e único, trocando a ilusão de proteção absoluta e segurança absoluta pelas triunfantes ansiedades de caminhar sozinhos.

E, ao aceitar a limitação do proibido e do impossível, tornamo-nos um eu adulto, moral e responsável, descobrindo – dentro dos limites impostos pela necessidade – nossa liberdade de escolha.

E renunciando às nossas expectativas impossíveis, nos tornamos um eu amorosamente ligado, renunciando a visões ideais de amizade perfeita, casamento perfeito, filhos e família perfeitos, em favor das doces imperfeições dos relacionamentos completamente humanos.

E, enfrentando as muitas perdas trazidas pelo tempo e pela morte, tornamo-nos um eu que chora e se adapta, encontrando em cada estágio – até o último suspiro – oportunidades para transformações criativas.

Vendo o desenvolvimento como uma série de perdas necessárias durante toda a vida – perdas necessárias e ganhos subsequentes –, deparo constantemente com a convergência dos opostos na vivência humana. Descobri que muito pouco pode ser definido em termos de "este ou aquele". Descobri que a resposta à pergunta: "É isto ou aquilo?" geralmente é: "Ambos".

Que amamos e odiamos a mesma pessoa.

Que a mesma pessoa – nós, por exemplo – é boa e má ao mesmo tempo.

Que, embora sejamos impulsionados por forças além do nosso controle e do nosso conhecimento, somos também autores ativos do nosso destino.

E que, embora o curso da nossa vida seja marcado por repetições e continuidade, é também extremamente aberto a mudanças.

Pois é verdade que enquanto vivemos podemos repetir sem cessar os padrões estabelecidos na infância. É verdade que o presente é definitivamente moldado pelo passado. Mas é verdade, também, que as circunstâncias de cada estágio de desenvolvimento podem nos fazer reexaminar antigas disposições. E não há dúvida de que o discernimento, em qualquer idade, pode evitar que cantemos novamente as mesmas tristes canções.

Assim, embora as primeiras experiências sejam decisivas, algumas decisões podem ser modificadas. Não podemos compreender nossa história em termos de continuidade *ou* de mudança. Devemos incluir ambas.

E só podemos compreender nossa história reconhecendo que ela é feita de realidades externas e internas. Pois o que chamamos de nossas "experiências" inclui não só o que nos acontece no mundo externo, mas também nossa interpretação dos acontecimentos. Um beijo *não é* só um beijo – pode ser uma doce intimidade; pode ser uma intrusão ofensiva. Pode até ser apenas uma fantasia de nossa mente. Cada um tem a resposta interior para os fatos externos da vida. Devemos incluir os dois.

Outra relação de opostos combinados que tende a se misturar com a vida real é a de natureza e criação. Pois aquilo que trazemos para o mundo – nossas qualidades inatas, nossos "dados constitucionais" – interatua com a criação que recebemos. Não se pode ver o desenvolvimento em termos só de ambiente ou só de hereditariedade. Ambos devem ser considerados.

Quanto a nossas perdas e ganhos, já vimos que frequentemente se misturam. Para crescer, temos de renunciar a muita coisa. Pois não se pode amar profundamente alguma coisa sem se tornar vulnerável à perda. E não se pode ser um indivíduo separado, responsável, com conexões, pensante, sem alguma perda, alguma desistência, alguma renúncia.

Agradecimentos

Este livro foi escrito graças à sabedoria e à ajuda de muitas pessoas. Sou extremamente grata a todas elas.

Agradeço à Sociedade Psicanalítica de Washington e ao seu instituto, onde estudei durante seis anos de emocionante intelectualidade; aos doutores Joseph Smith, Oscar Legault, Marion Richmond e John Kafka, por me orientar para o instituto e durante meus anos de estudo; a Mary Allen, do instituto, Jo Parker e, muito especialmente, a Pat Driscoll, por ter me ajudado – durante os anos em que trabalhei neste livro – na procura de inúmeros livros e referências, e ao dr. Donald Burnham, por pequenos milagres.

Sou grata à minha amiga Silvia Koner, por ter me conduzido ao tema do livro, e aos drs. Louis Breger e Gerald Fogel, por suas críticas muito valiosas aos meus primeiros esboços.

Agradeço aos seguintes psicanalistas, que compartilharam suas experiências: Justin Frank, Robert Gillman, Pirkko Graves, Stanley Gresspan, Robert King, Susan Lazar, Glenn Miller, Nancy Miller, Frances Millican, Betty Ann Otringer, Gerald Perman, Earle Silber, Stephen Sonnenberg, Richard Waugaman e Robert Winer.

Agradeço aos editores da *Redbook* pela oportunidade que me deram, durante cerca de dezoito anos, de escrever sobre uma ampla área de preocupações humanas, algumas delas refletidas nas páginas deste livro.

Sou grata aos amigos que cooperaram comigo neste livro, do começo até o fim – a Leslie Oberdorfer, por ler e discutir meus capítulos comigo quando saíam, quentes ainda do meu processador de textos; a Ruth Caplin, Li Schorr e Phyllis Hersh, por estarem sempre disponíveis para explorar assuntos e oferecer encorajamento, e ao dr. Harvey Rich, por sua inteligência, clareza e grande coração.

Sou grata a Maria Niño, da Biblioteca de Cleveland Park, por três anos de ajuda desinteressada.

Sou grata a meu marido Milton e a nossos três filhos, por seu amor constante e boa vontade durante meus anos de completa dedicação à pesquisa e à redação do livro; a meu amigo e agente Robert Lescher, por sua ajuda e orientação habituais, muito acima e além do dever; ao meu editor Herman Gollob, por seu apoio consistente, e a Dan Green, que disse: vamos fazer este livro.

Finalmente, agradeço a várias pessoas que não podem ser mencionadas pelo nome – homens, mulheres e crianças cujas experiências são descritas neste livro e cuja privacidade prometi proteger. *Necessary Losses* não existiria sem eles.

* * *

A autora agradece a todos que autorizaram a reprodução de trechos, citados ao longo do livro, das seguintes obras:

Collected Papers, Vol. 4, de Sigmund Freud. Edição de James Strachey. Publicado pela Basic Books Inc., em acordo com The Hogarth Press Ltd., Sigmund Freud Copyrights Ltd., The Institute of Psychoanalysis, Londres, e W. W. Norton & Co. Inc.

Collected Papers, Vol. 2, de Sigmund Freud. Tradução autorizada sob supervisão de Joan Riviere. Publicado pela Basic Books Inc., em acordo com The Hogarth Press Ltd. e The Institute of Psychoanalysis, Londres. Reprodução autorizada.

The Anatomy of Bereavement, de Beverley Raphacl, © 1983 by Beverley Raphael. Reprodução autorizada pela Basic Books Inc. Publishers e Century Hutchinson Ltd.

Haywire, de Brooke Hayward. Reprodução autorizada pela Jonathan Cape Ltd. e Random House Inc.

Archy and mehitabel, de Don Marquis. Copyright 1927, 1930, by Doubleday and Co. Inc. Reprodução autorizada.

Poema de Ernest Dowson, "Non sum qualis eram bonae sub regno Cynarsac", publicado em The Norton Anthology of Poetry. Reprodução autorizada pela Fairleigh Dickinson University Press.

Tradução para o inglês do poema "Self Portrait 2", de Tove Ditlevsen, publicada em The Other Voice: Twentieth Century Women's Poetry in Translation. Edição de Joanna Bankier et al. Copyright da tradução © 1976 by Ann Freeman. Reprodução autorizada pela Ann Freeman and Gyldendal, © 1969 by Tove Ditlevsen.

Poemas "The Sunlight on the Garden" e "Les Sylphides", de Louis MacNeice, publicados em The Collected Poems of Louis MacNeice. Reprodução autorizada pela Faber and Faber Ltd.

Poema "Next Day", publicado em The Complete Poems of Randall Jarrell. Copyright © 1965 by Mrs. Randall Jarrell. Reprodução autorizada pela Farrar, Straus & Giroux Inc. e Faber and Faber Ltd.

Poema "Seed Leaves", publicado em *Walking to Sleep*, de Richard Wilbur. Copyright © 1964 by Richard Wilbur. Reprodução autorizada pela Harcourt Brace Jovanovich Inc. e Faber and Faber Ltd.

Poema "The Love Song of J. Alfred Prufrock", publicado em *Collected Poems, 1909-1962*, de T. S. Eliot. Copyright 1936 by Harcourt Brace Jovanovich Inc., copyright © 1963, 1964 by T. S. Eliot. Reprodução autorizada pela Harcourt Brace Jovanovich e Faber and Faber Ltd.

Poemas "As I Walked Out One Evening", publicado em *Collected Poems*, e "September 1, 1939", publicado em The English Auden: Poems, Essays & Dramatic Writings 1927-1939, de W. H. Auden. Reprodução autorizada pela Faber and Faber Ltd. e Random House Inc.

Poema "Youth and Age", publicado em Poems & Sketches of E. B. White, de E. B. White. Copyright © 1981 by E. B. White. Reprodução autorizada pela Harper & Row.

J.B.: A Play in Verse, de Archibald MacLeish. Reprodução autorizada pela Houghton Mifflin Co.

Teenage Romance, de Delia Ephron. Copyright © 1981 by Delia Ephron. Reprodução autorizada pela Viking Penguin Inc. e ICM.

A Book About My Mother, de Toby Talbot. Copyright © 1980 by Toby Talbot. Reprodução autorizada pela Farrar, Straus and Giroux Inc. e ICM.

Poema "Warning", de Jenny Joseph, publicado em *Rose in the Afternoon* pela J. M. Dent & Sons. Copyright © 1974 by Jenny Joseph.

Poema "Doing it Differently", publicado em *Circle on the Water: Selected Poems of Marge Piercy*. Copyright © 1982. Reprodução autorizada pela Alfred A. Knopf Inc.

The Complete Poems of Emily Dickinson, edição de Thomas H. Johnson. Copyright 1929 by Martha Dickinson Bianchi, copyright © renewed 1957 by Mary L. Hampton. Reprodução autorizada pela Little, Brown and Company.

Poema "Accomplishments", publicado em *Transplants*, de Cynthia Macdonald. Copyright © by Cynthia Macdonald. Reprodução autorizada por George Braziller.

Poemas "Sailing to Byzantium" e "The Tower", de W. B. Yeats, publicados em *Collected Poems of W. B. Yeats*. Copyright 1928 by Macmillan Publishing Co., renewed © 1956 by Georgie Yeats. Reprodução autorizada pela Macmillan Publishing Co. e A. P. Watt Ltd.

Poema de Frederick Holderlin, tradução de Walter Kaufmann, que aparece em "Existentialism and Death", publicado em *The Mourning of Death*, edição de Herman Feifel. Reprodução autorizada pela McGraw-Hill.